ATRÁS DO ESPELHO

A. G. HOWARD

ATRÁS DO ESPELHO

Tradução:
Denise Tavares Gonçalves

Novo Conceito

Título original: Unhinged
© 2014 A.G. Howard
Publicado sob acordo com Lennart Sane Agency AB.
© 2014 Editora Novo Conceito
Todos os direitos reservados.

7ª Impressão — 2018

Produção editorial:
Equipe Novo Conceito

Dados Internacionais de Catalogação na Publicação (CIP)
(Câmara Brasileira do Livro, SP, Brasil)

Howard, A. G.
    Atrás do Espelho / A. G. Howard ; tradução Denise Tavares Gonçalves. -- Ribeirão
Preto, SP : Novo Conceito Editora, 2014.

    Título original: Unhinged.
    ISBN 978-85-8163-561-3

    1. Ficção norte-americana I. Título.

14-06069   CDD-813

Índices para catálogo sistemático:
1. Ficção : Literatura norte-americana 813

Novo Conceito
Rua Dr. Hugo Fortes, 1885
Parque Industrial Lagoinha
14095-260 – Ribeirão Preto – SP
www.editoranovoconceito.com.br

Aos Sete Espetaculares: Cara Clopton, Sharon Cooper,
Bethany Crandell, Terry Howard, Chris Lapel,
Jessica Nelson e Marlene Ruggles. Cada um de vocês
deu o máximo de si para estimular, restabelecer e
elevar meu espírito durante a louca jornada
para esta publicação. Este livro é dedicado a vocês.
Amo todos vocês!

1

Sangue e Vidro

Meu professor de arte diz que o verdadeiro artista dá o sangue por sua obra, mas ele nunca nos disse que o sangue pode *tornar-se* o seu veículo de comunicação, pode assumir vida própria e formatar sua arte de maneiras repugnantes e medonhas.

Jogo o cabelo por sobre o ombro, faço um furo no meu dedo indicador com o alfinete de segurança esterilizado que tenho no bolso, posiciono a última pedra de vidro em meu mosaico e aguardo.

À medida que pressiono a conta translúcida contra o gesso branco, tremo com a sensação de estar sendo absorvida. É como uma sanguessuga na ponta do meu dedo onde eu toco o vidro, atraindo meu sangue para o lado de baixo da pedra, formando uma poça de um vermelho aveludado. Mas não para por aí.

O sangue dança... move-se de pedra para pedra, colorindo o fundo de cada uma delas com um fio carmim — formando uma imagem. O ar se retém em meus pulmões e eu aguardo as linhas se conectarem...

imaginando qual será o resultado final desta vez. Esperando que não seja *ela* mais uma vez.

Soa o último sinal do dia, e eu corro para cobrir o mosaico com um pano, morrendo de medo de que alguém possa ver a transformação acontecendo.

É mais um lembrete de que o conto de fadas do País das Maravilhas é real, de que o fato de ser descendente de Alice Liddell significa que sou diferente de todo mundo. Não importa a distância que eu tente colocar entre nós, estou para sempre ligada a uma estranha e horripilante espécie de criaturas mágicas chamadas intraterrenos.

Os meus companheiros de classe recolhem suas mochilas e livros e deixam a sala de artes, cumprimentando-se, batendo as mãos espalmadas umas nas outras enquanto conversam sobre os planos para o fim de semana. Eu chupo meu dedo, embora não haja mais sangue saindo dele. Com os quadris apoiados na mesa, olho para fora. Está nublado e a névoa forma partículas de água nas janelas.

Um pneu do Gizmo, meu Gremlin 75, furou hoje de manhã. Como mamãe não dirige, papai me trouxe quando saiu para o trabalho. Eu disse a ele que conseguiria uma carona na volta para casa.

O meu celular vibra dentro da mochila, no chão. Afasto as minhas luvas de arrastão dobradas sobre ele, pego o telefone e abro a mensagem do meu namorado: *Menina do skate... te espero no estacionamento. Morrendo de saudade de vc. Manda um abraço p o Mason.*

Sinto um aperto na garganta. Jeb e eu estamos juntos há quase um ano e fomos grandes amigos por seis anos antes disso, mas desde o mês passado só temos nos comunicado por mensagens de texto e telefonemas rápidos. Estou ansiosa para revê-lo, mas também estranhamente nervosa. Estou receosa de que as coisas fiquem diferentes agora que ele está vivendo uma vida da qual eu ainda não faço parte.

A. G. HOWARD

Olhando para o Sr. Mason, que conversa com alguns alunos no corredor sobre o material de arte, digito a minha resposta: *Tá. Louca p ver vc. 5 minutos... terminando uma coisinha.*

Largo o telefone na mochila e levanto o pano para dar uma olhada no meu projeto. Meu coração dá um pulo. Nem a familiaridade com o cheiro de tinta, com a poeira de giz e com o gesso consegue me confortar quando vejo a cena que toma forma: uma Rainha Vermelha em fúria assassina em meio a um desolado e em ruínas País das Maravilhas.

Assim como nos sonhos que venho tendo ultimamente...

Recoloco o pano no lugar, não querendo reconhecer o que aquela imagem pode significar. É mais fácil esconder-me dela.

— Alyssa. — O Sr. Mason aproxima-se da mesa. Seus tênis Converse *tie-dye* se destacam, como arco-íris derretidos contra o linóleo branco do piso. — Eu queria perguntar... você está pensando em aceitar a bolsa da Faculdade de Middleton?

Assenti com a cabeça, apesar do meu ataque de nervos por dentro. *Se o papai me deixar ir morar em Londres com o Jeb.*

— Que bom. — O sorriso largo do Sr. Mason revela a lacuna entre os seus dentes da frente. — Alguém com o seu talento deveria aproveitar toda e qualquer oportunidade. Agora vamos dar uma olhada em sua última obra.

Antes que eu pudesse detê-lo, ele puxa o pano e aperta os olhos, com as bolsas debaixo deles ampliadas por seus óculos cor-de-rosa. Solto um suspiro, aliviada ao ver que a transformação se completou. — Cores e movimento extasiantes, como sempre. — Ele se inclina sobre o quadro, esfregando o cavanhaque. — Perturbador, como os outros.

Essa observação final deixa meu estômago em polvorosa.

Um ano atrás, quando usei corpos de insetos e flores secas nos mosaicos, as minhas obras adquiriram um ar de otimismo e beleza, apesar da morbidez dos materiais. Agora que mudei de formato, tudo o que eu crio é obscuro e violento. Não consigo mais captar a leveza ou a esperança. Na verdade, parei de lutar contra isso. Eu simplesmente deixo o sangue encontrar seu caminho.

Eu queria poder parar de fazer mosaicos de uma vez por todas. Mas é uma compulsão que não consigo sufocar... e algo me diz que há uma razão para isso. Uma razão que me impede de destruir todos eles — que me impede de estilhaçar as bases de gesso em mil pedaços.

— Preciso comprar mais pedras vermelhas? — pergunta o Sr. Mason. — Nem me lembro onde comprei estas. Dei uma olhada na internet outro dia e não encontrei o fornecedor.

Ele não sabe que as pastilhas do mosaico eram claras quando eu comecei a fazê-lo, que eu só tenho usado pedras claras nas últimas semanas, e que as cenas que ele acha que estou meticulosamente engendrando ao combinar linhas coloridas no vidro estão, na verdade, se formando sozinhas.

— Não tem problema — eu respondo. — São do meu estoque pessoal. — *Literalmente.*

O Sr. Mason me analisa por um minuto. — Tudo bem. Mas estou ficando sem espaço na minha sala. Talvez você pudesse levar este aqui para casa.

Tremo só de pensar nisso. Levar um deles para a minha casa seria um convite para mais pesadelos. Sem falar em como isso afetaria mamãe. Ela já passou boa parte da vida aprisionada por suas fobias do País das Maravilhas.

Preciso pensar em alguma coisa antes que as aulas acabem. O Sr. Mason não vai querer guardá-los durante todo o verão, principalmente porque estou no último ano. Mas hoje eu tenho outras coisas com que me preocupar.

— Será que pode acomodar só mais um? — eu pergunto. — O Jeb vem me pegar de moto. Eu levo todos na semana que vem.

O Sr. Mason aquiesce e o carrega para a sua mesa.

Agacho-me para arrumar as coisas na mochila, limpando o suor das mãos em meu *legging* listrado. A bainha que roça os meus joelhos parece não me pertencer. A minha saia é mais comprida do que as que costumo usar, sem a anágua por baixo para afofá-la. Nesses meses desde que a mamãe voltou para casa vinda do sanatório, tivemos muitas discussões sobre as minhas roupas e a minha maquiagem. Ela afirma que as minhas saias são curtas demais e queria que eu usasse jeans e "me vestisse como as meninas normais". Ela acha que minha aparência é muito selvagem. Eu lhe disse que é por isso que eu uso *collants* e *leggings*, para ficar mais comum. Mas ela nunca dá ouvidos. É como se estivesse tentando compensar os onze anos que esteve afastada através de uma preocupação excessiva com tudo o que me diz respeito.

Hoje de manhã ela venceu, mas só porque eu levantei tarde e estava com pressa. Não é fácil acordar e ir para a escola depois de tentar não dormir a noite inteira para evitar sonhar.

Pego a mochila do chão, coloco-a no ombro e despeço-me do Sr. Mason com um movimento de cabeça. Minhas plataformas Mary Jane estalam sobre o deserto piso frio do corredor. Planilhas e folhas de cadernos extraviadas encontram-se espalhadas feito um caminho de pedras num lago. Vários armários estão abertos, como se os estudantes não pudessem perder aquele segundo extra que levaria para fechá-los antes de sair para o fim de semana.

Centenas de diferentes colônias, perfumes e odores corporais ainda persistem ali, mesclados a um resquício do cheiro de fermento dos pãezinhos do almoço servidos na cantina da escola. *Smells like teen spirit.* Balanço a cabeça, sorrindo.

Por falar em espírito, o conselho dos alunos da escola Pleasance tem trabalhado sem parar para colar lembretes sobre o baile de formatura em cada canto da escola. Este ano, o baile acontecerá na sexta-feira, véspera da nossa cerimônia de formatura — daqui a uma semana.

TODOS OS PRÍNCIPES E PRINCESAS ESTÃO CORDIALMENTE CONVIDADOS PARA O BAILE DE MÁSCARAS DE CONTO DE FADAS DOS FORMANDOS DA ESCOLA PLEASANCE, NO DIA 25 DE MAIO. NÃO SERÃO ADMITIDOS SAPOS.

Dou um sorriso maroto para a última frase. A minha melhor amiga, Jenara, a escreveu com marcador verde em letras grossas no fim de cada comunicado. Ela levou toda a última aula de

terça-feira para fazer aquilo, o que acabou lhe custando três dias de suspensão. Mas valeu totalmente a pena só para ver a cara de Taelor Tremont. Taelor é a *ex* do meu namorado, a melhor jogadora de tênis da escola e a diretora social do conselho dos alunos. Foi ela também quem delatou o segredo da família Liddell na quinta série. O nosso relacionamento está abalado, para dizer o mínimo.

Passo a mão sobre um dos cartazes, que descolou de um lado e acabou se enrolando feito uma língua saindo da parede. Ele me lembra a minha experiência com as línguas serpenteantes do *bandersnatch* no verão passado. Eu me encolho e pego entre os dedos a mecha de vermelho-vivo em meu cabelo loiro. É uma das minhas lembranças permanentes, assim como os nódulos atrás dos ombros, onde se aninham asas adormecidas dentro de mim. Por mais que eu tente me distanciar das lembranças do País das Maravilhas, elas estão sempre presentes, recusam-se a partir.

Assim como um certo *alguém* se recusa a partir.

Dá um nó na minha garganta pensar em asas negras, olhos tatuados e insondáveis e sotaque britânico. Ele já possui as minhas noites. Não permitirei que tome os meus dias também.

Empurrando as portas, saio para o estacionamento e sou atingida por uma lufada de vento gelado e úmido. Uma névoa fina cobre o meu rosto. Ainda há alguns carros lá, e os alunos se reúnem em grupos pequenos para conversar — alguns encolhidos em seus capuzes e outros aparentemente alheios ao tempo frio e incomum para a estação. Tivemos muita chuva este mês. Os meteorologistas calcularam o acúmulo entre 100 e 150 milímetros, quebrando o recorde de um século nas primaveras em Pleasance, no Texas.

Os meus ouvidos automaticamente se ligam nos insetos e plantas sobre o encharcado campo de futebol alguns metros adiante. Os seus sussurros sempre se confundem, misturando estalos e zumbidos, tal como estática no rádio. Mas, se eu me esforço, consigo distinguir as mensagens que são apenas para mim:

A. G. HOWARD

Olá, Alyssa.
Lindo dia para um passeio na chuva...
A brisa está perfeita para voar.

Houve um tempo em que eu odiava tanto escutar essas sauda-ções confusas e ruidosas que eu as apanhava e sufocava. Agora, esse ruído é confortador. Os insetos e as flores tornaram-se meus parceiros... encantadores lembretes de uma parte secreta de mim.

Uma parte de mim da qual nem mesmo o meu namorado desconfia.

Eu o vejo do outro lado do estacionamento. Ele está encostado em sua turbinada Honda CT70 *vintage*, papeando com Corbin, o novo capitão e principal novo paquera de Jenara. A irmã de Jeb e Corbin fazem um par esquisito. Jenara tem cabelo rosa-choque e se veste feito uma princesa que se tornou uma roqueira punk — a antítese da típica namorada de um atleta do Texas. Mas a mãe de Corbin é uma designer de interiores conhecida por seu estilo excêntrico, então ele está acostumado com personalidades artísti-cas originais. No começo do ano os dois foram companheiros nas aulas de biologia no laboratório. Eles se curtiram, e agora não se desgrudam.

Jeb olha na minha direção. Ele se endireita quando me vê, e a sua linguagem corporal fala tão alto como um grito. Mesmo a esta distância o calor de seus olhos verde-musgo me aquece a pele sob a blusa de renda e o colete xadrez.

Ele acena, despedindo-se de Corbin, que afasta dos olhos uma mecha avermelhada de seus cabelos loiros e acena em minha di-reção, indo juntar-se a um grupo de jogadores e líderes de torcida.

Jeb tira a jaqueta enquanto caminha para mim, revelando braços musculosos. As suas botas de combate batem forte no asfalto bri-lhante, e a sua pele cor de oliva cintila na névoa. Ele está usando uma camiseta azul-marinho com seu jeans surrado. Uma foto do My Chemical Romance está pintada em branco com um corte ver-melho formando uma faixa diagonal sobre o rosto deles. Isso me lembra meu trabalho com sangue, e eu estremeço.

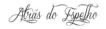

— Está com frio? — ele pergunta, envolvendo-me com a sua jaqueta, o couro ainda com o calor de seu corpo. Por aquele instante fugaz quase consigo sentir o sabor de sua colônia: uma mistura de chocolate e almíscar.

— Só estou contente porque você voltou — respondo, colocando as mãos sobre o seu peito, saboreando sua força e solidez.

— Eu também. — Ele olha para mim, me acariciando com o olhar, mas contendo-se. Cortou o cabelo enquanto esteve fora. O vento faz os cachos escuros na altura dos ombros esvoaçarem. Ainda está longo o bastante para cair e ondular, e está desgrenhado por causa do capacete. Está maltratado e selvagem, do jeito que eu gosto.

Quero pular em seus braços para dar um abraço, ou, melhor ainda, beijar seus lábios macios. A ânsia de recuperar o tempo perdido vai me envolvendo até que eu me sinto um pião pronto para girar, mas minha timidez acaba vencendo. Olho por sobre seu ombro e vejo quatro garotas mais jovens reunidas em torno de um PT Cruiser que observam cada movimento nosso. Eu as reconheço da aula de artes.

Jeb percebe para onde estou olhando e levanta minha mão, beijando cada um dos dedos, roçando o seu piercing — o que provoca um formigamento que me percorre até a ponta dos dedos dos pés. — Vamos sair daqui.

— Você leu o meu pensamento.

Ele ri. Fico ainda mais arrepiada quando suas covinhas aparecem.

Andamos de mãos dadas até a sua motocicleta, enquanto o estacionamento começa a esvaziar. — Então... parece que a sua mãe ganhou hoje de manhã. — Ele aponta para a minha saia e eu reviro os olhos.

Com um sorriso largo, ele me ajuda com o capacete, alisa o meu cabelo nas costas e separa a mecha vermelha dos fios loiros. Envolvendo-a nos dedos, ele pergunta: — Estava trabalhando num mosaico quando te mandei a mensagem?

Faço um sinal afirmativo com a cabeça e aperto a fivela do capacete sob o queixo, não querendo que a conversa tome esse rumo.

A. G. HOWARD

Não sei como contar o que tem acontecido em minhas aulas de artes enquanto ele esteve fora.

Ele me ajuda a subir na garupa, deixando um espaço para ele na frente. — Quando vou poder ver essa nova série sua, hein?

— Quando estiver pronta — murmuro. O que eu quero realmente dizer é quando eu estiver pronta para deixar que ele me veja fazer um mosaico.

Ele não se recorda de nossa viagem ao País das Maravilhas, mas percebeu as mudanças em mim, incluindo a chave que uso no pescoço, que nunca tiro, e os nódulos em minhas omoplatas, que eu atribuo a uma estranha peculiaridade da família Liddell.

Um eufemismo.

Há um ano venho tentando pensar na melhor maneira de contar-lhe a verdade sem que ele pense que sou louca. Se existe uma coisa que pode convencê-lo de que fizemos uma viagem turbulenta pela imaginação de Lewis Carroll e depois voltamos no tempo como se nunca tivéssemos partido, é a minha arte feita de sangue e magia. Eu só tenho que juntar coragem suficiente para mostrar a ele.

— Quando estiver pronta — ele diz, repetindo a minha resposta cifrada. — Então está bem. — Ele balança a cabeça antes de colocar o capacete. — Artistas! Dão um trabalho.

— Sem querer, mas mudando de assunto... já soube das novidades sobre sua mais nova fã número um?

A delicada arte gótica de Jeb tem atraído muita atenção desde que ele começou a expor. Ele vendeu vários trabalhos, sendo o mais caro por três mil dólares. Recentemente, foi procurado por uma colecionadora da Toscana que viu o seu trabalho na internet.

Jeb revira o bolso e me dá um número de telefone: — Este é o número dela. Tenho que agendar uma reunião para ela escolher um dos meus trabalhos.

Ivy Raven. Eu li o nome em silêncio. — Parece falso, não é? — eu pergunto, enfiando as alças da minha mochila por baixo da jaqueta dele. Quase chego a desejar que ela seja uma invenção.

Mas sei que não é. De acordo com a minha pesquisa na internet, Ivy é uma linda e totalmente legítima herdeira de vinte e seis anos. Uma deusa rica e sofisticada... como todas as mulheres com quem Jeb tem lidado ultimamente. Devolvo o papel, tentando estancar a insegurança que ameaça abrir um buraco em meu coração.

— Não importa que pareça falso — diz Jeb —, desde que o dinheiro seja de verdade. Eu vi um apartamento bem legal em Londres. Se conseguir vender um trabalho para ela, vou juntar com o que já economizei e acho que dá para encarar.

Ainda temos que convencer papai a me deixar ir. Recuso-me a expressar a minha preocupação. Jeb já está se sentindo culpado pela tensão entre ele e papai. É claro que foi um erro o Jeb ter me levado para fazer uma tatuagem escondida dos meus pais. Mas ele não fez isso para provocá-los. Ele o fez contra a sua vontade, porque eu o pressionei. Porque eu estava tentando ser rebelde e mundana, como as pessoas com quem ele anda saindo agora.

Jeb fez uma tatuagem junto comigo, na parte interna do pulso direito — a mão que ele usa para pintar. São as palavras em latim *Vivat Musa*, que pode ser grosseiramente traduzido para "Longa vida à musa". A minha é um par de asas em miniatura na parte interna do meu tornozelo esquerdo, para camuflar a minha marca intraterrena de nascença. Pedi ao tatuador que escrevesse as palavras *Alis Volat Propriis*, que em latim significam "Ela voa com suas próprias asas". É um lembrete de que eu controlo o meu lado obscuro, e não o contrário.

Jeb enfia o número da herdeira no bolso de sua calça jeans, parecendo estar a mil quilômetros de distância.

— Aposto que ela é uma perua velha que gosta de homens mais jovens — eu digo, meio em tom de brincadeira, tentando trazê-lo de volta ao presente.

Olhando nos meus olhos, Jeb enfia os braços em uma camisa de flanela que ele trazia amarrada no guidão de sua moto. — Ela só tem vinte e poucos anos. Não é exatamente uma perua velha.

— Ah, obrigada. Já é um consolo.

Seu familiar sorriso provocador me reconforta. — Se for para você se sentir melhor, pode ir comigo à reunião.

— Negócio fechado — eu digo.

Ele pula sobre a moto na minha frente e eu não me importo mais se alguém nos vir. Aconchego-me o mais perto possível, envolvendo os meus braços e joelhos em volta dele, com o rosto enfiado em sua nuca, bem abaixo da borda do capacete. Seu cabelo macio me faz cócegas no nariz.

Senti saudade dessas cócegas.

Ele coloca os óculos e vira a cabeça para que eu possa ouvi-lo enquanto ele liga o motor. — Vamos procurar um lugar para ficarmos um pouco sozinhos antes de eu deixá-la em casa para você se aprontar para o nosso encontro.

Meu sangue fervilha de ansiedade. — O que você tem em mente?

— Um passeio pela rua da memória — ele responde. E, antes que eu consiga perguntar o que ele quer dizer, já estamos a caminho.

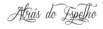

2

A Visão do Túnel

Fico feliz que o pneu de Gizmo tenha tirado uma folga, porque não há nada como andar de moto com Jeb.

Virando de um lado para outro, os nossos movimentos se sincronizam com as curvas das ruas. O asfalto escorregadio faz com que ele seja cauteloso, e ele avança contornando o tráfego de modo que possa frear sem derrapar nos cruzamentos. Mas, assim que alcançamos o lado antigo da cidade, onde as ruas comportam somente dois carros ao mesmo tempo e os semáforos são escassos, ele acelera e ganhamos velocidade.

A chuva também aperta. A jaqueta de Jeb protege a minha camiseta e o meu colete. Pingos esparsos lavam o meu rosto. Pressionando o lado esquerdo do rosto contra as suas costas e envolvendo-o bem forte em meus braços, fecho os olhos e me entrego à sensação pura: seus músculos conforme ele se deita para as curvas, o cheiro do asfalto molhado e o som da moto abafado pelo meu capacete.

O meu cabelo esvoaça à nossa volta com o vento que vem de todas as direções. É o mais perto que eu posso chegar de voar no reino humano. Quando penso nisso, os brotos em meus ombros coçam, como se desejassem insuflar suas asas.

— Está acordada aí atrás? — pergunta Jeb, e eu percebo que estamos desacelerando.

Abro os olhos e apoio o queixo no ombro dele, permitindo que a sua cabeça e o seu pescoço protejam um lado do meu rosto da garoa fina. Seu comentário sobre o "passeio pela rua da memória" começa a fazer sentido quando reconheço o cinema, um destino frequente para nós quando eu estava no sexto ano.

Eu não o via desde que o prédio fora condenado, três anos atrás. As janelas estão cobertas por tábuas e o lixo se acumula nos cantos, como se quisesse se proteger do mau tempo. Os ventos do Texas derrubaram o grande luminoso laranja ovalado de néon que ficava acima da porta de entrada; ele está amassado de um lado, como um ovo de páscoa quebrado. As letras não dizem mais CINEMA EAST END. A única palavra legível é END, um tanto poético e triste.

Este não é o nosso destino. Jeb, Jenara e eu costumávamos pedir aos nossos pais que nos deixassem no cinema, mas ele funcionava como um disfarce para os jovens que queriam ficar algumas horas longe da supervisão dos adultos. Nos reuníamos no gigantesco duto de drenagem de enchentes do outro lado do terreno, onde uma rampa de concreto levava a um vale de cimento. Estendendo-se por uns vinte metros, ele formava uma pista ideal para andar de skate.

Ninguém se preocupava com enchentes. O duto era feito para drenar o excesso do lago do outro lado — um lago que vinha encolhendo lentamente fazia décadas.

Por ser seco como um deserto por dentro, o túnel servia de esconderijo para sessões de amassos e pichações. Jenara e eu não passávamos muito tempo ali. Jeb fazia questão de garantir que não. Ele dizia que éramos inocentes demais para testemunhar o que acontecia naquele buraco.

A. G. HOWARD

Mas é para lá que ele está me levando hoje.

Jeb cruza o estacionamento cheio de lixo, um campo vazio, e depois pega a rampa com a moto. Quando mergulhamos concreto abaixo, aperto as pernas em torno dele e solto sua cintura, esticando os braços bem alto. Sinto um formigamento nos brotos de minhas asas e dou berros altos como se estivéssemos numa montanha-russa. O riso de Jeb se junta à minha explosão de alegria. Num átimo atingimos o fundo e eu o abraço novamente, as rodas da moto cortando rapidamente as poças em nossa corrida em zigue--zague na direção do duto de drenagem.

Paramos diante da entrada. O túnel está tão abandonado quanto o cinema. Os adolescentes pararam de vir aqui quando o Submundo — o parque de skate e centro de atividades subterrâneo que ficava na zona oeste e pertencia à família de Taelor Tremont — se tornou o refúgio mais popular no lado oeste da cidade. A chuva fica mais pesada, e Jeb equilibra a moto para eu poder descer. Eu escorrego no cimento molhado.

Ele me segura, envolvendo um braço em minha cintura e, sem que digamos uma palavra, me puxa para um beijo. Aperto os dois lados do seu queixo, reaprendendo com os meus dedos como os seus músculos funcionam, voltando a me familiarizar com o modo como o seu corpo rígido se encaixa perfeitamente em minhas curvas mais macias.

Pingos de chuva escorregam sobre a nossa pele e por entre os nossos lábios. Eu esqueço que ainda estamos usando os nossos capacetes, esqueço a friagem molhada do meu *legging* e até o peso de meus sapatos ensopados. Ele finalmente está aqui comigo, o seu corpo pressionado contra o meu, e esses ardentes pontos de contato são a única coisa que sinto.

Quando finalmente nos separamos, estamos encharcados, corados e sem ar.

— Eu estava louco para fazer isso — ele diz, com a voz rouca e aquele olhar verde penetrante. — Toda vez que eu ouvia a sua voz no telefone, só pensava em tocar em você.

As batidas do seu coração aceleram junto com as do meu e as suas palavras retorcem o meu estômago num nó de prazer. Lambo os lábios, confirmando sem dizer nada que eu estava pensando a mesma coisa.

Juntos, levamos a moto para o túnel e a apoiamos contra uma parede curvada. Em seguida, tiramos os nossos capacetes e sacudimos os nossos cabelos. Eu tiro a jaqueta de Jeb e a minha mochila.

Não me lembro de o túnel ser tão escuro assim. O céu encoberto não ajuda muito. Dou um passo cauteloso para dentro dele e sou bombardeada pelos murmúrios preocupantes de aranhas, grilos e demais insetos que congregam na escuridão.

Espere... não pise em nós... diga ao seu amigo para tirar os seus pés enormes daqui.

Eu paro, nervosa.

— Você trouxe uma lanterna? — pergunto.

Jeb chega por trás de mim e abraça minha cintura. — Tenho algo melhor do que uma lanterna — ele sussurra junto a mim, deixando um rastro quente em minha orelha.

Ouço um estalo, e um cordão de luzes trêmulas ganha vida na parede do túnel, de alguma maneira presas no lugar, como uma trepadeira. As luzes não iluminam muito, mas consigo ver que não há mais nenhuma prancha de skate por perto. Os skatistas costumavam deixar suas pranchas velhas para que todos pudessem ter algo para usar quando chegassem aqui vindos do cinema. Naqueles tempos, tínhamos um código de vida. Era raro uma prancha ser roubada, porque todos nós queríamos que a liberdade durasse para sempre.

Éramos tão ingênuos de pensar que qualquer coisa no reino humano pode durar para sempre.

Pichações fluorescentes brilham nas paredes — algumas são palavrões, mas a maioria das palavras é poética, como *amor*, *morte*, *anarquia*, *paz*, e imagens de corações partidos, estrelas e rostos.

Luzes negras. Elas me fazem lembrar das paisagens de néon do Submundo e do País das Maravilhas.

A. G. Howard

Um mural se destaca em meio aos outros — o contorno ultravioleta de uma fada em tons laranja, rosa, azul e branco. As suas asas estão abertas, cheias de joias e brilho. Ela se parece comigo. Mesmo depois de todos esses meses, eu ainda tenho reações retardadas quando vejo os trabalhos de Jeb: exatamente como eu era no País das Maravilhas, com asas de borboleta e marcas nos olhos — marcas pretas curvilíneas impressas na pele feito cílios exagerados. Ele enxerga dentro da minha alma e nem sabe disso.

— O que você fez? — eu pergunto a ele, caminhando na direção dos grafites e tentando não esmagar nenhum inseto.

Ele me pega pelo braço para me equilibrar. — Alguns sprays de tinta, um martelo, uns pregos e um cordão de luzes negras alimentadas por pilhas.

Ele acende uma lamparina, que ilumina uma colcha pesada estendida por baixo de uma cesta de piquenique. Os sussurros dos insetos somem devido à luz.

— Mas onde você arranjou tempo? — eu pergunto, sentando-me para vasculhar a cesta. Tem uma garrafa de água mineral bem cara, e também queijo, biscoitos e morangos.

— Tive um tempinho livre antes de a escola terminar — Jeb responde enquanto escolhe uma lista de músicas em seu iPad e o apoia na mochila. Uma balada seca e comovente ressoa de um minúsculo alto-falante.

Tento ignorar que a resposta dele me faz sentir uma estudante imatura e tiro algumas rosas brancas da cesta. São as flores que Jeb sempre me dá desde o dia em que confessamos nossos sentimentos um ao outro, na manhã seguinte ao dia em que voltei de minha viagem pela toca do coelho. A manhã seguinte ao baile de formatura do ano passado.

Eu as trago para perto do nariz, tentando embotar a memória de outro buquê de rosas brancas do País das Maravilhas que acabou vermelho com o sangue dele.

— Eu queria que fosse especial para você. — Ele tira a camisa de flanela ensopada e vai se sentar do outro lado da cesta com uma expressão apreensiva.

As suas palavras ecoam na minha cabeça: *Eu queria que fosse especial para você.*

As flores escorregam dos meus dedos, ralhando comigo por eu ter amassado as suas pétalas quando caem ao chão.

— Ah — eu murmuro para Jeb, sem dar atenção aos sussurros delas. — Então... é isso.

Ele dá meio sorriso, lançando uma sombra onde o seu incisivo esquerdo se inclina sobre o seu dente da frente. — Isso?

Ele tira um morango da cesta. A luz da lanterna é refletida nas cicatrizes do tamanho de cigarros em seus antebraços. Eu mentalmente as sigo por um caminho que leva a cicatrizes iguais a essas que estão sob a sua camiseta: lembranças de uma infância violenta.

— Humm. *Isso.* — Jeb joga o morango para o alto, inclina a cabeça para trás e apara a fruta na boca. Mastigando, ele me estuda como se esperasse uma frase de efeito. O inclinar provocador de sua cabeça faz a barba por fazer em seu queixo parecer veludo, embora não seja macia como veludo. É áspera contra a pele nua.

Meu estômago dá voltas. Desvio o olhar, tentando não notar todas aquelas coisas sexy pelas quais fiquei fissurada enquanto estivemos longe um do outro.

Já discutimos sobre o próximo passo em nosso relacionamento por mensagens de texto e em telefonemas, e em uma ocasião pessoalmente. Como a agenda dele é muito cheia, marcamos o dia do baile de formatura em nossos calendários.

Talvez ele tenha resolvido que prefere não esperar. O que significa que hoje terei de dizer que *não estou* pronta. Ou, pior ainda, terei de dizer a ele o porquê.

Estou totalmente despreparada, absolutamente assustada, e não pelos motivos habituais. Os meus pulmões se contraem, o que piora com o ar abafado do túnel... e tinta, pedras e poeira. Eu tusso.

— Menina do skate. — Toda a provocação sumiu de sua voz. Ele diz meu nome tão baixinho e tão docemente, quase encoberto pela música de fundo e da chuva que tamborila lá fora.

— Sim? — As minhas mãos tremem. Encolho os dedos das mãos, as unhas arranhando as minhas cicatrizes. Cicatrizes que Jeb ainda acha que foram causadas por um acidente de carro quando eu era criança, quando o vidro da frente supostamente foi estilhaçado e cravou-se em minhas mãos. Esse é só um dos muitos segredos que escondo.

Eu não posso dar o que ele quer, não posso me dar por inteira. Não até que eu diga quem realmente sou. *O que* eu sou. Já estava difícil quando faltava uma semana para o baile. Não estou pronta para escancarar a minha alma hoje, depois de ficar tanto tempo longe dele.

— Ei, calma. — Jeb liberta as minhas mãos da prisão dos seus dedos e pressiona uma delas contra a sua clavícula. — Trouxe você aqui para lhe dar isto. — Ele arrasta a minha mão até o seu peito, onde sinto um nó duro do tamanho de uma moeda de dez centavos por baixo de sua camiseta. É quando percebo o brilho de uma delicada corrente em seu pescoço.

Ele tira a corrente e a coloca sob a luz da lanterna. É um medalhão em formato de coração com uma fechadura incrustada no meio.

— Eu o encontrei em um mercado de antiguidades em Londres. Sua mãe lhe deu aquela chave que você usa o tempo todo, não é?

Contraio o corpo, com vontade de corrigir aquela meia verdade — que não é exatamente a mesma chave que ela guardou para mim, embora ela abra o mesmo mundo estranho e selvagem.

— Bem... — Ele se inclina sobre a cesta para colocar o colar em meu pescoço. Ele pousa exatamente sobre a minha chave. Jeb solta o meu cabelo, alisando os fios para cobrir as duas correntes. — Achei que poderia ser simbólico. É feito do mesmo metal e parece tão antigo quanto a chave. Juntos, eles provam o que eu sempre soube. Desde quando vínhamos aqui quando crianças.

— E o que é? — Eu o observo, intrigada pelo modo como as cores do túnel tingem um lado da sua compleição macia com uma luz azulada.

— Que só você possui a chave que abre o meu coração.

Aquelas palavras me deixam aturdida. Abaixo o olhar antes que ele possa perceber a emoção em meus olhos.

Atrás do Espelho

Ele bufa.

— Isso foi muito cafona... acho que devo ter inalado muito cheiro de tinta enquanto trabalhava no mural.

— Não. — Eu me equilibro sobre os joelhos e penduro os braços em seus ombros. — Foi sincero. E foi tão do...

Ele coloca um dedo sobre os meus lábios. — É uma promessa. À qual estou comprometido. Só com você. Quero deixar isso bem claro antes do baile, antes de Londres. Antes de qualquer outra coisa que aconteça entre nós.

Eu sei que ele realmente está sendo sincero, mas não é a verdade mais pura. Ele também está comprometido com a sua carreira. Ele quer que a sua mãe e Jenara tenham coisas boas; ele quer ajudar com as despesas da faculdade de moda de sua irmã e me sustentar em Londres.

E, depois, ainda há o motivo fundamental: ele está comprometido com a sua arte. O único motivo do qual ele nunca fala.

Não tenho direito de ter ciúme de sua determinação de ser bem-sucedido — para provar que ele pode ser um homem melhor do que o exemplo que recebeu. Eu só desejo que ele consiga encontrar o equilíbrio e ficar satisfeito. Mas parece que cada venda e cada novo contato só aguçam o seu apetite por mais, quase como um vício.

— Senti a sua falta — eu digo, puxando-o para um abraço que amassa a cesta entre nós.

— Eu também senti a sua falta — ele diz no meu ouvido antes de nos afastarmos. Uma expressão preocupada encontra o meu olhar. — Você não sabe disso?

— Fiquei sem notícias suas por quase uma semana.

Ele levanta as sobrancelhas, obviamente decepcionado. — Desculpe. Não conseguia falar no celular.

— Mas existem linhas fixas, e-mail — eu retruco, parecendo estar mais irritada do que pretendo.

Jeb dá um toque na cesta que nos separa com a ponta da bota. — Tem razão. É que eu fiquei louco nesta última semana. Foi quando aconteceu o leilão. E toda aquela gente falando sem parar.

A. G. HOWARD

Toda aquela gente = festas com a elite. Encaro-o de maneira dura.

Ele alisa o meu lábio inferior com o polegar, como se tentasse redesenhar a minha expressão carrancuda, transformando-a num sorriso. — Ei, não me olhe assim. Eu não fiquei enchendo a cara, nem te traí. Foram negócios.

O meu peito aperta. — Eu sei. É que, às vezes, fico preocupada.

Eu me preocupo com que ele comece a ansiar por coisas que eu ainda não vivenciei. Quando ele tinha dezesseis anos, perdeu a virgindade com uma garçonete de dezenove em um restaurante onde ele trabalhava limpando as mesas.

No ano passado ele namorou a Taelor, mas eles nunca transaram; os seus crescentes sentimentos por mim o impediram de ir além. Mas já é difícil saber que ele esteve com uma "mulher mais velha" antes de mim, que ela lhe ofereceu uma amostra das tentações que o rodeiam, agora diariamente.

— Preocupada com o quê? — Jeb diz imediatamente.

Eu balanço a cabeça. — Estou sendo idiota.

— Não. Me diga.

A tensão é expelida dos meus pulmões numa rajada. — Sua vida está tão diferente da minha agora. Eu não quero ser deixada para trás. Você ficou tão distante desta vez. Mundos de distância.

— Não fiquei — ele diz. — Você estava em meus sonhos todas as noites.

O seu doce sentimento me lembra de meus próprios sonhos e da vida que estou ocultando dele. Eu sou uma tremenda hipócrita.

— Só mais uma semana de aula. — Ele brinca com as pontas do meu cabelo. — E então iremos para Londres e você poderá ir comigo em todas as viagens. Já é hora de mostrar a sua arte também.

— Mas meu pai...

— Já bolei um modo de arranjar tudo. — Jeb afasta a cesta que nos separa.

— O quê? Como?

— Falando sério, Al. — Jeb ri. — Você quer ficar falando do seu pai quando podemos fazer isso? — Ele fica de pé me puxando com

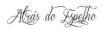

27

ele. Os seus braços me envolvem. Eu me aninho junto a ele e dançamos uma música ao som de seu iPad, finalmente sincronizados. Esqueço todo o resto, exceto os nossos corpos girando. A nossa conversa retorna ao seu ritmo familiar. Nós rimos e provocamos um ao outro ao contarmos as coisas bobas que aconteceram nas últimas semanas.

Começa a parecer que tudo voltou ao que era, nós dois nos fundindo um no outro enquanto todo o resto vai ficando cada vez mais distante.

Quando outra música começa, desta vez ritmada e ardente, os meus dedos dançam provocativamente sobre a sua coluna até atingir a barra de sua camiseta. Arranho ligeiramente a musculatura definida de suas costas e beijo o seu pescoço.

Ele geme, e eu sorrio na penumbra, sentindo a mudança nele. Uma mudança que eu controlo. Ele nos deita na colcha, colocando-me de costas. Uma pequena parte de mim quer terminar de falar sobre as coisas que deixamos inacabadas. Mas, mais do que isso, eu o quero desse jeito, com a atenção voltada apenas para mim, sentir o seu peso, ao mesmo tempo exigente e confortador.

Com os cotovelos apoiados ao lado de minhas orelhas, ele sustenta a minha cabeça enquanto me beija, tão meigo e profundo que posso sentir o morango que ele comeu há pouco.

Fico sem fôlego, tonta... flutuando tão alto que mal consigo ouvir o sinal de mensagem do telefone dele.

Ele fica tenso e sai de cima de mim para tirar o celular do bolso de sua calça jeans. — Desculpe — ele resmunga, e começa a ler o texto.

Solto um gemido, sentindo falta do seu calor e do seu peso.

Depois de ler a mensagem em silêncio, ele se volta para mim.

— Era um jornalista do *Picturesque Noir*. Ele disse que tem duas páginas disponíveis se eu conseguir trocar a minha sessão de fotos na galeria para hoje à tarde. Depois disso, eles querem me levar para um jantar e fazer a entrevista. — Como se percebesse a frustração nos meus olhos, Jeb acrescenta: — Desculpe, Al. Mas uma página dupla... é um grande negócio. No resto do fim de semana serei todo seu, da manhã até a noite, está bem?

Estou prestes a lembrá-lo de que não o vejo há um mês e que hoje deveria ser um dia só nosso, mas mordo a língua e engulo o meu discurso.

— É claro.

— Você é o máximo. — Ele me dá um beijinho no rosto. — Você se importa de recolher as coisas? Preciso telefonar para o Sr. Piero para ele montar os meus trabalhos na sala de exibição.

Concordo sem muita convicção e ele se dirige à entrada do túnel para poder ligar para o seu chefe no estúdio de arte onde ele restaura pinturas antigas quando não está exibindo o seu próprio trabalho. A escuridão se interpõe entre nós — formas tristes e vagas fora do alcance da lanterna que parecem tão rejeitadas quanto eu.

Sento-me e recolho a cesta e o iPad de Jeb, tentando ao máximo ouvir a conversa — algo sobre qual sala tem a melhor luz para o fotógrafo. Eu mal percebo que os murmúrios dos insetos se intensificaram e tornaram-se um uníssono:

Você deveria ter dado ouvidos. Ele a alertou em seus sonhos... Agora todas as suas dúvidas serão dissipadas.

Pinga... pinga... pinga.

Esforço-me para ficar de pé quando uma chuva fraca surge de dentro do túnel escuro atrás de mim. O som faz eriçar os pelos de minha nuca.

Pinga... pinga... pinga.

Penso em chamar Jeb de volta para investigar, mas a vívida ponta azul de uma asa pintada na parede me chama a atenção. Ela está logo adiante do limite da luz. É estranho eu não tê-la notado antes.

Avanço na direção dos desenhos fluorescentes e com alguns puxões rápidos arranco da parece o cordão de luzes de Jeb. Ele cai ao chão e forma uma trilha atrás de mim enquanto eu começo a me aproximar da misteriosa imagem alada, puxando as pilhas com um estalido.

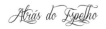

Pinga... pinga... pinga.

Olho para o breu no fim do túnel, mas estou mais interessada agora no grafite da parede. Com o cordão envolto entre os dedos, movimento a minha luva de luzes ao longo do retrato alado para iluminá-lo, ponto por ponto, como um quebra-cabeça.

Eu conheço aquele rosto e aqueles olhos ornados com joias. Eu conheço aquele cabelo azul desgrenhado e aqueles lábios, que têm gosto de seda, alcaçuz e de perigo.

Ansiedade e temor se entrelaçam em meu peito. O mesmo efeito embaralhado que ele sempre tem sobre mim.

— Morfeu — eu sussurro.

Os insetos respondem num sussurro uníssono:

Ele está aqui... Ele cavalga na chuva...

Essas palavras são como um ferrão que se crava em minha espinha, pregando-me no lugar.

— Corra! — O grito de Jeb vindo da entrada do túnel me tira da letargia mental. As suas botas cortam caminho através da água que eu não havia notado que se acumulava aos meus pés.

— Inundação! — Jeb grita, adentrando a escuridão que nos separa.

Sou tomada pelo pânico, dou um passo na direção dele e neste exato momento o cordão de luzes ganha vida em minha mão, como uma trepadeira serpenteante e insidiosa. Ela se enrosca em meus pulsos, amarrando-os juntos, e depois faz o mesmo com os meus tornozelos. Luto contra o cordão, mas, antes que possa gritar, já estou amarrada.

Uma onda arrebatadora surge da escuridão do túnel e me tira o equilíbrio. Caio de frente para o chão. Água fria e suja me cobre o rosto. Eu tusso, tentando manter o nariz acima da corrente, mas o cordão de luzes me mantém paralisada.

— Al! — O grito de horror de Jeb é a última coisa que ouço antes de a água rodopiar em volta de meus membros atados e me arrebatar para longe dali.

A. G. HOWARD

3

Afogando-me no País das Maravilhas

O cordão de luzes em volta dos meus tornozelos e pulsos me arrasta contra a corrente, mais para o interior do túnel, onde a água é escura. É como ser imersa em tinta fria. Luto para manter a cabeça fora da água, mas não consigo. O frio me deixa entorpecida, desesperada para poder respirar.

Jeb me encontra. Pegando-me pelas axilas, ele me levanta para fora da água o suficiente para eu dar mais uma golfada de ar, mas outra enorme vaga o arrasta na direção da abertura do duto, e o cordão de vinil me empurra na direção oposta. Posso distinguir, pelos gritos distantes, que ele não consegue vir atrás de mim. Fico feliz que ele tenha sido levado pela corrente. Ele estará mais seguro depois que o turbilhão de água o depositar lá fora.

Coisas que aprendi no País das Maravilhas um ano atrás, poderes que pratiquei sozinha em meu quarto para que mamãe não me surpreendesse e surtasse voltam agora, tão vigorosos quanto a corda que me puxa para baixo das ondas volumosas.

Eu relaxo os músculos e me concentro no cordão de luzes, imaginando que elas ganham vida. Em minha mente, a eletricidade que pulsa pelos fios se torna plasma e nutrientes. Elas respondem como se fossem criaturas vivas. Suas luzes ficam fortes o bastante para que eu enxergue os fios se animando debaixo da água. O problema é que não me dediquei com tanto afinco aos exercícios de magia, então, mesmo que eu tenha conseguido dar vida ao cordão, não possuo controle sobre ele. É como se as luzes tivessem vontade própria.

Ou talvez elas estejam sob a influência de outra pessoa.

Já quase convulsionando devido à necessidade de respirar, esforço-me para manter os olhos abertos debaixo da água. O frio faz com que eles doam. Sou lançada para a parte mais funda do túnel, como se estivesse sendo levada por uma carruagem aquática puxada por enguias elétricas. O cordão me reboca para perto de uma porta — pequena e antiga — encravada numa parede de concreto. Está coberta de musgo e um tanto deslocada aqui no reino humano, mas eu já a vi antes. Tenho a chave para abri-la pendurada no meu pescoço.

Não faz o mínimo sentido que ela esteja aqui, tão longe da toca do coelho em Londres, que é a única entrada para o País das Maravilhas a partir deste mundo.

Dou puxões nas minhas amarras. Não estou dormindo, então isto não pode ser um sonho. Não quero passar por aquela porta enquanto estiver acordada. Ainda estou tentando superar o que aconteceu da última vez.

Os meus pulmões se encolhem ao máximo, vorazes, até que eu não tenho escolha. Entrar é a minha última saída, o único modo de respirar e viver. Lutando contra os grilhões em meus pulsos, dobro os cotovelos de modo que alcancem o meu peito. Com as duas mãos, arranco a chave do meu colar, afastando o medalhão de Jeb do caminho. A corrente empurra a minha cabeça contra a parede de concreto. A dor vai da têmpora até o pescoço.

Bato as pernas atadas como a cauda de uma sereia para me posicionar diante da porta. Enfio a chave na fechadura. Com um girar de meus pulsos, o trinco é aberto e a água se esvai. A princípio, sou grande demais para me esgueirar pela abertura, mas então a porta cresce, ou eu encolho, porque de alguma maneira me encaixo nela perfeitamente.

Surfo nas ondas e passo pela porta, levantando o rosto para tomar ar. Um montículo me detém, duro o bastante para expulsar o ar de meus pulmões. Sou largada na lama, tossindo, com os pulmões e a garganta doendo, os pulsos e os tornozelos esfolados da luta contra o cordão de luzes.

Deito de costas e sacudo as pernas, tentando soltar as minhas amarras. A sombra de grandes asas negras se esgueira sobre mim, um escudo contra a tempestade que se forma lá em cima.

Rastros de raios de néon cortam o céu, tingindo a paisagem com tons fluorescentes e deixando um odor acre e queimado. O aspecto de porcelana de Morfeu — do rosto liso ao peito bem definido brotando de sua camisa quase desabotoada — parece tão luminoso quanto a luz da lua por baixo dos flashes elétricos.

Ele para ao meu lado. Seu tamanho descomunal é a única coisa que ele e Jeb têm em comum. A bainha de seu longo casaco revolve-se em torno de suas botas. Ele abre uma mão, com um punho de renda saindo de sua jaqueta.

— Como eu venho lhe dizendo, amor — seu sotaque profundo me penetra os ouvidos —, se você relaxar, sua magia vai responder. Ou quem sabe você prefira continuar amarrada. Eu poderia colocá-la em uma bandeja para o meu próximo banquete. Você sabe que meus convidados preferem pratos crus que apanhem muito.

Eu cubro os meus olhos, que queimam, e solto um gemido. Às vezes, quando estou irritada ou nervosa, esqueço que existe um truque para acessar os meus poderes intraterrenos. Inalando pelo nariz, penso no sol cintilando sobre as ondas que quebram para acalmar as batidas de meu coração, depois exalo o ar pela boca. Em questão de segundos, o cordão de luzes se solta e cai ao chão.

Encolho-me quando Morfeu me força a levantar. Exaustas de sua batalha contra a água, minhas pernas começam a ceder, mas ele não me oferece ajuda. É tão típico dele esperar que eu fique de pé sozinha.

— Às vezes eu odeio você — eu digo, apoiando-me na haste de uma folha gigante para me equilibrar.

A margarida cede com o meu peso sem dizer uma palavra, provocando uma pontada de curiosidade em minhas entranhas. Não consigo imaginar por que ela não está me empurrando nem reclamando.

— Às vezes. — Morfeu coloca um chapéu de veludo preto estilo caubói sobre o cabelo azul. — Há algumas semanas era decididamente *sempre*. Em questão de dias, você estará professando total av...

— Aversão? — eu interrompo.

Sorrindo de modo provocativo, ele ajeita o chapéu num ângulo petulante e a guirlanda de mariposas mortas que cobre a aba sacoleja. — De qualquer maneira, consigo afetá-la. De qualquer maneira, eu venço. — Ele tamborila dedos longos e elegantes na calça de camurça vermelha.

Resisto ao irritante impulso de retribuir o seu sorriso, hiperconsciente do que a sua linguagem corporal faz ao lado obscuro de meu ser: ele se enrosca e estica cautelosamente, como um gato deleitando-se ao sol em um parapeito, atraído pelo calor, mas cuidadoso para não escorregar.

— Você não deveria me trazer para cá durante o dia. — Eu torço a bainha encharcada da minha saia e em seguida cuido do emaranhado em minha cabeça. Uma rajada de vento faz meu cabelo esvoaçar, jogando mechas cheias de musgo contra minha cara e meu pescoço. A minha pele fica toda arrepiada por baixo da roupa. Começo a tremer e cruzo os braços. — E como você conseguiu, afinal? Só existe uma entrada para o País das Maravilhas... Você não pode simplesmente mudar a toca do coelho para onde quiser. O que está acontecendo?

Morfeu abre metade de uma asa em torno de mim, bloqueando o vento. Sua expressão vacila entre o antagonismo e a diversão. — Um mágico nunca revela os seus segredos.

Eu resmungo.

— E eu não me recordo de ter combinado nenhum momento do dia para nossas reuniões — ele continua, sem se perturbar por minha rabugice. — Você deveria nos visitar na hora em que quisesse. Afinal, aqui também é seu lar.

— Então você vai continuar insistindo. — Desvio os olhos antes que ele consiga me absorver para dentro de seu olhar magnético. Em vez encará-lo, volto-me para o caos à nossa volta. Nunca vi o País das Maravilhas horrível deste jeito.

Densas nuvens roxas movem-se rapidamente pelo céu feito aranhas gordas. Elas deixam rastros escuros, como se tecessem teias no ar. A lama debaixo dos meus sapatos chia e cospe. Bolhas marrons estouram e emergem. Se eu já não soubesse que não, juraria que alguma coisa estava respirando lá embaixo.

Até o vento encontrou uma voz, alta e melancólica, assobiando pela floresta de flores zumbis que um dia já foram altivas como olmos. As flores costumavam saudar-me com atitudes sarcásticas e conversas pretensiosas. Agora, todas elas se acovardam, curvadas em seus ramos, os braços murchos escondendo pétalas cravejadas de centenas de olhos semicerrados.

Os intraterrenos com múltiplos olhos perderam a sua batalha... a sua alma.

Morfeu desliza as mãos para dentro de um par de luvas vermelhas. — Se você acha que isso é trágico, deveria ver o que está acontecendo no coração do País das Maravilhas.

O meu próprio coração se contrai. O País das Maravilhas era tão lindo e animado, embora também estranho e assustador. Ainda assim, ver esta terra desmoronar não deveria me afetar de modo tão intenso. Eu testemunhei essa decadência gradual em meus sonhos nas últimas semanas.

Acontece que eu esperava que fosse só algo imaginário. Talvez isto aqui seja somente um sonho também. Mas, se for real e Morfeu estiver dizendo a verdade, tenho que intervir. É a minha terra.

O problema é que Morfeu raramente diz a verdade. E ele sempre tem segundas intenções. Exceto naquela vez em que ele verdadeiramente agiu de maneira altruísta e não premeditada para me proteger...

A minha atenção volta-se para ele a tempo de pegar um espasmo involuntário de seu queixo. Um sinal revelador de que ele está perdido em pensamentos. Deveria me incomodar o fato de eu conhecer tão profundamente os seus maneirismos. Mas o que me incomoda mesmo é que eu *gosto* de conhecer.

É inevitável a sua familiaridade. Até eu completar cinco anos de idade, ele visitava os meus sonhos como uma criança inocente todas as noites. Quando um intraterreno assume a forma de uma criança desse modo, a sua mente também se torna infantil. Então nós praticamente crescemos juntos. Depois que eu o vi no verão passado, os nossos caminhos se separaram por algum tempo. Ele me deu o espaço que eu pedi. Mas agora ele instalou sua morada em meu sono R.E.M. mais uma vez. Ele chega sempre que Jeb vai embora, fazendo-me companhia — mesmo que eu não lhe peça.

Ao compartilhar tanto de seu subconsciente com alguém, você tende a aprender coisas com essa pessoa. Às vezes você pode desenvolver sentimentos por ela, por mais que tente resistir.

Eu o observo ranger os dentes. Abaixo dos olhos, ele apresenta os mesmos desenhos que eu tinha quando estava no País das Maravilhas. As marcas são adoráveis e obscuras, como longos cílios sinuosos, mas as dele são pontilhadas de joias cintilantes. Elas piscam em ciclos — prateado, azul, bordô —, um turbilhão melancólico de emoções que dançam pelo seu rosto. Aprendi a decifrar as cores, como se lesse um anel das emoções.

— Não acha que é hora de você parar essa destruição, Alyssa?

Procuro os dois colares que descansam em meu pescoço. Levantando o medalhão de Jeb, aperto-o contra os lábios para sentir o gosto do metal, lembrando do seu voto de compromisso no túnel. Eu o deixei na água e ele não sabe onde estou. Preciso voltar para ele, certificar-me de que está bem.

— Se está preocupada com o seu namorado, ele está bem. Posso garantir. — Não é surpresa que Morfeu possa me ler tão claramente. Ele me conhece tão bem quanto eu o conheço. — Você precisa se concentrar no aqui e agora.

A. G. Howard

Cravo os olhos nele. — Por que você está tão determinado a me envolver nisso tudo?

— Estou tentando conter a guerra. Ela virá para destruir você, de uma maneira ou de outra. Ela foi uma parte sua. Mesmo que tenha sido somente por algumas horas, ela deixou uma marca em você. Assim como você deixou nela. Você é a única que já a derrotou.

Estreito os olhos. — Sem contar você, quer dizer.

Um canto de sua boca se levanta. — Ah, mas aquilo foi devido a um golpe de sorte e uma espada vorpal. O seu ataque foi pessoal e, na mente dela, traidor, devido aos laços que as uniam.

— Você ainda não provou que ela é responsável por isso. Da última vez que eu soube, o espírito dela estava no meio de uma pilha de ervas daninhas moribundas.

— Parece que ela encontrou um corpo intraterreno saudável para habitar.

A minha espinha estremece com essa possibilidade. — Como posso saber se você não está inventando essa ameaça? Você já fez isso antes. Inventou um esquema complicado para fazer com que eu me jogasse pela toca do coelho. Não serei o seu peão mais uma vez. Onde está a prova de que você não está só tentando me fazer voltar de vez?

— Prova... — Zombando, ele joga a asa para cima, deixando-me exposta ao vento. — Pare de agir como um ser humano mesquinho e desconfiado. Você nasceu para muito mais do que isso.

Mantenho o olhar fixo nele por entre as mechas do meu cabelo. — Você está equivocado. Um humano é *exatamente* o que eu nasci para ser. Eu escolhi viver lá. — Aponto para trás, na direção da porta. — Vivenciar tudo o que Alice não conseguiu.

Morfeu vira o rosto para o céu. — Receio que quem esteja equivocada é você, se acha que permitirei que o País das Maravilhas caia em ruínas só para que você possa "se amarrar" com o seu brinquedo mortal.

As minhas bochechas pinicam de calor. — Estava nos espionando? Espere. Foi *você* quem causou a inundação do duto de drenagem. Você queria arruinar o nosso encontro.

Invadindo o meu espaço pessoal, Morfeu envolve as suas asas em torno de nós dois. A manobra realmente isola o vento, diminui a luz e me cega para tudo o mais, exceto ele.

— Não fui em quem colocou um fim àquela estabanada tentativa de sedução. Jebediah conseguiu fazer tudo sozinho. — Morfeu arranca os dois colares dos meus dedos, segurando as delicadas correntes com firmeza o suficiente para que eu não possa arrancá--las sem quebrá-las. — Se ele desse mais atenção a *você* do que a sua própria preciosa carreira — ele envolve as correntes em uma mão e, usando o indicador e o polegar enluvados, posiciona a pequenina chave sobre a fechadura do coração —, talvez se afinasse mais com os seus desejos e necessidades. — Sustentando meu olhar, ele faz uma demonstração de como os dentes da chave não possuem a forma da abertura do coração. — Como pode ver, ela simplesmente não encaixa.

Algo firme e profundo desperta em minha mente, como asas martelando o meu crânio. É o retorno do meu lado intraterreno. Ninguém pode fazê-lo emergir como Morfeu. — Solte — eu exijo.

Morfeu continua apertando as correntes, desafiador. — Ele já se deu ao trabalho de perceber as mudanças em você? De perguntar por que você não usa mais insetos e flores em seus mosaicos? Ou por que você trocou o seu medo de altura por uma aversão a superfícies refletoras?

Eu aperto o maxilar. — Ele perguntou. Eu só não sei bem como explicar que mantenho o meu espelho coberto porque tenho receio de ser espionada por um cara esquisito com asas.

Morfeu sorri. — É o que diz a moça cujas asas estão sempre ansiando para se libertar.

Eu franzo a cara, odiando o fato de ele estar certo.

— Você precisa de um homem que a conheça e a compreenda, Alyssa. Os seus dois lados. Um parceiro. — Ele puxa os meus colares, e a mim, para mais perto. — Um homem que seja a sua equivalência em todos os sentidos. — O odor de alcaçuz penetra as minhas narinas; ele deve ter fumado o seu narguilé antes de eu chegar. O meu corpo me trai ao lembrar do sabor de tabaco, atrelado àqueles beijos, de que gosto.

Ele solta os colares e pega em meu queixo. As suas luvas estão frias, mas o fascínio dos seus olhos escuros e místicos me aquece dos pés à cabeça. Quase caio para dentro deles, quase esqueço de mim mesma e das minhas escolhas. Mas agora consigo ser mais forte.

Dou um puxão e me liberto, empurrando o seu peito com força suficiente para jogá-lo para trás. Embora as abas do seu casaco se enrolem em suas pernas, ele consegue se equilibrar sem perder o pique.

Rindo, ele ergue um braço, faz um floreio e se curva. — Desafiar, preparar e combater. Sempre à minha altura. — O seu sorriso presunçoso me provoca com promessas e insinuações.

— Isto não é um jogo. Você poderia ter *matado* o Jeb naquela inundação! — Eu invisto contra ele, mas ele dobra uma asa entre nós para me manter a distância. Dando socos na barreira acetinada e negra, eu continuo, ríspida. — Você ultrapassou o limite. Não me incomode novamente durante o dia. — Eu começo a me dirigir para a porta. Prefiro enfrentar um túnel inundado de esgoto a ficar aqui mais um segundo.

— Ainda não terminamos — ele diz atrás de mim.

— Ah, terminamos, *sim*.

Em algum canto recluso e íntimo de minha alma eu gosto do País das Maravilhas mais do que ouso admitir. Mas se eu permitir que Morfeu perceba isso... ele me convencerá a ficar e lutar. Da última vez que enfrentei a Rainha Vermelha, ela deixou uma marca de terror em meu coração. A julgar pelo que está acontecendo com esta terra, seus poderes estão ainda maiores agora do que eram naquela época. Reprimo mais um arrepio. Estou totalmente despreparada para uma batalha dessas proporções. Sou somente metade da intraterrena que ela é, e não sou páreo para ela.

Nunca serei.

Estou a poucos passos da porta quando o bater das palmas enluvadas de Morfeu me detém.

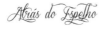

Um farfalhar sinistro cresce à minha volta, como folhas se revolvendo sobre túmulos. Eu me viro, mas não depressa o bastante. Trepadeiras escalam minhas pernas, apertando-as com força. O músculo da minha panturrilha arde sob a pressão. Usando a minha magia intraterrena não desenvolvida, tento influenciar as plantas. A hera reage, mas se recusa a me soltar.

— Que pena que você tenha negligenciado o seu melhor lado por tanto tempo — Morfeu me provoca, chegando mais perto. — Se o praticasse com mais frequência, relaxar seria intuitivo... e seria mais fácil controlar os seus poderes.

Solto um grunhido. A parte superior do meu corpo ainda está livre, então lhe desfiro um soco, atingindo o seu abdômen. Ele perde o ar, provocando um ruído, mas a sua expressão de escárnio não é abalada. Com um inclinar de sua cabeça, a margarida que eu usara para me apoiar um pouco antes se estica e grampeia os meus cotovelos. As mãos dela, meio humanoides, meio plantas, me imobilizam com força. Quando eu resisto, ela sibila em alerta.

Reprimindo um uivo frustrado, encontro os olhos negros imperscrutáveis de Morfeu. — Quero ir para casa.

Ele mexe em sua camisa, alisando o ponto onde o meu punho a amarrotou. — Continue ignorando as suas responsabilidades e logo não terá mais casa alguma.

Balanço a cabeça. — Quantas vezes tenho de dizer? Minha casa é no reino humano, não aqui. — Uma meia mentira. Não suporto olhar mais uma vez para toda a destruição que me cerca. Mas ele não precisa perceber o quanto estou dividida... o quanto estou dividida desde o ano passado.

— O que a faz pensar que eu estava me referindo a *aqui*? — Ele se recosta sobre um talo de nastúrcio. A pose não deveria ser de ameaça, mas as suas asas se elevam sobre ele, negras, avultando-se contra o céu de tempestade, e a minha pele se encrespa de apreensão. Tento libertar os meus cotovelos. A margarida é forte demais. Mesmo através das mangas compridas, os seus dedos em forma de frondes ferem a minha pele.

— Exijo ver as rainhas Grenadine e Marfim — eu digo.

Morfeu solta uma gargalhada. — Você "exige"? Então está apelando para a realeza, não é?

O meu peito se contrai. — São as rainhas que controlam os portais para a minha casa, não você.

— Ah, mas aí é que está o problema. Partes do País das Maravilhas já caíram nas garras da Vermelha, e ela pretende reivindicar o seu trono e expulsar a Marfim, para que possa controlar os dois portais. Com as suas ausência e apatia, você está dando as rédeas à bruxa. Você sabe que sua substituta, Grenadine, é uma tonta impotente.

Outro relâmpago cai, cobrindo tudo com uma luz horripilante.

A lama abaixo de mim começa a amolecer, e eu afundo alguns centímetros, depois mais. Eu provoquei nele sentimentos obscuros. Isso nunca é bom. — Você está mentindo.

— A verdade está no sangue. A sua arte está mentindo?

Quero cair em cima dele por ter me espionado na escola, mas isso não muda o fato de que ele está certo. Ainda que eu não consiga decifrar as cenas violentas de meus sangrentos mosaicos, posso compreender o suficiente para saber que algo está errado neste mundo. E que talvez a Rainha Vermelha esteja *mesmo* por trás disso.

O meu corpo se agita na lama. Afundo ainda mais — literal e figurativamente.

A margarida me liberta de seu áspero aperto e as trepadeiras me sugam ainda mais para baixo. O lodo esguicha, frio e pegajoso, na altura das minhas canelas. Torço o corpo na cintura para fazer um apelo à flor gigante. — Você é minha amiga. Da última vez que estive aqui nós jogamos cartas, lembra? Não permita que ele faça isso...

Ainda em silêncio, a margarida volta suas centenas de olhos para Morfeu, como se aguardasse suas instruções.

— Esqueceu-se, Alyssa? Os solitários de nossa espécie não são leais a ninguém além de si mesmos, ou ao maior apostador. — Morfeu aproxima-se até as pontas de suas botas chegarem à borda da dolina. Fico de cara com suas coxas, mas não consigo alcançá-

-lo. — Lembrar da verdadeira natureza delas lhe fará bem. Talvez lhe remeta à sua. — Ele bate palmas, duas vezes agora.

Até onde o meu olhar alcança, em todas as direções, a floresta de flores se ergue, as plantas arrancam os seus gigantescos caules da lama. Surgem braços e pernas folhosos. No centro de cada flor, uma boca se escancara, gemendo, revelando dentes afiados. Suas raízes movem-se feito serpentes, propulsionando-as para a frente. Em pouco tempo, encontro-me cercada por infinitas carreiras de olhos piscantes.

Meu coração salta no peito. As mutantes não estavam dormentes e fracas, afinal... elas estavam aguardando — uma armadilha pronta para ser acionada.

As suas raízes rasgam a lama e elas escorregam para dentro de meu túmulo, seus corpos pressionando com força — aprisionando-me em camadas de folhas e pétalas musguentas. Eu me contraio e os meus braços são pressionados contra o meu dorso, com os meus bíceps penetrando em minhas costelas. Com o peso extra do exército de flores à minha volta, afundo mais alguns centímetros na lama, e agora estou encarando as canelas de Morfeu. Uma ponta de claustrofobia ressurge. Eu a reprimo, lembrando de quem sou. De como eu já escapei daqui uma vez.

— Ora, por favor. — A minha voz soa mais firme do que realmente me sinto. — Se a Vermelha não conseguiu me prender e fazer de mim a sua marionete, você acha mesmo que tem chance de me fazer refém de uma gaiola de algas?

Uma das flores sibila, ofendida com o insulto.

Mais um relâmpago ilumina o céu, e Morfeu inclina a cabeça.

— Você não é a marionete de ninguém, bobinha. Mas você é, de fato, refém. Embora não pareça saber ao certo quem está realmente segurando as suas correntes. — Ele se agacha, deixando o nariz a poucos centímetros do meu. — Tenho sido muito paciente. — Um punho enluvado desliza por meu queixo e vai até o meu pescoço. As joias sob os seus olhos brilham num tom ardente de violeta. — Mas não possuímos mais o luxo do tempo. A Vermelha se encarregou disso.

Tento refrear o modo como a minha pele reage ao toque dele, atraindo-me em sua direção, como pelos eriçados por uma corrente elétrica. Presa no lugar como estou, tudo o que consigo fazer é balançar a cabeça para interromper o contato.

Apoiando-se nas ancas, Morfeu estreita os olhos. — Solte as amarras que colocou em si mesma. Reivindique sua coroa e liberte a loucura intraterrena que existe dentro de você.

— Não. Eu escolhi ser humana. — A bílis queima minha língua conforme a lama me puxa mais para baixo, como se eu fosse um rato sendo engolido por uma cobra. O lodo chega ao meu peito, depois à minha garganta — uma sensação sufocante. Pergunto-me até que ponto ele planeja levar este blefe.

Ele se deita com a barriga no chão, as asas brilhando feito poças de óleo ao seu lado — parecendo exatamente como era quando era uma criança levada. Com o queixo apoiado no punho, ele me estuda. — Não vou implorar. Nem mesmo para você, minha *preciosa* rainha.

Uma rajada de vento cortante nos atinge, derrubando o seu chapéu. Morfeu rapidamente agarra a aba antes que ele seja levado para o céu quebradiço.

O sedoso cabelo azul chicoteia o seu rosto, que se volta para mim. — Se você não ficar para salvar o País das Maravilhas, levarei o meu próprio caos ao reino humano. Lute por nós ou encare as consequências.

As flores me apertam ainda mais, empurrando-me na direção dele, com as mãos folhosas raspando o meu pescoço e o meu rosto, cingindo o meu cabelo no couro para que eu não possa me virar para o lado. Ele sorri, tão próximo que consigo sentir o calor de sua respiração em meu rosto.

— Não vou permitir — eu insisto. — Não vou permitir que você entre no meu mundo.

— Tarde demais — ele murmura bem perto de minha pele. — Quando encontrarem o seu corpo, eu já estarei lá.

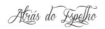

4

Entre o Diabo e o Mar de Lama

Encontrarem meu corpo? Quero gritar, mas mal consigo emitir um gemido por baixo das mãos folhosas que apertam a minha boca.

Morfeu põe-se de pé, a bainha do seu casaco esvoaçando na altura dos calcanhares. Ele ajeita o chapéu no lugar, faz um gesto para as flores e então se transforma na mariposa que tanto me assombra as lembranças: asas negras, corpo azul — do tamanho de um pássaro.

As trepadeiras me arrastam para baixo, e a lama me envolve como um punho viscoso e grudento. Todos os sons exteriores agora se abafam. Só ouço as batidas de meu coração e os meus lamentos, nada a não ser as vibrações contidas pelas cordas vocais e a caixa torácica.

É impossível abrir os olhos, com os cílios pressionados contra eles tão fortemente que não consigo nem pestanejar. Cada peça de roupa está constrita, como se uma camada de cola as tivesse aderido à minha pele. Estou paralisada. Não só física, mas mentalmente também.

Está muito apertado... constrito demais. A claustrofobia que pensei ter derrotado há um ano retorna em uma onda esmagadora.

Breu total. Silêncio de morte. Impotência.

Procuro não respirar, temerosa de que a lama entre pelo nariz. Ela penetra de toda forma, enchendo as minhas narinas. Engasgo com a sensação de pressão nos pulmões conforme o lodo penetra o meu corpo.

Tento me sacudir, mover os músculos, mas mal consigo produzir um espasmo. Minha resistência faz com que a lama me aperte ainda mais, como areia movediça.

Meu coração dá pulos e o pânico me atiça os nervos.

"Não faça isso!" Eu grito em minha mente para Morfeu. Eu nunca achei que ele pudesse ir tão longe. Como uma idiota, acreditei quando ele me disse que se importava comigo.

Matar-me vai consertar a situação? Tento chamá-lo à razão. Mas a lógica acaba trabalhando a meu favor. Morfeu não faz nada sem um motivo. Ele está tentando me forçar a agir. Ele espera que eu me liberte.

Morfeu! Eu grito mais uma vez em minha mente. A vibração de minha raiva ecoa em mim mesma.

A pressão em meus pulmões é agonizante. Lágrimas queimam por trás de meus cílios, incapazes de escapar. O meu corpo dói devido à tensão produzida para me proteger das muralhas de lama. Estou tonta e confusa.

Exausta, começo a ceder à sonolência. É mais seguro lá, onde não existem sentimentos... nem medo.

Meus músculos relaxam e a dor sucumbe.

— Já é hora de revidar! — O grito dentro de minha cabeça me desperta.

Volto a me retesar. — *Como? Estou presa.*

— *Seja criativa.* — A voz de Morfeu está mais calma agora, mais suave, embora instigante. — *Não está sozinha na lama.*

É óbvio que estou sozinha. As flores zumbis rastejaram para fora depois de me empurrar para baixo. Com certeza estão na superfície agora, rindo com Morfeu. Os únicos que dividem comigo o meu túmulo são os insetos que cavam à minha volta.

Insetos...

Todos esses anos tenho ouvido os seus lamentos. Mas nunca tentei conversar, me comunicar de fato. Talvez eles estejam dispostos a ajudar, se eu pedir.

Leva pouco mais do que esse pensamento, esse vislumbre de esperança, e um apelo silencioso para que eles me tirem dali, para que alguma coisa perfure a lama em torno de mim.

Insetos e minhocas se arrastam pelas minhas pernas. A pressão cede, e eu consigo mexer os meus tornozelos. Em seguida, os meus pulsos encontram algum espaço para movimentar-se. Por fim, os meus braços e pernas se libertam, e eu cavo, abrindo caminho para sair do lodo.

Para cima, para cima. A lama torna-se fluida e eu nado em busca da saída. Então, alguma coisa dá errado. Insetos e minhocas se desviam e preenchem minha cavidade nasal. A minha garganta é obstruída com a sensação de coisas gosmentas que se arrastam. Eu engasgo, com a traqueia esticando-se para acomodar os seus corpos.

Morfeu volta a gritar: — *Lute... lute para viver! Respire. Respire!*

Mas não é Morfeu quem grita. É Jeb. E eu não estou me debatendo em um mar de lama. Estou cercada por água, céus nebulosos e paramédicos. Alguma coisa, e não insetos, está sendo enfiada em minha garganta. Eu engasgo, sugando oxigênio através de um tubo. Em seguida, já estou em uma maca coberta com lençóis e sendo levada para uma ambulância. Estou tremendo. Os meus cílios ensopados tremulam, a única parte de meu corpo que não dói demais para que eu consiga movê-la.

O rosto de Jeb flutua sobre mim, embaçado, e ele se debruça ao meu lado, os dedos envoltos nos meus. O seu cabelo roça o meu antebraço. Os seus olhos estão vermelhos, talvez de chorar ou de lutar contra a inundação. — Al, me desculpe. — Ele leva o nariz à minha mão, sentindo-a. — Eu... sinto tanto. — Em seguida, a sua voz embargada se rende ao silêncio.

Quero dizer-lhe que ele não é responsável, mas não consigo falar com este tubo na minha garganta — e não adiantaria. Jeb não se

lembra de quem é Morfeu. Ele iria pensar que estou tendo alucinações devido à falta de oxigênio. Então, em vez de tentar responder, rendo-me à inconsciência.

Tenho a sensação de que algo toca minha marca de nascença no tornozelo, e sinto uma onda de calor me traspassar o corpo. Em seguida, acordo em um quarto de hospital.

Uma janela ocupa toda a parede do lado direito. O pôr do sol é filtrado pelas persianas, conferindo uma bruma rosada sobre um arco-íris de balões com votos de recuperação cheios de fitas, animais de pelúcia, arranjos de flores e plantas em vasos na prateleira.

Todo o resto não tem cor. Paredes brancas, azulejos brancos, lençóis e cortinas brancos. Desinfetante e as notas de frutas do perfume de mamãe flutuam à minha volta, mescladas ao perfume dos lírios no parapeito da janela.

As flores recém-colhidas no vaso resmungam que estão apertadas demais nas hastes, mas a voz de minha mãe as sobrepuja.

— Ele não tem nada que ficar por aí dia e noite — ela diz. — Vá até o corredor e diga para ele ir embora.

— Quer parar? — papai responde. — Ele salvou a vida dela.

— Ele também é responsável por ela quase ter morrido. Ela não teria corrido perigo, para começo de conversa, se ele não a tivesse levado para lá para... — A voz de mamãe fica mais baixa, mas ainda consigo ouvi-la. — Só Deus sabe o que eles estavam fazendo. Se você não mandá-lo para casa, eu mando.

Jeb. Estremeço, e sinto a agulha na pele sensível de minha mão. Uma sensação de confinamento se apossa de mim, remetendo-me à lama. Resistindo à reviravolta de enjoo em meu estômago, tento pedir aos meus pais que retirem a agulha, mas a minha garganta arde. O tubo que foi enfiado pela traqueia não está mais aqui, mas deixou suas marcas.

A. G. Howard

Os meus pais continuam discutindo. Fico tão aliviada por ouvir papai defendendo Jeb, mas fecho os olhos e torço para que eles saiam e me deixem sozinha com os sussurros das plantas. As flores deixarão Jeb entrar. Especialmente o vaso de rosas brancas. Nem preciso ver o cartão para saber que vieram dele.

— Mãe... — Não reconheço o som que sai de minha boca. É mais parecido com ar vazando de um pneu do que uma voz.

— Allie? — Camadas de cabelo platinado na altura do queixo lhe emolduram a face quando ela aparece sobre mim. Ela nunca aparentou a idade que tem. Trinta e oito anos e nem sinal de rugas. Cílios negros completam os olhos azuis com pontos turquesa, como a cauda de um pavão. O branco de seus olhos tem as beiradas vermelhas, um sinal seguro de que ela está exausta ou andou chorando. Mas ainda assim ela é linda: toda frágil, diáfana e radiante, como se o sol tremeluzisse dentro dela. E é isso mesmo. A magia brilha em seu interior. Magia na qual ela nunca mergulhou.

A mesma magia que há dentro de mim.

— Minha doce menina. — O alívio toma os seus delicados traços quando ela afaga o meu rosto. O contato provoca satisfação em meu peito. Durante a maior parte de minha infância, ela teve receio de me tocar... receio de me machucar novamente, como quando ela deixou cicatrizes em minhas mãos.

— Fofinho — mamãe diz —, me passe as lascas de gelo. — Papai faz o que ela pede e aparece por trás dela com o seu um metro e sessenta de altura enquanto ela usa uma colher de plástico para me servir de um copo de papel. O gelo derrete, aliviando a dor da garganta. A água tem gosto bom. Fazendo um sinal com a cabeça, peço mais.

Os dois me observam num silêncio preocupado, enquanto eu consumo gelo suficiente para entorpecer a dor de engolir.

— Cadê o Jeb? — A garganta volta a inflamar e eu me contraio. A expressão de mamãe se fecha. — Ele estava na água comigo. Preciso ver se ele está bem. — Eu tusso para fazer cena, mas a dor provocada pela tosse é real. — Por favor...

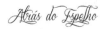

Papai inclina-se sobre o ombro da mamãe. — O Jeb está bem, borboletinha. Só precisamos de um tempo para cuidar de você. Como se sente?

Eu contraio os músculos doloridos. — Dolorida.

— Eu imagino. — Os seus olhos castanhos se enchem de água, mas o seu sorriso é de felicidade quando ele contorna mamãe para afagar a minha mão. Eu não podia pedir um pai melhor. Se pelo menos os meus avós tivessem vivido para me ver nascer. Eles teriam tanto orgulho de ter um filho tão carinhoso e leal à família.

— Vou avisar ao Jeb que você acordou — ele diz. — Ele ficou aqui o tempo todo.

É impossível não ver a sutil cotovelada que mamãe dá nas costelas de papai, mas a objeção dela não o detém. Ele passa a mão pelo cabelo castanho e sai pela porta, fechando-a atrás de si antes que ela faça qualquer objeção.

Suspirando, ela coloca o copo de papel no criado-mudo e puxa uma cadeira estofada de vinil verde que está num canto. Ela se senta perto de mim, alisando seu vestido de cetim de bolinhas.

Assim que ela foi libertada, queria passar absolutamente cada instante junto de mim, compensar o tempo que ambas perdemos. Nós cozinhávamos juntas, lavávamos a roupa juntas, limpávamos a casa... cuidávamos do jardim. Coisas que as pessoas consideram corriqueiras ou desagradáveis se tornaram um paraíso, porque eu finalmente tinha a minha mãe junto comigo para fazê-las.

Certa tarde de sábado, eu a levei à Fios de Borboleta, a loja de roupas *vintage* em que eu trabalho, e vasculhamos um monte de prateleiras de roupas.

A maioria delas fazia mais o meu estilo, então discordamos sobre praticamente todas as opções. Até que encontramos um vibrante vestido de cetim preto e púrpura de bolinhas com um cinto verde-limão e uma anágua de renda que aparecia por baixo da bainha. Convenci-a a comprá-lo. Mas, apesar de levá-lo para casa, ela não o usava em público, embora o meu pai tivesse adorado o vestido nela. Ela dizia que se sentia muito chamativa.

Perguntei a ela por que não fazia nada para ver meu pai feliz, após tudo o que ele havia feito por ela. Foi a primeira discussão que tivemos depois que ela saiu. Agora eu já perdi a conta de quantas foram.

Não posso ignorar o quanto é significativo o fato de ela estar usando esse vestido hoje.

— Oi, mãe — eu digo num coaxo.

Ela ri e afasta uma mecha de meu cabelo para trás da orelha. — Oi.

— Você está bonita.

Ela balança a cabeça e reprime um soluço. Antes que eu perceba o que ela está prestes a fazer, ela despenca, pressionando o rosto contra o meu estômago. — Eu achei que tinha perdido você. — As palavras saem abafadas, a sua respiração entrecortada e quente através das cobertas. — Os médicos não conseguiam acordar você.

— Ai, mamãe. — Afago a franja de cabelo macio em sua têmpora, onde ele está preso na parte de trás com uma fivela roxa brilhante. — Eu estou bem. Por sua causa, não é?

Ela levanta a cabeça e ergue o pulso, onde a sua marca de nascença forma um labirinto circular em espiral. Ela é igual à que possuo em meu tornozelo esquerdo, debaixo de minha tatuagem de asa. Quando pressionadas uma contra a outra, a magia surge para nos curar.

— Eu jurei que nunca voltaria a usar esses poderes — ela murmura, referindo-se ao ano passado, quando curou um entorse em meu tornozelo e acabou deflagrando uma cadeia de eventos inesperados. — Mas você ficou tanto tempo lá embaixo. Todos temiam que você não saísse do coma.

O pouco de maquiagem que ela está usando mancha a sua pele, deixando marcas, pequeninos filetes. Aquela imagem me deixa desconfortável — é muito parecida com a decoração dos olhos que eu usava no País das Maravilhas. Mas afasto esse pensamento. Não é hora de abrir o coração acerca do que aconteceu no ano passado.

— Quanto tempo? — eu pergunto.

— Três dias — ela responde de imediato. — Hoje é segunda-feira. Feriado.

O choque trava a minha garganta já dolorida. Eu só me recordo de um sono profundo e obscuro. É estranho que Morfeu não tenha visitado a minha mente enquanto eu estava inconsciente.

— Eu... eu sinto muito se assustei vocês — eu sussurro. — Mas, sabe, você está errada.

Percorrendo com os dedos as veias da minha mão que está com a agulha, mamãe inclina a cabeça. — Sobre o quê?

— Meu namorado.

Uma careta aperta os seus lábios lilases. Ela vira a minha mão e analisa as minhas cicatrizes. Perguntei-lhe algum tempo atrás por que ela não curou as minhas mãos quando eu tinha cinco anos de idade. Ela disse que estava chocada demais por ter causado os cortes e não conseguiu pensar direito.

— Ele queria que ficássemos sozinhos — eu continuo — para me dar uma coisa. Um colar. — Eu toco meu pescoço, mas o colar não está lá. Os meus olhos vasculham freneticamente o quarto.

— Está tudo bem, Allie — ela diz. — Seus colares estão a salvo. Os dois. — Há certa hesitação em sua voz. Não tenho certeza se é causada pelas minhas cicatrizes ou pelo colar. Ela prefere não ser lembrada da loucura que a chave cravejada de rubis desencadeia. Mas ela sabe que não deve escondê-la depois da briga que tivemos por causa da lagarta de jade, uma peça de xadrez que ela escondeu de mim há alguns meses.

— Fomos até a parte antiga da cidade — eu digo, determinada a provar as nobres intenções de Jeb — porque ele sabe o quanto eu gosto do cinema abandonado. Aí começou a chover, então entramos no duto de drenagem para nos proteger.

— E não havia uma loja de conveniência ou algum lugar público onde vocês pudessem ter se abrigado? — ela pergunta em tom zombeteiro. — Homens não levam mulheres para dutos de drenagem para fazer coisas respeitáveis.

Fechando a cara, solto a mão dela e enfio a minha debaixo do cobertor. Sinto uma dor aguda que vai da agulha até meu pulso.

— Ele queria privacidade, mas não para o que você está pensando.

A. G. Howard

— Não importa. Ele a colocou em perigo. E fará isso novamente se você for para Londres com ele.

Eu ranjo os dentes. — Espere aí... Como é que é? Então você vai começar a nos regular agora? É claro que papai quer que eu tenha um anel no dedo antes que eu vá morar com alguém. Eu sou a menininha dele. Mas você sempre me disse para eu não me apressar para casar, para eu curtir a vida primeiro. Mudou de ideia?

— Não se trata disso. — Ela me dá o copo de papel e se levanta, indo até as flores na janela. Ela afaga as pétalas em tom coral de um lírio. Um pouco antes, uma luz rosa penetrava pelas persianas; agora, o crepúsculo já tomou seu lugar, colorindo seu cabelo com os mesmos tons de púrpura de seu vestido. — Você consegue ouvi-las, Allie?

Eu quase cuspo o gelo derretido que tenho na boca. — As flores?

Ela assente.

Eu só ouço os lírios ronronando em resposta à atenção que ela lhes dá. — Elas não estão falando...

— Não agora, mas elas falaram enquanto você dormia. Os insetos também. E não gosto do que disseram.

Aguardo que ela fale mais. Mamãe e eu percebemos que, às vezes, ouvimos coisas diferentes. É como se as plantas e insetos pudessem individualizar as suas mensagens, escolher falar conosco separadamente, dependendo do que têm para compartilhar.

— Eles me alertaram de que aquele que está mais próximo de você vai traí-la do pior modo possível.

— E você acha que é o Jeb? — pergunto, incrédula.

— Quem mais poderia ser, se não for Jebediah? Com quem mais você passa todas as horas em que está acordada falando, pensando ou saindo?

Minhas horas *acordada*? Ninguém exceto o Jeb.

Mas as horas em que estou dormindo...

Fecho os olhos. É claro que é Morfeu. Ele já me traiu antes, tentando invadir a minha vida no reino humano. Tentando forçar-me a voltar para o País das Maravilhas para travar uma batalha que sou incapaz de vencer.

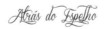

O temor se aninha em minha nuca, fazendo minha cabeça pulsar.

— Jebediah estava com você no ano passado, quando você entrou pela toca do coelho — mamãe diz, parada ao lado da janela. O ar-condicionado volta a funcionar, esvoaçando os lírios e trazendo o seu doce perfume até mim. — Uma parte do País das Maravilhas pode tê-lo infectado. Talvez isso esteja dormente... esperando. Aguardando para encontrar um modo de penetrar em você.

Eu bufo de raiva. — Tecnicamente, ele nunca esteve lá. Isso não tem lógica.

Mamãe se vira, e a sua saia farfalha. Ela me encara. — Não há lógica naquele lugar. Você sabe disso, Allie. Ninguém sai do País das Maravilhas sem algum tipo de mácula. Estar lá... modifica a pessoa. Principalmente se for um humano completo. Ele chegou a mencionar que tem sonhos estranhos?

Eu balanço a cabeça em negativa. — Mamãe, você está tornando isso tudo muito mais complicado do que precisa ser.

— Não. Você é quem está complicando as coisas. Por que você não fica nos Estados Unidos? Existem escolas de arte maravilhosas em Nova York. Deixe que Jebediah vá para Londres sem você. Vocês dois ficarão mais seguros.

Estendo a mão para colocar o copo de papel novamente no criado-mudo. — *Deixar?* Eu não mando nele. Foi escolha dele esperar até que pudéssemos ir juntos.

As suas mãos apertam o parapeito da janela. — Se quiser ter uma vida normal, terá que cortar todos os laços com essa experiência e tudo o que participou dela. — Pelo modo como ela está retesando o queixo, percebo que não voltará atrás.

Eu nem tento conter a minha explosão, mesmo sabendo que ela vai acabar com a minha garganta. — Ele não escolheu ir para lá! Não é justo que você odeie o Jeb!

Percebo algum movimento com o canto dos olhos e viro a cabeça, deparando-me com Jeb de pé na soleira da porta. Não o ouvimos abrir a maçaneta, mas, pela expressão magoada em seu rosto, ele obviamente ouviu o meu grito rouco.

A pergunta é: o que mais ele ouviu?

5

Teias Emaranhadas

O meu pai aparece à porta por trás de Jeb. Mesmo sendo um pouco mais baixo do que o meu namorado, é Jeb que parece pequeno e vulnerável, parado na soleira, como se não estivesse certo de que é bem-vindo ali.

Mamãe abaixa os olhos e encara as bolinhas de seu vestido. Alguém tosse em uma das salas do outro lado do corredor, e a voz de uma enfermeira falando no interfone são as únicas coisas que interferem em nosso embaraçoso silêncio.

— Minha ursinha — papai diz para mamãe, assumindo o controle da situação —, acho que chegou a hora de eu exibi-la nesse vestido. Que tal irmos jantar? — Ele dá um aperto no ombro de Jeb e o contorna, dando um tapinha em meu tornozelo ao passar em direção à janela.

Alguma coisa definitivamente mudou entre Jeb e papai. Eles voltaram a ser companheiros como eram antes.

— Vamos deixar esses dois a sós — papai diz. Minha mãe começa a protestar, mas o olhar que ele lhe lança força-a a sorrir e pegar a mão dele. Ele beija seu pulso.

Ela deixa o seu telefone ao lado do copo de papel no criado-mudo. — Se precisar de nós, ligue para o celular de seu pai — ela diz sem olhar para mim e nem para Jeb. — O horário de visita termina às 8, Jebediah.

Jeb dá um passo para dentro do quarto a fim de deixá-los passar. Papai dá um tapinha encorajador em suas costas e depois fecha a porta.

Com as mãos nos bolsos, Jeb me encara com os olhos verdes cheios de dor.

— Desculpe... — Eu procuro inventar alguma desculpa. Se ele ouviu o que a minha mãe disse sobre o País das Maravilhas, haverá muitas perguntas a responder. Perguntas impossíveis.

Ele balança a cabeça. — Você não é a única que deve se desculpar. — Ele não desvia o olhar enquanto caminha na minha direção. Jogando-se na cadeira que mamãe havia usado antes, pega a minha mão, entrelaça os nossos dedos e depois pressiona-a contra os seus lábios macios. — *Eu* é que lhe devo desculpas. Prometi sempre colocar você em primeiro lugar, acabei me afastando para atender aquele telefonema idiota e quase matei você. — Sua boca fica tensa, com a pressão de músculos firmes contra a minha mão.

— Por favor, Jeb. Não. — Eu afago o seu rosto, liso como seda. Ele fez a barba, e, considerando que está mais bem vestido do que de costume — calça cinza e uma camisa Henley de manga curta —, tenho a impressão de que ele está tentando agradar a mamãe. O único tributo ao seu habitual estilo roqueiro e *grunge* são as botas de combate.

Sim, ele parece bem mais comportado. Pena que a aparência seja a última das preocupações de minha mãe.

O meu dedo percorre o seu queixo e ele me observa enquanto eu o toco. Detenho-me no piercing de bronze sob seu lábio. Ele tem mais ou menos o tamanho de uma joaninha, mas, se você olhar mais de perto, tem o formato de um soco inglês. Eu lhe dei de presente de aniversário há alguns meses para provocá-lo, dizendo que ele precisava de algum acessório de gângster para parecer mais durão.

Embora neste exato momento pareça um garotinho, ele sempre foi durão para mim. Uma vez ele deu uma surra em um rapaz só porque ele me chamou de escrava amorosa do Chapeleiro Maluco. Ele foi minha rocha sempre que eu senti a ausência de minha mãe. E, quando ele me seguiu até o País das Maravilhas — pulando dentro de um espelho sem pestanejar —, quase abdicou de tudo para salvar a minha vida. Eu gostaria muito de que ele pudesse lembrar desse sacrifício para parar de se martirizar tanto.

— Você não tem do que se desculpar — eu digo. — Papai me disse que você me resgatou. Então, eu é que lhe devo um obrigado. Agora vem cá. — Pegando a gola de sua camisa, eu o puxo para perto de mim e pressiono a minha boca contra a dele.

Os seus longos cílios se fecham e a sua mão livre se encaixa na minha nuca, os dedos entrecortando o meu cabelo. O seu beijo é tão carinhoso, quase doloroso, como se ele tivesse medo de me quebrar.

Ele se afasta e encosta a testa na minha, de modo que nossos narizes se tocam. — Eu nunca fiquei tão assustado, Al. Nunca, em toda a minha vida. Nem quando meu pai...

Sua explicação se detém, mas ele não precisa terminar. Eu sei o que ele passou. Não é possível morar ao lado de alguém sem testemunhar suas dores. A menos que você *escolha* ignorá-las.

— O que aconteceu no duto de drenagem? — eu pergunto enquanto seguro sua mão. — Não consigo me lembrar de nada depois que a água chegou.

Ele abaixa o olhar. — Quando o cordão de luzes se enroscou em você, acabou pegando um dos meus tornozelos também, e ficamos presos um ao outro. Eu nadei para trás até chegar à parte mais rasa do túnel, e depois comecei a puxá-la. Mas você estava... — Ele se encolhe, o rosto pálido. — Você estava azul. E não acordava. Não se movia. Não respirava. — A voz dele fica mais firme quando ele olha para as nossas mãos, ainda entrelaçadas. — Eu tentei fazer ressuscitação cardiopulmonar, mas não funcionou. Eu nunca fiquei tão assustado.

Ele continua repetindo isso, mas ele já havia ficado, *sim*. Houve uma outra vez em que eu quase me afoguei... quando ele me disse para nunca mais assustá-lo daquele jeito. Uma outra vez num outro lugar.

— Eu fico vendo as imagens na minha mente — ele murmura. — É como um pesadelo do qual eu não consigo acordar.

Um sonho.

— Espere — eu digo. — Estou confusa. Eu não me perdi na água? Eu não fui levada para longe e depois voltei para você?

— Eu nunca perdi você de vista. — Ele retesa o queixo, causando um espasmo na mandíbula. — Por que eu fui pedir a você para recolher as luzes? Se eu não tivesse deixado você lá, não teria se enroscado. — Ele amaldiçoa sua sorte.

— Jeb, pare com isso. Você não me *forçou* a fazer nada.

Ele analisa o meu rosto atentamente, como se quisesse verificar se todos os meus traços estão intactos. — Você deve ter batido a cabeça quando a água a derrubou. Eu vi que as suas roupas se encheram de bolhas de ar e você ficou rodando em círculos. — Seu pomo de Adão incha quando ele engole. — Mas o seu corpo continuou afundando... Eu não soltei você. — O seu olhar fica mais direto e intenso. — Você sabe disso, não sabe? Eu *nunca* desistiria de você.

— Eu sei. — Eu dou um beijo em sua mão.

Então o que aconteceu com Morfeu foi um sonho, afinal de contas. É claro que foi. Ele não possui a habilidade de mudar a toca do coelho de lugar. Ninguém possui. Eu não usei a minha chave para abrir a porta. Eu estava flutuando inconsciente na água. Eu não visitei o País das Maravilhas, a não ser em minha mente.

O que significa que o que eu vi não era real. O que significa que as coisas não estão tão ruins quanto Morfeu quis fazer parecer que estão.

E, o melhor de tudo, ele não está aqui em meu mundo como disse que estaria.

Pela primeira vez, fico contente por ele estar simplesmente me manipulando. Não preciso me sentir culpada pelo País das Maravilhas porque tudo não passou de uma mentira.

A. G. Howard

Sua arte está mentindo? A pergunta de Morfeu me vem à mente. Os meus mosaicos — serão eles mentiras também? Será que ele os controla?

Ouço a porta abrir. Jeb também parece ouvir, porque se afunda na cadeira.

Entra a enfermeira, uma atraente mulher mais jovem, de cabelo loiro e olhos que parecem pedras preciosas. Em vez de jaleco, ela está usando uniforme branco de enfermeira, como aquelas fantasias de Halloween — embora não tão curto e ajustado. É a primeira vez que vejo uma roupa dessas na vida real. Se não fosse pelo broche com a bandeira americana na lapela, ela poderia ser a fantasia de bibliotecária e enfermeira que todo homem tem, combinadas em uma só. Ela escreve o seu nome no quadro branco e apresenta-se em voz reconfortante.

Jeb e eu trocamos olhares e eu sorrio, meio sem graça.

— Banho de esponja? — ele balbucia para mim, levantando as sobrancelhas. Reviro os olhos e tento não cair na gargalhada. Sua provocação é um bom sinal. Significa que ele está tentando se perdoar.

A enfermeira Terri chega perto de mim. Os seus olhos são cinza por trás dos óculos. Há uma tristeza neles que me faz querer fazer alguma coisa para alegrá-la. Em questão de minutos, fico de pé pela primeira vez. O chão sob os meus pés é gelado. Cada músculo do meu corpo dói por causa da minha luta contra a corrente. Minhas pernas tremem e eu seguro a parte de trás do meu avental, constrangida por causa dos tubos que entram e saem de mim. Jeb pisca os olhos para mim e sai para procurar um telefone.

Depois que ele sai, vou ao banheiro e dou uma olhada no espelho. Uma parte de mim teme que Morfeu apareça por trás do reflexo. Quando vejo que ele não está lá, fico aliviada, até olhar para a mecha vermelha que parece uma labareda em meio ao meu cabelo loiro platinado — a única lembrança que o País das Maravilhas deixou em mim que minha mãe não pode ignorar. Nós tentamos tingi-la, mas ela não sai. Tentamos cortá-la, mas ela sempre cresce no mesmo tom vivo. Ela acabou aceitando.

Mas ela nunca seria capaz de aceitar a minha ligação emocional com aquele lugar. Aceitar que, mesmo agora, eu às vezes sinto saudade daquele caótico mundo intraterreno. Se eu lhe dissesse isso, ela enlouqueceria de preocupação.

Uma nova culpa fermenta em meu peito. Morfeu pode ter tentado me enganar com um País das Maravilhas em frangalhos, mas isso não significa que não haja algo de errado acontecendo lá. Eu simplesmente não posso dar as costas para aquele mundo; não posso permitir que ele seja esmagado pelas mãos da Rainha Vermelha. Contudo, também não posso abandonar as pessoas que amo aqui. Não sei como seguir um lado sem deixar o outro para trás.

Jogo água fria no rosto.

Melhorar, sair do hospital e ir atrás da verdade. Aí, poderei decidir o que fazer com tudo isso.

Quando já estou na cama, a enfermeira Terri retorna para me oferecer um punhado de pastilhas de ervas para a tosse. Enfio uma na boca sem hesitar, só para vê-la sorrir. O gosto doce de baunilha e cereja acalma a minha garganta.

Ela colhe um pouco de sangue para a realização de exames. Prendo a respiração, receosa de que a minha essência ganhe vida, como quando estou fazendo os meus mosaicos. Depois de encher três frascos de plástico e tampá-los devidamente, relaxo a respiração e a enfermeira Terri promete voltar com um caldo e biscoitos.

Enquanto espero Jeb voltar, o vento fica mais forte lá fora e uiva por entre os vidros da janela — um som ao qual estou acostumada aqui no Texas, mas que esta noite me deixa inquieta. Olho para a agulha em minha mão, observando um fio vermelho de sangue subir pelo tubo plástico. Ele tremula feito uma pipa. Quando estou prestes a apertar o botão da enfermaria para perguntar quando eles vão retirar a agulha, Jeb entra no quarto.

— Oi — eu digo.

— Oi. — Ele fecha a porta.

Depois de se sentar, ele entrelaça a sua mão na minha e apoia o cotovelo ao lado de meu travesseiro. Três dedos seus brincam com o meu cabelo onde ele se espalha sobre o colchão. Uma centelha de prazer me percorre o corpo dolorido. Estou gostando tanto de ser o objeto exclusivo de sua atenção que hesito em fazer a próxima pergunta, mas preciso saber.

— O que aconteceu com a sua entrevista?

— Nós remarcamos — ele responde.

— Mas aquela página dupla era muito importante.

Jeb dá de ombros, embora sua indiferença forçada seja flagrante.

Mordisco o lábio, procurando mudar de assunto. Falar de algo positivo. — Você e o papai. Que bom que você voltou às boas com ele.

Jeb se esquiva. — É, mas agora é a sua mãe que me odeia mais do que nunca.

Observo a janela detrás dele. — Você sabe como ela é superprotetora.

— Não adianta mentir para mim. Eu ouvi o que vocês disseram...

Franzo a testa. — O que você ouviu?

— Que você me acobertou. Você disse para ela que eu não "escolhi estar lá". Nós dois sabemos que *fui eu* que escolhi ir para o duto de drenagem. Eu levei você lá sem nem pensar que podia chover muito ou que podia acontecer qualquer outra coisa.

Eu aperto a mão dele, em parte por frustração e em parte por alívio. — Não é por isso que ela ficou brava.

— Por quê, então?

Volto o olhar para os bichos de pelúcia no peitoril da janela: um urso, um palhaço enorme com um chapéu xadrez que cobre o topo de sua cabeça e um bode comendo uma latinha escrito *Sare Logo* no rótulo. O palhaço me parece sinistramente familiar, mas decido pensar que deve ser por causa dos relâmpagos. Sombras dançam sobre os brinquedos, fazendo com que eles pareçam ter perdido olhos ou membros. Isso me lembra tanto o cemitério do País das Maravilhas que me revira o estômago.

— Al. — Jeb me cutuca. — Vai me dizer por que vocês duas gritavam quando eu entrei?

— Ela só quer que eu me concentre em minha carreira, que não me desvie dela. Ela diz que foi por causa do casamento que ela perdeu a oportunidade de se tornar fotógrafa. Não é com você, especificamente. É com qualquer coisa que ela sinta que vai me desviar do caminho. — Eu fico inquieta sob as cobertas. Uma mentira não deveria ser tão fácil de inventar.

Jeb faz um sinal com a cabeça, compreendendo. — Eu não sou uma distração. Estou ajudando. Assim como ela, eu também quero que você seja bem-sucedida.

— Eu sei. Só que ela não vê as coisas assim.

— Depois da minha reunião com Ivy Raven esta noite, creio que terei todo o dinheiro de que vou precisar para começar a vida em Londres. Isso vai provar o quanto eu quero ajudar.

Os meus dedos sacodem junto aos dele. Então foi por isso que ele se barbeou e se vestiu todo. Para causar uma boa impressão em sua nova cliente, a herdeira. O alerta de minha mãe sobre traição me vem à mente, mas eu o afasto. Eu sei que posso confiar em Jeb. Mesmo assim, não consigo controlar o que sai de minha boca em seguida.

— Você vai me deixar sozinha para ir trabalhar na primeira noite que passo acordada? — Fico embaraçada com o tom de carência em minha voz.

Jeb envolve meu cabelo em seus dedos. — Sua mãe deixou bem claro que eu tinha que ir embora antes de ela voltar. Ivy está na cidade, então vou me encontrar com ela para que ela escolha um quadro. Ela não vem com muita frequência ao país. Temos de aproveitar enquanto ela está por aqui.

— Mas é feriado. A galeria não está fechada? O Sr. Piero vai se encontrar com vocês lá?

— Ele está em casa com a família. Ele gentilmente me deixou usar o salão.

Aperto os lábios. Não gosto que ele vá sozinho, embora não consiga saber a razão exata. Talvez seja o meu lado intraterreno, porque a emoção é quase animal... feral. Um instinto obscuro e confuso que está minando toda a confiança que conquistamos no ano passado.

A. G. Howard

Jeb é meu. *Meu, meu e meu.*

Um rosnado emerge em meus lábios, mas eu o reprimo. O que há de errado comigo?

O palhaço de pelúcia cai no chão, fazendo um ruído metálico, e nós dois damos um pulo.

— Ah! — Jeb diz ao pegar o brinquedo e arrumá-lo no parapeito. Ele puxa o chapéu de formato esquisito. — Tem alguma coisa metálica embaixo dele. É bem pesado.

— Quem foi que deu? — eu pergunto.

— O sujeito que me ajudou na sexta-feira, depois que eu tirei você de lá. Eu tentava fazer você respirar e ele apareceu assim, do nada... Disse que viu uma ambulância andando na rua e a chamou para nós. O meu celular foi levado pela água. Ele ofereceu a ajuda que eu não pude dar.

Tem alguma coisa estranha com aquele palhaço. Além de ele ser ligeiramente familiar... além de ele ser maior do que os outros brinquedos. E parece quase vivo. Fico esperando que ele se mova.

O palhaço me encara, e as sombras parecem mudar a sua expressão — de um sorriso para um riso malévolo. Nem mesmo o violoncelo que ele carrega consegue suavizar a sua imagem.

Um violoncelo.

A minha desconfiança aumenta mais um pouco. É o único instrumento que eu sei tocar. O instrumento que eu não pratico desde o verão passado. Como um estranho saberia isso sobre mim?

Jeb disse que o sujeito apareceu do nada...

Minha garganta palpita de hesitação. — Qual é o nome dessa pessoa? — eu pergunto.

— Não perguntei — Jeb responde. — O cartão no palhaço dizia: "Espero que você, em breve, volte a ser quem era". — Não estava assinado. Mas nós verificamos com todo mundo e não foi ninguém conhecido que o enviou. Então deve ter sido ele.

Parecendo contas de vidro, os olhos do brinquedo se concentram em mim como baratas famintas.

— Volte a ser quem eu *era* — eu murmuro. — Que coisa esquisita para um estranho dizer, não acha?

Jeb dá de ombros. — Bom, talvez seja como eles falam na Inglaterra.

Meu coração dá um pulo. — Inglaterra?

— É. Depois que a ambulância saiu, o sujeito me ajudou a tirar a motocicleta da água. Ele é um estudante de intercâmbio e estava se matriculando na escola de Pleasance. Parece sem sentido fazer matrícula na última semana de aula. Mas os pais dele insistiram.

Sinto os meus braços vacilarem. — Ele disse que era da Inglaterra?

— Não precisou. Ele tem sotaque.

A ameaça de Morfeu paira em minha memória: *Quando encontrarem o seu corpo, eu já estarei lá.*

Com o coração aos pulos, livro-me das cobertas. — Temos que sair daqui agora!

— Al! — Jeb tenta impedir-me de sentar.

Mas, em vez disso, uso os seus braços para me ajudar a levantar. — Por favor, Jeb, me leve para casa!

— O quê? Não, você pode se machucar. Fique aí deitada.

Quando ele tenta me guiar de volta para a cama, meus apelos tornam-se gritos. Eu arranco a agulha do soro de minha pele antes que ele possa me deter. O sangue jorra de minha mão, manchando o cobertor e os lençóis, e escorregando pelos dedos de Jeb quando ele tenta parar o fluxo e ao mesmo tempo aperta o botão para chamar a enfermeira.

Mamãe e papai retornam. O rosto da mamãe fica pálido, da cor dos lençóis enquanto ela se dirige a Jeb.

— Acho que você precisa ir embora — ela lhe diz.

Eu grito: — Não!

O que eu realmente quero dizer é que o meu pânico não tem nada a ver com ele e tudo a ver com o ser intraterreno que teve papel vital em sua internação no sanatório doze anos atrás.

— Ninguém precisa ir embora — papai intervém, a voz da razão em meio ao caos.

A enfermeira Terri entra no quarto e seus tristes olhos acinzentados me persuadem a me acalmar.

Ela e papai me acomodam de volta na cama. Ela menciona alguma coisa sobre uma reação retardada por ter estado em choque e em coma durante três dias. Em seguida, recoloca a agulha e acopla a ela uma seringa cheia de sedativo.

Enquanto observo a agulha aparecer do outro lado do tubo claro, movo os lábios para pedir-lhe que não faça aquilo. Que não me deixe vulnerável em meus sonhos. Que, pelo menos, tire aquele palhaço sinistro dali. Mas minha língua está dormente e minha mente, acelerada.

Em cinco minutos, estou grogue. Jeb beija a minha mão, diz que me ama e que tenho que dormir. Papai me dá um abraço de boa-noite e os dois saem juntos. Mamãe afaga meu cabelo, abre a cama do acompanhante e vai até o banheiro. Em seguida, apesar de todos os meus esforços para mantê-los abertos, os meus cílios se fecham.

Ao acordar, não sei ao certo que horas são. Só fico contente de estar acordada.

O cheiro de desinfetante me faz lembrar onde estou. Está escuro. Não há luz entrando pelas persianas, nem por baixo da porta do corredor. Presumo que mamãe tenha enfiado algumas toalhas enroladas ali. Às vezes ela dorme melhor num ambiente selado, um hábito que adquiriu quando vivia no sanatório. Toda noite ela verificava cada fenda de seu quarto — da parede até o chão — à procura de insetos. Uma vez convencida de que não havia nenhum, ela enfiava sua fronha debaixo da porta.

Está calor, sinto-me como se fosse sufocada por ar quente. Tenho que tirar a toalha da porta para melhorar a ventilação. Jogo as cobertas para o lado e, lentamente, movo os calcanhares para a borda da cama, mas paro no lugar antes de me sentar.

O vento balança as vidraças... mais alto do que antes. Um zunido horripilante que vibra quase como uma canção. Até as plantas e flores no peitoril da janela estão quietas, como se o escutassem. Um repentino clarão pisca sobre mim. Leva alguns momentos para

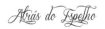

eu perceber que é um relâmpago. Não escuto barulho de chuva. Deve ser uma tempestade elétrica.

O próximo clarão ilumina o ambiente à minha volta. Pesadas teias de aranha se estendem da minha cama até o parapeito da janela, e dali até o teto — um mórbido dossel, como se uma aranha gigante tivesse montado uma armadilha.

Eu me sento e uma película pegajosa gruda em minha boca. Depois do próximo piscar de luzes, está ainda mais grossa, sufocando-me. Arranco as teias do meu rosto e grito, chamando minha mãe, mas não consigo vê-la; há muitos fios entre nós. Num puxão, tiro a agulha em minha mão e pulo da cama.

Jorra sangue de minha mão, mas agora ele é diferente. Ele flutua para cima, uma faixa sólida formando uma espada vermelha brilhante. Eu a pego instintivamente, ceifando os filamentos, abrindo caminho pelas fibras grudentas até chegar à cama de mamãe. Uma camada espessa de seda de aranha engolfou seu corpo.

O brilho vermelho de minha espada revela animais de pelúcia e bonecas penduradas em efígie sobre as cintilantes radiais à minha volta, mais brinquedos do que eu me recordo ter visto na janela. Eles agarram o meu cabelo e mordem a minha pele enquanto eu vou cortando tudo à minha frente para chegar ao casulo de mamãe. Um instante antes de chegar lá, o palhaço salta de um fio suspenso. Ele está tocando o violoncelo e rindo, provocando-me. O que eu ouvi antes não era o vento... era o instrumento.

Invisto com minha lâmina de sangue e o brinquedo cai a meus pés, cessando sua música, embora os seus braços continuem a passar o arco pelas mudas cordas do violoncelo.

Finalmente, alcanço o casulo. Retalho a casca branca, com medo de olhar. Quando os lados se abrem, não é o corpo de mamãe que me encara com os olhos mortificados.

É o de Jeb.

O rosto de Jeb, cinza e dilacerado. A boca de Jeb, que abre e grita. Eu grito em uníssono, nossos lamentos unidos, tão agudos que tenho que cobrir os ouvidos.

A. G. HOWARD

No silêncio que segue, um sussurro mudo irrompe em minha mente.

Terminará assim, a menos que você revide. Assuma seu lugar. Acorde e lute. Lute!

Eu acordo sufocada, buscando ar. O cabelo, emaranhado sobre o rosto. Jogo-o para trás para poder ver. A luz da lua é filtrada por entre as persianas. Nenhuma teia de aranha à vista.

O ritmo do meu coração desacelera quando vejo mamãe dormindo tranquilamente em sua cama. Os bichos de pelúcia estão sentados em seu lugar na janela, menos um. O palhaço está de cócoras na mesa de cabeceira, encarando-me, a mão lentamente movendo o arco ao longo das cordas do violoncelo no ritmo do vento que uiva lá fora.

Eu sufoco um gemido de horror e jogo o pesado brinquedo no chão. Ele aterrissa, produzindo um estranho ruído metálico, e fica lá prostrado, inerte, embora a mensagem de sua canção muda ainda ecoe: Morfeu está aqui no reino humano, e todos aqueles que eu amo estão em perigo, a menos que eu o encontre, reivindique o meu trono e lute pelo País das Maravilhas contra a ira da Rainha Vermelha.

6

Roubo de Identidade

O palhaço não me assombrou de novo depois do pesadelo. Eu o enfiei no lixo debaixo de umas toalhas de papel e revistas enquanto mamãe dormia. O brinquedo era mais inteiriço do que eu pensava — quase como um bebê — e parecia se contorcer nos meus braços. E foi ainda mais desconcertante porque, embora eu não conseguisse identificar onde, já havia visto aquele palhaço antes. Eu disse a mamãe que tinha dado o brinquedo a uma enfermeira para que ela o mandasse à ala das crianças, já que pertencia a um estranho.

Estranho. A descrição perfeita para Morfeu. Ele é mais estranho do que qualquer pessoa ou criatura que eu já conheci. E, cá entre nós, tenho uma extensa lista de sujeitos para comparação.

Na quarta-feira de manhã, papai me deixa na escola vinte minutos mais cedo.

Estou exausta. Após ter tido alta do hospital na terça-feira, recusei-me a tomar os sedativos receitados pelo médico do hospital. Com dor em meus machucados, pensamentos sobre a cliente herdeira de Jeb e a chegada avassaladora de Morfeu em minha rotina, mal consegui pregar o olho à noite.

— Você está pálida, mesmo com maquiagem. — Papai me passa a mochila pelo banco enquanto desço da caminhonete para o chão de asfalto do estacionamento. — Espero que não esteja exagerando.

Não há como contar-lhe o real motivo da minha palidez. E a preocupação dele não é nada comparada ao que mamãe sente desde que voltei do hospital. Ela não me deixou receber visitas, insistindo que eu precisava descansar, então eu não vi Jeb nem Jenara. Como meu celular novo ainda não estava carregado nem programado, liguei para eles do telefone fixo, dividindo-me entre os dois numa conversa curta e insatisfatória. Jeb foi evasivo quanto a sua visita à herdeira, insistindo que falássemos sobre isso pessoalmente. O que não ajudou em nada para acalmar os meus nervos.

As palavras de mamãe quando eu saía hoje de manhã foram: — Não sei se é uma boa ideia ir à escola agora. Talvez você pudesse faltar pelo menos um dia enquanto o pneu do carro é consertado.

Mas eu acabei conseguindo convencer meu pai a me levar, e não ia desistir agora. — Papai, por favor, pare de incentivar a paranoia da mamãe. A Perséfone me deu a semana inteira de folga do trabalho. Vou ficar entediada se ficar parada em casa. Eu tenho provas e não quero de jeito nenhum ficar de recuperação. Quero me formar com a minha turma.

Finco os pés, determinada nessa decisão. Preciso ganhar essa discussão. Se eu não me encontrar com Morfeu hoje, ele virá à minha procura em casa. Isso é a última coisa de que a minha mãe precisa.

As mãos de meu pai apertam o volante. A luz do sol penetra pelo para-brisa em diagonal, fazendo reluzir sua aliança e o logo prateado de sua camiseta de trabalho. — Pegue leve com a sua mãe. Você nos deu um susto enorme. Está sendo difícil para ela se recuperar.

Mordo a bochecha por dentro. — Eu entendo. Mas ela está delirando. O perigo já passou. — *Não é verdade*. O perigo está me esperando bem ali na esquina. — Sou mais forte do que você pensa, está bem?

Ele relaxa a fisionomia. — Desculpe, borboletinha. Às vezes esqueço o quanto você cresceu no último ano. — Ele me dá um sorriso sincero. — Tenha uma boa prova. Mostre a eles quem é que manda.

— Obrigada. — Aperto sua mão antes de fechar a porta. Sorrindo, aceno enquanto ele parte, apesar de minha confiança ser forçada. Não consigo parar de me preocupar com o que Morfeu tem em sua manga de punhos rendados.

Existem regras para os intraterrenos quando estes alcançam o reino humano. A menos que queiram ser vistos como são, em sua estranha forma fantástica, eles têm que pegar emprestado um rosto e um corpo humanos para se camuflar, trocando de lugar com eles. O humano tem que ficar no País das Maravilhas para não haver duas pessoas iguais andando por aí no reino dos mortais, e não pode voltar até que o seu dublê intraterreno não precise mais de sua imagem. Só então pode retomar sua vida e identidade novamente.

O que significava que Morfeu convenceu alguém a pular dentro da toca do coelho. Também significa que talvez Morfeu não seja reconhecível para mim, e isso lhe dá uma nítida vantagem.

Como se ele precisasse de mais do que já tem.

O céu está límpido e o sol aquece as minhas costas. Ganhei a discussão com minha mãe sobre o que vestir, e, armada de echarpe e minissaia de tule rosa antigo, casaco acinturado cinza, meia-calça estampada de caxemira e botas de amarrar até os joelhos, avancei em direção à passarela, convencendo-me de que estava pronta para encará-lo.

Ao passar entre os carros — alguns ocupados e tocando música alta, outros vazios —, avisto o Chevette 1950 cor de ferrugem de Corbin, o *Sidestep*. Vi a cabeça dele e a de Jenara juntas, dando beijos voluptuosos antes de soar o sinal.

Normalmente eu passaria direto e lhes daria privacidade, mas hoje eu precisava de informações sobre o nosso novo estudante de intercâmbio. Jen sempre sabia sobre tudo e todos na escola Pleasance.

Uma canção em estilo *country* escapava pelo vidro entreaberto do passageiro. Dei um pequeno pigarro e algumas batidas no vidro, abafadas pela luva sem dedos que usava.

Corbin arregalou os olhos e empurrou Jen para trás, gesticulando para mim. Jen deu um gritinho, abriu a porta e me puxou para dentro, dando-me um abraço e tirando Corbin da frente para me dar espaço. Ele se atrapalhou todo tentando salvar o enorme copo descartável encaixado entre o seu quadril e a porta.

— Desculpe. — Mexi os lábios em silêncio por cima dos ombros de Jen.

Corbin assente com a cabeça e dá um sorriso esperançoso. Ele certamente espera que o cumprimente como normalmente faço, provocando-o sobre o seu romance fraterno com Jeb. Os dois são apaixonados por carros e têm conjeturado reformas no Chevette de Corbin. É pena que Jeb não encontre tempo para fazer isso com ele. *Bem-vindo ao meu mundo, Corb.*

— Estou tão contente que você esteja aqui — Jenara diz, me segurando bem próximo dela. O cheiro do seu xampu me envolve. — Ver você no hospital... todos aqueles fios e tubos e máquinas em volta de você. — Ela me afasta para me observar, profundamente tocada. — Era como se os piores pesadelos tivessem se tornado realidade.

Embora ela se refira aos meus antigos medos de ficar trancada e indefesa em um sanatório, penso na destruição que Morfeu me mostrou no País das Maravilhas enquanto eu estava inconsciente e as teias de aranha se embrenhavam em meus sonhos embalados a sedativos. Ela não faz ideia do quanto acerta na mosca quando fala de pesadelos que se tornam realidade.

— Estou bem agora. — Eu seguro seus pulsos.

Ela afasta uma mecha de cabelo da minha testa. — Só não faça mais isso de novo, está bem?

— Claro, claro. — Eu sorrio. — Você está parecendo o seu irmão. Aliás, ele falou alguma coisa sobre aquela herdeira? Ele estava tão reticente ontem à noite no telefone.

A. G. HOWARD

Jen aperta os olhos delineados de preto, encarando-me. — Não se preocupe. Você é tudo para ele... a sua musa. Não é, Corbin?

— Hein? — Corbin tira a boca do canudo espetado na tampa de plástico. — Ah, claro — ele diz com o seu sotaque sulista arrastado. — Ele só tem olhos para você. — Ele sorri me encorajando, e as sardas de seu nariz alinham-se como uma constelação.

O sinal de dez minutos toca e nos atiramos para fora do carro. Jen enrola uma mecha do cabelo cor-de-rosa e o prende sobre a orelha com uma presilha de pérolas combinando com a saia de filó marfim sobre o seu jeans *skinny*. Ela entrega a sua mochila para Corbin. Seguimos uma multidão de alunos enquanto travamos a nossa conversa particular.

— E então, Jeb contou para você sobre o cara que o ajudou a pegar a ambulância? — eu pergunto. — Ele disse que ele tinha se matriculado aqui...

— Isso — Corbin responde, depois de tomar mais um gole de Coca. — Ele se matriculou ontem. Está no último ano e é da Inglaterra, de Cheshire.

De Cheshire.

— Claro — digo baixinho. Hora de descobrir de quem ele pegou emprestado a identidade para desmascarar o seu truque. — Qual é o nome dele? — interrogo.

— M — Jenara responde.

— O quê? Como *Eme*, de Emmett?

— Não. Como a letra do alfabeto.

Não sei se dou risada ou se engasgo.

Chegamos à passarela coberta, e o piso praticamente desliza sob os nossos pés quando comparado ao asfalto do lado de fora. Nosso pequeno trio é rodeado por outros estudantes e sou bombardeada com perguntas: *Como é quase morrer? Você viu fantasmas quando estava em coma? O céu é como os filmes mostram?*

É estranho, mas, pela primeira vez, ser o centro das atenções não parece tão ruim. Ser notada por alguma coisa que não o jeito como me visto ou de quem descendo faz com que eu me sinta quase normal... aceita.

Depois que os colegas curiosos pegam o seu quinhão de respostas secretas e seguem seus caminhos, Jenara retoma a conversa.

— O sobrenome do cara do intercâmbio é Ratin.

Franzo as sobrancelhas ao repetir mentalmente a palavra. *Ratin*. Utiliza as mesmas letras de "intra". É um anagrama. Nada é sutil em Morfeu.

— Você deveria ver que incrível o carro esporte dele — Corbin acrescenta. — Vocês podem dirigi-lo se quiserem. Ontem fui dirigindo quando fomos almoçar.

Cerrei os dentes. O idiota nem tenta disfarçar a mentira. Quer me mostrar que pode se aproximar daqueles que têm mais importância para mim, como se fosse um aviso.

Gostaria de dizer aos dois para se afastarem dele, mas como justificar tal pedido se tecnicamente ainda nem o conheço?

— E Al... — Jen se ilumina. — Você vai amar o estilo dele. É uma coisa assim, meio... "descolado-inseto".

— Lá vamos nós. — Corbin revira os olhos.

Jen o cutuca com o cotovelo. — Fica quieto. A Al vai entender. — Ela engancha o braço em volta do meu. — Ele quer ser um lepidopterologista, entomologista ou algo assim. Ele me inspirou uma linha totalmente diferente. Jeans desbotados, botas com esporas, um chapéu de caubói com uma fita de...

— Mariposas na aba — termino para ela, o coração descompassado.

Jen e Corbin olham para mim, atônitos.

— Como você sabia disso? — Corbin pergunta.

— Jeb comentou — eu minto, tossindo para dar um ar de veracidade.

— Ah. — Os olhos de Jenara, do mesmo tom verde dos de seu irmão, brilham sob o traço de sombra cinza. — Bem, desenhei alguns modelos ao estilo inseto durante a sexta aula ontem. Você vai pegar carona com a gente depois da escola, não vai?

Eu faço que sim.

— Eu te mostro os desenhos depois. Usei o M como modelo. Ele tem essa coisa meio andrógina.

A. G. Howard

— Isso é o que eu acho. — Corbin bate com a mochila na bunda de Jen antes de entregá-la. Com muita prática, ele atira o copo vazio de Coca dentro da lata de lixo um pouco adiante. Ele acerta direitinho. — Queria só ver esse tal de caubói unissex fazer isso. Tudo depende das mãos. — Ele move os dedos na direção de Jen. — Tenho habilidades *masculinas*, gata. É por isso que sou o capitão do time.

Ela bufa. — É mesmo? Essa parece mais uma habilidade de zelador de escola — ela responde, provocando.

Corbin ri e desaparece virando o corredor. Jen me dá um abraço e nos separamos, indo para a primeira aula.

Acomodo-me em minha carteira. Morfeu não está aqui, embora seja o assunto de quase todas as garotas em seus bilhetinhos. Consigo ler um trecho por sobre o ombro de uma delas:

Ouvi dizer que ele brigou com a sua família rica na Inglaterra e foi mandado para cá para ver como as pessoas comuns vivem. Viva os caipiras americanos! O M vem do pai dele, Mort, mas ele é rebelde. *babando*

Não apenas ele é rico, britânico e excêntrico, mas também malvado e rebelde. Muito bem. Mais uma vez ele manipula a todos.

Fiquei sentada por três longas aulas — duas provas e uma revisão — e não o vi nem uma vez. Aposto que ele montou o seu horário oposto ao meu, de modo a me deixar inquieta com o que está fazendo ou onde está. Outra estratégia para me desestabilizar.

No subsolo, a caminho da quarta aula, decido matar a aula para espiar pelas portas das classes do último ano até achá-lo, determinada a fazer contato antes do almoço. A última coisa que eu quero é cruzar com ele na cantina lotada.

Escapo para o banheiro das meninas para esperar que o sinal toque e o corredor fique vazio. Esse pequeno cômodo cinza fica bem abaixo das salas do primeiro andar onde estão os armários. Canos tortuosos percorrem o teto branco encardido. Manchas de ferrugem se espalham como veias amarronzadas e o cheiro forte de mofo preenche o ar.

É só questão de tempo para que o vazamento dos canos atinja o chão do ginásio no primeiro andar e estrague tudo, motivo pelo qual o dinheiro arrecadado pela nossa turma será usado para a aquisição de novos canos de cobre a serem instalados neste verão.

Finalmente o sinal toca. Espero o vozerio se extinguir e as portas se fecharem. Raios de sol se infiltram através da janela basculante junto ao teto. A janela está aberta o suficiente para que entre um pouco de ar fresco e seja suportável respirar ali.

Um coro de insetos e plantas sussurrantes penetra no ambiente, misturando-se em um zumbido confuso. Teias de aranha se enfileiram na esquadria e tremem com o vento como lenços fantasmagóricos acenando para mim.

Encaro o meu reflexo no espelho empoeirado, fixando-me na mecha de cabelo vermelho e imaginando que ela se move como as teias de uma aranha — uma linha invisível fazendo-a dançar. À medida que me concentro, ela começa a se torcer e se enrolar.

Os meus músculos ficam tensos. Não é seguro usar os meus poderes aqui na escola — misturar pedaços da minha vida que por meses tentei manter separados. Se eu não tiver cuidado, o resultado pode ser imprevisível.

Ignorando a sensação de medo, concentro-me ainda mais até que a onda de magia ressurja. Meu cabelo se movimenta em espiral até formar um ângulo reto em relação aos fios platinados em volta, como no sonho horrível que tive no hospital... a espada de sangue.

Como se ativada pela memória, percebo uma imagem se mexendo atrás do meu reflexo. A minha concentração enfraquece e a mecha de cabelo cai, frouxa. Há um borrão quadriculado de branco, vermelho e preto que se define, formando o palhaço do hospital. Ele permanece assim, esticado e fora de proporção, como se estivesse em um daqueles espelhos engraçados que distorcem a imagem. O palhaço sacode um globo de neve nas mãos e sorri com os seus dentes prateados e pontudos como pregos. Os meus

A. G. Howard

joelhos fraquejam, mas mantenho-me firme onde estou, afirmando para mim mesma que estou só imaginando coisas.

Se eu me virar, ele não estará lá.

Por favor, não esteja aqui... por favor, por favor, por favor...

Reunindo toda a minha coragem, giro em meus calcanhares.

Nada além de paredes e dos boxes dos banheiros. Respiro e me olho novamente no espelho. O palhaço do reflexo desapareceu.

Talvez papai estivesse certo. Talvez eu esteja exagerando...

Uma porta bate no corredor, o que me faz lembrar o motivo pelo qual estou escondida aqui afinal. *Morfeu.*

Isso deve ser um dos seus jogos mentais.

Espero tudo ficar em silêncio e então me arrisco, saindo. Mal dou dois passos e o barulho do tênis de Taelor quebra o silêncio. Alguém faz "shhh" para ela e em seguida irrompem vários risinhos femininos e uma risada perversa que conheço de longe.

Agarro as alças da minha mochila e espio pela quina do corredor.

Ele está lá, de costas para mim, apenas alguns passos adiante. Alto e elegante. Veste colete de couro e camiseta muito justa realçando os ombros largos. Um jeans surrado envolve suas pernas. De quem quer que seja o corpo que ele roubou, é bem próximo ao dele, embora o seu cabelo seja mais curto. De trás não dá para avistar nenhuma franja por baixo do chapéu de caubói.

Ele segura um cartaz na parede, que anuncia:

BRINQUEDOS PARA UM FINAL DE CONTO DE FADAS: FAÇA UMA CRIANÇA DOENTE FELIZ HOJE MESMO.

É um lembrete para a campanha de arrecadação de caridade que a nossa turma está organizando de hoje até sexta-feira. Para participar da festa de formatura, todos os convidados têm que contribuir com um brinquedo novo para o hospital infantil da cidade. Há uma caixa para as doações próximo da parede, já até a metade.

Quatro garotas do conselho da formatura estão em volta de Morfeu, dando palpite sobre o lugar do cartaz acima da caixa. Taelor e Twyla discutem sobre quem deve colar a fita adesiva. A maior parte do tempo elas estão brigando ou competindo, ainda que se

proclamem melhores amigas uma da outra. É como uma relação simbiótica entre o fungo parasita e o hospedeiro. Só não consigo decidir qual das duas é o fungo. Kimber e Deirdre as rodeiam, segurando os rolos de fita adesiva.

Todas as quatro babam em Morfeu como se ele fosse da realeza. É apenas o segundo dia dele aqui e ele já fez mais história do que eu em toda a minha vida escolar. Engulo uma ponta de inveja.

Como se sentisse que o estou observando, ele se vira. Por um instante, ele se parece como qualquer um — um estranho. Então, no segundo seguinte, é Morfeu: a marca ao redor dos olhos, as joias pontuando as suas bordas e que revelam o seu estado de espírito.

Solto um gemido quando um par de asas negras se abre por trás de seus ombros, cobrindo de sombras as minhas colegas. Assustada, escondo-me novamente contra a parede, amassando a mochila como um sanduíche entre as minhas costas e os azulejos gelados.

Eu pensei que estivesse preparada, mas vê-lo em meu mundo, remexendo em tudo o que antes era normal, revelando tudo aquilo que com tanto esforço tentei esconder... acabava me deixando sem reação. Segurei a respiração, as orelhas queimando à espera dos gritos de terror quando as garotas perceberem o que ele é — *o que eu sou.*

Em vez disso, mais sussurros e risinhos ecoavam pelo corredor.

Reuni forças e olhei novamente. Taelor e as outras *femmes fatales* subiam as escadas.

— Lembre-se — Taelor falou a Morfeu em um tom de voz provocante — que você prometeu me deixar dirigir o seu carrão sexy na hora do almoço.

As garotas somem da minha vista.

Como elas podem não ter visto o que eu vi tão claramente?

Morfeu se vira para mim, as asas completamente abertas. Ninguém mais está no corredor, mas meu coração bate com força em minhas costelas como se estivéssemos expostos — o meu segredo e o dele — para o mundo inteiro.

A. G. HOWARD

Vou para trás e me refugio no banheiro novamente. Antes que a porta se feche, ele irrompe pela passagem. Fachos de luz do sol através da janela realçam os seus olhos escuros e delineados. São a única parte dele que reconheço agora. Seu rosto e corpo, apesar de incrivelmente parecidos, pertencem a algum indivíduo humano que nunca vi antes.

Ele é como um vaso quebrado — traços angulosos e delicados com uma cicatriz que vai da têmpora à bochecha —, danificado, mas adorável. Sua pele é dourada, muito diferente do tom de alabastro, alvo, da de Morfeu. Tem ainda uma covinha no queixo como a minha. Tem a minha idade e aparenta estar mais ou menos no mesmo ano da escola.

Morfeu tira o chapéu, revelando o cabelo muito curto e tingido de azul tão vibrante que quase chega a brilhar.

— Alyssa. — A voz é dele, inconfundível. Profunda e sensual com um toque de malícia. — Você está muito melhor do que da última vez em que a vi. Tenho que admitir, porém, que você ficou muito bem com aquelas roupas molhadas.

Eu queria sacudi-lo com todas as minhas forças até que ele ficasse tão transtornado quanto eu estava. Justo agora que eu achava que teria uma chance de ser normal ele vem e arruína tudo. Largo a mochila no chão, fazendo um barulho surdo.

— Não consigo... — A língua tropeça nas palavras. — Não consigo nem perguntar.

O lado direito de sua boca se ergue em um sorriso desconhecido naquele novo conjunto de lábios grossos, igualmente exasperadores. — Deixe-me perguntar então — ele diz, fitando o teto manchado de ferrugem e contorcendo o nariz. — O que uma adorável rainha como você está fazendo em um lugar tão fedorento como este?

— Pare com isso — eu digo, carrancuda. — Não há nada de engraçado no que você fez. O garoto de quem você roubou o corpo... quem é?

Morfeu joga o chapéu sobre a cabeça e o ajeita. Uma linha de mariposas brancas mortas mexe-se sobre a aba. — O nome dele é Finley.

É um cara solitário. Um músico falido. Encontrei-o completamente drogado em Grimsby, um vilarejo de pescadores na Inglaterra.

— Drogado? Então foi assim que o convenceu a ir ao País das Maravilhas?

— Nem precisei convencê-lo. Ele estava muito infeliz com a sua vida no reino humano. Olhe quantas vezes ele já tentou o suicídio.

— Ele virou os braços. Debaixo de quatro pulseiras de couro trançado viam-se duas tatuagens de cobra que iam dos cotovelos até os pulsos. Conseguiam esconder parte das marcas e das picadas de agulha, mas também encobriam a marca intraterrena de Morfeu, a parte dele que permanecia, mesmo se mimetizando na forma de outro rapaz.

Penso em minha própria marca debaixo da bota, no tornozelo esquerdo, e em como ela faria sempre parte de mim, não importando quantas tatuagens ou camadas de *legging* eu usasse para encobri-la.

A minha traqueia se aperta, dificultando a respiração. — Você não aprendeu nada com Alice? Você não pode simplesmente tirá-lo de perto dos que se importam com ele. Vai causar ondas, consequências.

Morfeu bate com a trança de couro no pescoço, pensativo. — Escolhi cuidadosamente. Não existe ninguém que o ame. Fiz-lhe um favor. Provavelmente, até salvei a vida dele.

A minha cabeça lateja. — Não, não, não. Esse papel não é seu. Ele tem uma vida a ser vivida aqui, não importa quão triste ela seja. Alguma coisa poderia estar para acontecer, para tirá-lo daquele estado deplorável. Você suprimiu qualquer chance que ele poderia ter de se redimir...

— Uma alma danificada em troca de milhares de vidas intraterrenas. É uma troca justa.

Meu desagrado aumenta. Por mais que eu despreze sua frieza e suas táticas ardilosas, entendo a lealdade que tem pelo País das Maravilhas e seus amigos de lá. Então, por que ele não pode se solidarizar com as lealdades que eu tenho a *este* mundo?

A. G. Howard

— Pare de se preocupar com o Fin — ele diz, suavizando a voz. — O rapaz está sendo bem cuidado. Entreguei-o à Rainha de Marfim para que ela se distraia com ele.

Fico ainda mais desconcertada. — A Rainha de Marfim não faria isso.

— Você acha que não? Já esqueceu o quanto ela ansiava por companhia? Contei a ela sobre a situação dele: que ele estava morrendo de solidão no reino humano. Que precisava de amor para se curar. Quando você conhece o seu ponto fraco, fica fácil manipular as pessoas. Você conhece bem esse tipo de estratégia, não é?

Lembrei do sonho que tive no hospital, os gritos de Jeb ainda ecoavam em minha cabeça. Retraí-me, envergonhada.

Morfeu se aproximou ainda mais. — Fazemos o que precisa ser feito para proteger aqueles que amamos. — Sua expressão era sincera e algo que não pude identificar cintilava por trás dos seus olhos escuros. Havia mais naquela frase do que uma mera referência ao País das Maravilhas. Infelizmente a sua presença me distrai demais para que eu a analise melhor.

Coloco a minha mão contra o seu peito, fazendo uma barreira. — Olha, se vai ficar aqui no meu mundo, existem algumas condutas sociais que precisa seguir. Primeiro, tem uma coisa chamada espaço pessoal. Então, qualquer pessoa que você encontre, incluindo eu, precisa imaginar que ela está em uma caixa impenetrável. — Faço gestos como linhas invisíveis à minha volta com a mão que está livre. — Você não se aproxima mais do que esses limites da caixa. Fui clara?

Os músculos de seu tórax se contraem sob minha mão; ele dá um passo atrás, arranhando as botas no chão áspero. — Pelo visto as suas amigas risonhas esqueceram de usar as caixas delas hoje.

Lanço-lhe um olhar de repulsa. — Elas não são minhas amigas. E aquele truque que você fez ali? Exibindo sua verdadeira forma para o mundo todo ver? Isso *não* foi legal. Não sei como elas não viram, mas você não pode fazer isso de novo.

Ele bufa. — Ora, adorada Alyssa. Só você poderia ver aquele lado meu. — Em seguida puxa com o pé a alça da minha mochila.

Tento pegá-la de volta, mas ele é mais rápido. Abrindo o zíper, Morfeu remexe em meus livros e papéis. — Se tivesse estudado os fundamentos do País das Maravilhas em vez dessas porcarias mortais sem sentido, você saberia como um encanto funciona. — Ele retira um livro de biologia e, percorrendo as páginas, encontra um desenho do corpo humano. Mostra-o para mim. — Para que eu pudesse me transformar no Fin, tive que imprimir a forma dele sobre a minha antes de passar pelo portal para este mundo. Manter esta máscara no lugar certo exige a maior parte dos meus poderes. Se eu descuidasse do encanto por um instante sequer, ele se extinguiria até que eu pudesse fazer uma nova impressão de Fin. — Ele fecha o livro com força usando uma das mãos. — Mas e você? Em alguns momentos *você* pode distinguir lampejos da verdade, penetrar nas fissuras da minha máscara e me ver como realmente sou. Porque você aprendeu a ver pelas lentes intraterrenas.

Eu queria que fosse fácil vê-lo como ele é, em vez de ficar sempre tentando adivinhar o que está tramando. — Chega dessa história. Estou cansada de jogos.

Ele vira a cabeça para o lado como um cachorrinho tentando adivinhar o que seu dono deseja. — Não estou jogando jogo nenhum.

— Está bem. — Pondero sobre mencionar o palhaço, mas não adiantaria perder tempo com as negativas dele. Era melhor livrar-me logo dele fingindo que cooperava. — Como, exatamente, eu devo ajudar a Rainha Vermelha para que você possa devolver ao Finley a vida dele? — eu digo, olhando-o de cima a baixo.

O sinal toca, reverberando em meus ossos. Risadas e conversas ecoam pela janela. Vejo sombras de pessoas passando por baixo da porta.

Morfeu coloca o livro de volta na mochila, fechando-a. — Tenho um encontro agora no almoço. Nos falamos amanhã. Mesma hora, mesmo lugar. Você tem até amanhã para se concentrar e pegar os seus mosaicos. Há algo que eles estão tentando dizer a você e, com o auxílio de um pouco de magia, posso ajudá-la a decifrar o que é. Depois disso, podemos partir para o País das Maravilhas.

A. G. Howard

Vinte e quatro horas para me despedir de todos e tudo que amo? Sem chance. — Espere, Morfeu. Precisamos conversar sobre isso.

— M — ele corrige. — E não há nada mais a conversar.

Balanço a cabeça, atônita não apenas com seu desdém, mas com aquele nome estúpido que ele insiste em usar. — Por que você não usou o nome de Fin?

— E correr o rico de alguém conhecê-lo?

— Aha! — Eu levanto o dedo para seu nariz. — Então quer dizer que ele tem família.

Ele segura o meu pulso. — Todo mundo tem família no seu mundo, Alyssa. Infelizmente a de Fin não quer nem saber onde ele anda. Mas um sujeito como ele costuma ter inimigos. Não preciso de problemas. Por isso só peguei a imagem dele, não a sua identidade.

— Também não preciso de problemas — eu digo, livrando-me de sua mão, pegando a mochila e me dirigindo para a porta. — Não estou pronta para voltar ao País das Maravilhas. Tenho coisas a fazer aqui.

Indiferente, ele se vira para o espelho e ajeita o chapéu. — Ah, então quer dizer que você está ocupada. Quem sabe enquanto você não encontra tempo para o País das Maravilhas eu possa me divertir com a pequena e adorável Jen, a do cabelo cor-de-rosa e olhos verdes cintilantes. — Seu tom de voz é baixo e sugestivo. — Iguais aos do irmão.

A apreensão causa-me um nó na garganta e me viro, colocando a mochila para o lado. — Fique longe daqueles que amo. Ouviu?

Como ele não responde, seguro o seu cotovelo e forço-o a me encarar.

Antes que eu possa reagir, ele me pega pela cintura e me faz encostar o traseiro na borda da pia gelada. Com a minha cara de frente para o seu tórax, contorço-me, tentando escapar. Ele me imobiliza usando o seu corpo e segurando a pia atrás de mim — perto demais para eu me sentir confortável.

— Olhe só — ele provoca —, a sua caixa parece ter encolhido.

Olho para trás, mas não tenho espaço para recuar sem cair dentro da pia.

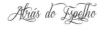

— Se você realmente deseja proteger aqueles que ama — ele prossegue no mesmo tom provocativo —, preste atenção ao que eu digo. Seu conforto vale mais do que a segurança deles?

De repente, percebo a verdade nua e crua. — Você não está falando de Finley, está? Sou *eu* a alma que você quer sacrificar pelo País das Maravilhas, não é? — Os meus olhos encontram os dele, e a resolução neles confirma a minha desconfiança.

Brincando com o lenço em volta do meu pescoço, ele lamenta:
— Uma guerra nunca é bonita, Alyssa.

Eu engulo seco. O aviso das flores e insetos que mamãe me deu estava certo. Morfeu está me colocando em apuros. — Pois bem, você sabe que não tenho nenhuma chance e mesmo assim quer me mandar atrás dela. — Eu o empurro, mas ele nem se move.

— Ou você vai até ela ou ela vem até você. É melhor que você contenha a guerra no próprio País das Maravilhas, com a vantagem de manter a sua família e os seus amigos fora da linha de fogo. — Ele olha atento para o meu pescoço, onde o pingente de coração que Jeb me presenteou e a chave descansam sobre minha echarpe. — Lembre-se do que quase aconteceu com o seu namorado da última vez que ele se envolveu, como ele quase acabou...

— Não diga isso! — eu imploro.

Morfeu encolhe os ombros. — Estou apenas mencionando um fato. Talvez se ele desafiar o País das Maravilhas mais uma vez não tenha a mesma sorte.

A borda da pia começa a me incomodar. — Deixe-me sair. — Apesar de suave e firme, a minha voz ecoa no banheiro vazio.

Com a expressão séria e intensa, ele me retira da pia, me vira e ajeita as alças da minha mochila sobre os ombros, como uma mãe que arruma o filho antes de ir para o jardim da infância.

— Temos muito a fazer para prepará-la para confrontar a Vermelha — ele diz, e sinto a sua respiração morna em minha nuca. — Você ainda não está equipada para lutar com ela. Mas estará. Você é a melhor de dois mundos, não esqueça. Só precisa acreditar em si mesma.

E, sem dizer mais, sai. A porta bate atrás dele.

Olho para as teias de aranha que ondulam na janela. A julgar pelo truque que fiz mais cedo com o cabelo, sei que ele tem razão. Não estou preparada para nenhum tipo de batalha mágica.

Mas e se ele estiver errado? Como ser metade de uma coisa pode ser melhor do que ser uma coisa inteira? Não há fé ou trabalho que possa me preparar para enfrentar a Rainha Vermelha e seus imensos poderes.

Um mau agouro acomete o meu coração: essa viagem ao País das Maravilhas será o meu fim. Se eu correr novamente esse risco, perderei mais do que a minha vida normal e diária.

Dessa vez *perderei* a minha cabeça e tudo o que está ligado a ela.

Santuário

Papai diz que eu posso comer o que quiser no jantar, como recompensa por ter passado nas duas provas de hoje. Considerando que esta pode ser a nossa última refeição como família, peço suas famosas panquecas com mel e um copo grande de leite gelado.

Depois de colocar roupas mais confortáveis — um *legging* xadrez azul-marinho e um suéter prata longo —, entro de fininho na sala de estar e fico observando, do canto, os meus pais cozinhando juntos, como fazem todas as noites. Mamãe espirra ao pegar uma xícara de farinha. O pó branco acaba cobrindo o rosto de papai, e começa uma guerra de comida. Antes que ela acabe, os dois estão rindo e cobertos pelos ingredientes das panquecas. Papai a puxa para mais perto de si, limpa seus lábios com um pano de prato úmido, e em seguida a beija.

Eu me escondo um pouco mais, querendo tanto sorrir que até dói minha boca. Vê-los flertar desse jeito, feito jovens apaixonados, dilacera meu coração. Eles conquistaram esse direito, depois de todos os anos que ficaram separados. Eu só não quero que esta seja a última vez que os vejo felizes.

Quando nos sentamos para comer, as panquecas estão leves, fofas e pingando mel. Elas têm gosto de casa, de conforto e segurança. Eu devoro tudo, afogando-me naquela doçura.

Enquanto meus pais lavam os pratos, escapo para o meu quarto e alimento as minhas enguias com alguns ovos cozidos picados. Afrodite e Adônis fazem uma dança graciosa, enroscando os seus corpos, capturando a comida enquanto ela flutua, feito amantes apanhando flocos de neve em suas línguas.

A cena me faz recordar o globo de neve que o palhaço me deu em minha alucinação hoje, e assim, do nada, me vem uma lembrança do País das Maravilhas; ela me invade, tão viva que parece que voltei para lá: eu mesma, aos cinco anos de idade, olhando para o meu companheiro intraterreno e concorrente de oito anos, quase chorando porque ele mantinha um globo de neve fora de meu alcance.

Foi quando Morfeu e eu visitamos a Loja de Excentricidades Humanas. Ele sempre me levava para o País das Maravilhas em meus sonhos, mas nós nem sempre interagíamos com outros intraterrenos. A menos que Morfeu permita, eles não podem ver através do véu de sono que se interpõe entre nós. Mas nós podemos observá-los, como se observam peixes nadando em um aquário.

Mas naquele dia havia alguma coisa que Morfeu queria que eu aprendesse, então retiramos o véu temporariamente.

— Estou ocupado — Morfeu instigou em sua voz jovem e atrevida, balançando o globo de neve diante de mim novamente. — Quer um brinquedo só seu? Vá lá em cima buscar um que seja só seu. — As suas asas negras roçaram os meus pés descalços quando ele se virou de costas para explorar a loja.

— Mas quem pode voar é você — eu resmunguei, enfiando a ponta de minha trança no espaço em que eu recentemente perdera um de meus dentes da frente.

Quando ele olhou por sobre seu ombro ossudo e revirou os olhos decorados com tinta, eu sabia que havia decidido. Olhei para a parte de cima de meu pijama vermelho. A calça do conjunto estava manchada de lama devido a uma recente brincadeira de pega-pega debaixo de cogumelos gigantes. Morfeu tinha vencido o jogo sem nem mesmo sujar a sua camisa branca de cetim e a calça preta de veludo. Eu estava cansada de ele sempre vencer.

Eu fazia beicinho e andava pela loja. Uma cobertura de ramos e folhas podres formava o teto; o chão e as paredes eram pedras desgastadas, e havia musgo saindo das saliências entre elas. O cheiro era de mofo e eu sentia frio nos pés.

Prateleiras de madeira sólida dispostas uma de costas para a outra formavam corredores. As prateleiras estavam repletas de pratos novinhos, talheres, abajures, escovas de dentes, pentes e milhares de outros itens do reino humano. Nossos artefatos comuns eram peças de colecionador no País das Maravilhas.

Uma prateleira superior no fundo da loja chamou a minha atenção. Ela era alta demais para que eu pudesse alcançá-la. Uma alegre boneca de pano debruçada sobre a borda, olhos azuis de flores silvestres e um sorriso levemente decorado com purpurina. Nas sete atulhadas prateleiras abaixo dela, outras novidades reluzentes: uma bola de Natal prateada; uma lupa; um canário amarelo empalhado dentro de uma gaiola — tão real que fiquei me perguntando se ele estava mesmo morto; vasos de cerâmica branca com joaninhas felizes e sorridentes pintadas na frente; refinados frascos de perfume; uma maçaneta; e recipientes de balas feitos de lamparinas de querosene cujas tampas tinham cabeças de bonecas de vinil como pegadores. Mas nenhuma dessas coisas me intrigou tanto como a boneca de pano.

Morfeu perambulava por outra série de prateleiras, ignorando-me de propósito.

Hesitante, caminhei até a frente da loja, onde o funcionário, Sr. Carneiro, estava sentado no caixa. Ele era uma criatura de aparência estranha, que parecia ter sido montado com as mesmas curiosidades exibidas em suas prateleiras: retalhos salientes de cor cinza e branco revestiam o seu rosto humanoide, como se a sua carne estivesse mofada. Seus lábios, sobrancelhas, bigodes e cabelo eram

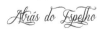

feitos de fungo verde e poroso, como feltro usado. Seu corpo —
nada mais que um manequim em frangalhos — tinha vinte pares de
braços robóticos finos como lápis, e pernas afixadas na articulação
do ombro e na beira do dorso, com unhas e juntas enferrujadas.

— Sr. Carneiro, eu encontrei algo que eu gostaria de ter. O senhor poderia pegar para mim? — supliquei na minha voz mais
educada.

Seu traseiro chato vacilou sobre o banquinho de bar, e ele olhou
por sobre os óculos, quadrados com olhos agudos e brilhantes feito
rochas molhadas.

— Não — ele retrucou.

Agulhas de tricô estalavam entre seus dedos de lata nos pés e
nas mãos enquanto ele tecia asas de borboleta, transformando-as
em tecido radiante das cores do arco-íris. Com a ajuda de seus
abundantes apêndices, ele continuava acrescentando mais agulhas e produzia bobinas do tecido num ritmo alarmante. A pilha
de asas de borboleta que tocava o teto quando eu cheguei agora
estava na altura de sua cabeça. Olhei para elas com desejo, ansiosa
por um par de asas, embora soubesse que nunca as usaria porque
não gostava de altura.

— O meu trabalho — a sua voz gutural raspou dentro dos meus
ouvidos como unhas arranhando a tampa de um caixão — é assegurar que os clientes não sejam mordidos. É você que deve
capturar as suas próprias compras. E cuidado para não ofender
as prateleiras. Elas são feitas de madeira tulgey[1]. Agora desça daí.
Estou ocupado fazendo uma roupa nova para mim.

Fiquei me perguntando o que havia de tão especial na madeira
tulgey e o que ele quis dizer sobre clientes serem mordidos. Mas
eu tinha um problema maior. A única maneira de pegar o brinquedo seria escalar, mas o meu estômago revirava toda vez que eu me
encontrava em certa altura.

....
[1] A Floresta de Tulgey é um lugar no País das Maravilhas. É mencionada no poema
"Jaguadarte", na obra *Alice Através do Espelho e o que Ela Encontrou por Lá*, de Lewis
Carroll. (N. T.)

A. G. Howard

Fui serpenteando pelo labirinto de corredores até chegar à boneca de pano. Felpuda e inocente, ela olhava para mim lá embaixo. O seu lindo rosto prometia horas de brincadeiras de mentirinha na caixa de areia que tenho em casa. Alguma coisa dentro de mim emergiu para a vida, uma certeza sutil de que eu poderia encarar esse desafio.

Cautelosamente, equilibrei os pés descalços na primeira prateleira, agarrando-me à que estava acima. Fui devagar, como se estivesse subindo uma escada de mão. Duas prateleiras, quatro, seis prateleiras de altura. O ruído cadenciado das agulhas de tricô do funcionário ritmava os meus movimentos.

Eu nem me importei em olhar para baixo. Em vez disso, concentrei-me no prêmio, agora somente a duas prateleiras de distância. A parte de trás das estantes parecia ter buracos que eram visíveis somente com a minha visão periférica. Quando eu olhava diretamente para eles, só via linhas escuras na madeira.

Enfim, cheguei à prateleira mais alta. Tremores nervosos sacudiam as minhas mãos. Para ficar mais calma, inclinei-me para sentir os fios macios do cabelo da boneca. Ela cheirava a sabão e baunilha. Afastei o rosto, sorrindo, e notei um palhaço ao lado dela, apoiado na parte de trás da prateleira. Algo em seu sorriso maroto me atraiu. Estiquei o braço na direção dele, com as unhas da minha outra mão cravadas na madeira para manter o equilíbrio.

— Ai, está me beliscando! — Um grito veio de trás do palhaço, rascante e ofegante, como dois pedaços de lixa esfregados um no outro. Vi um movimento e percebi que as linhas escuras que eu tinha tomado por pontos na madeira formavam um par de lábios. Eles bocejaram, revelando um buraco cavernoso com dentes pontiagudos e uma língua cinza e esburacada.

A prateleira tinha uma boca...

— Mais de leve, pode ser? — ela rosnou para mim.

Sobressaltada, quase caí para trás, mas me agarrei na prateleira com mais força ainda, e com as duas mãos desta vez.

— Quer pegar pesado, é? — a boca ganiu para mim. Sem avisar, dentes pontiagudos, cravados em gengivas pretas, surgiram da madeira como um velho cuspindo sua dentadura. Depois de arrebatar os dois brinquedos, a mandíbula se retraiu para dentro da boca e a boneca e o palhaço desapareceram. O buraco também desapareceu, deixando somente os pontos na madeira e uma prateleira vazia.

Aterrorizada, perdi o equilíbrio. Morfeu me pegou no ar antes que eu conseguisse gritar. Enquanto descíamos, a boca e os dentes pareciam nos perseguir de trás de cada prateleira por que passávamos, pegando e engolindo os itens exibidos ali.

— Você tinha que acordar as prateleiras? — Morfeu repreendeu-me no momento em que aterrissamos. — Você não sabe que tulgey é o tipo de madeira mais irritável? É melhor você desejar que aquilo com o que queria tanto brincar não volte para assombrá-la.

— Voltar? — eu perguntei, com o coração ainda acelerado por quase ter caído. — Mas eles foram engolidos!

— Não. A garganta da tulgey é um portal de mão dupla para outra dimensão. Um lugar chamado Qualquer Outro Lugar... o mundo dos espelhos. — Morfeu batia de leve os dedos no joelho, nervoso. — Se os itens que entraram forem recusados no portal, serão devolvidos. E, uma vez que algo é cuspido de volta, raramente retorna do mesmo modo como saiu. Volta mudado. Para sempre.

— Mas que porcaria! — a reclamação do Sr. Carneiro chegou do fundo da sala. Não podíamos vê-lo devido a todos os corredores que havia entre nós, mas o ruído das agulhas de tricô havia silenciado e agora se ouvia um rangido mecânico. Pés de metal esmerilharam o piso de pedra, e ele surgiu de um canto.

Ele pegou uma das prateleiras vazias e depois apontou para a porta com vários de seus dedos de metal. — Saiam! — ele mandou. Um sonoro arroto vindo de trás de nós mascarou o eco de sua voz. Todos nos viramos para a prateleira mais baixa, onde a boca de madeira havia ressurgido. Com outro arroto, ela vomitou tudo o que havia engolido.

A. G. HOWARD

Os artigos estavam desfigurados — alterados de modo horripilante. A bola de Natal havia murchado e tornara-se um pedaço de carvão. Um enorme olho injetado aberto no meio nos encarava. Ela rolou na minha direção, mas Morfeu a chutou para longe. A lupa havia se quebrado e de suas fendas jorrava sangue. A maçaneta prateada chorava tão alto que senti calafrios na espinha. O canário amarelo empalhado — agora rosa-pálido e sem penas — abriu o bico e grasnou. Oito pernas de arame brotaram do chão de sua gaiola e impeliram o pássaro enraivecido na nossa direção.

Recuamos. O funcionário disse uma palavra pela qual sua mãe teria lhe dado uma surra e avançou com dificuldade na direção da caixa registradora, resmungando alguma coisa sobre redes.

Morfeu alçou voo e me deixou sozinha no chão.

— Me ajude! — eu gritei para ele lá no alto. O meu coração batia forte no peito e era difícil respirar.

— Eu não posso carregar você o tempo todo. — As joias sob os seus olhos eram de um autêntico azul. — Você precisa descobrir como escapar.

Alguma coisa bicou o meu tornozelo e eu urrei, pulando para trás ao dar de cara com o canário berrante. Dei um empurrão na gaiola e ela caiu. O domo de arame rolou e as pernas de metal ficaram se agitando em pleno ar, como uma tartaruga que cai presa com o casco para baixo.

Mais mutações esquisitas me rodearam.

Os vasos brancos de barro cuspiam milhares de besouros com pinças cortantes, nada parecidas com as sorridentes joaninhas pintadas neles. A maçaneta fora transformada na mão de um velho e se arrastava, aproximando-se com dedos tortos e nodosos, enquanto as cabeças da boneca de vinil do recipiente de balas mostravam os dentes — pequenos e afiados como alfinetes.

Dei vários passos cautelosos para trás, mantendo-os à vista, enquanto me dirigia para a frente da loja. — Morfeu! — eu gritei novamente, mas agora eu nem conseguia vê-lo acima de mim.

Os itens transformados se dividiram para formar um caminho. A minha boneca de pano e o palhaço apareceram — com as entranhas costuradas e unidas com fios cheios de sangue, como uma cirurgia medonha que não deu certo. Em vez de quatro olhos, os dois juntos só tinham três. Um olho estava preso na costura.

— Ajude-me a encontrar o meu outro olho — a boneca de pano implorava. — Por favor, por favor. Meu olho. — Sua voz de garotinha e o riso distorcido do palhaço gelavam o ar, e eu soluçava.

Cega pelas lágrimas, continuei aos tropeços. O Sr. Carneiro empoleirou-se no balcão, colhendo mutantes com uma rede enorme. — Esconda-se, criança tola! — ele gritou.

— Faça alguma coisa, Alyssa! — Morfeu voltou a aparecer e gritou de lá de cima quando os horripilantes mutantes me cercaram. — Você é o melhor de dois mundos — ele incitava. — Use o que possui. O que *nós* não possuímos. Faça algo que possa salvar todos nós!

Eu mergulhei na pilha de asas de borboleta do Sr. Carneiro. As agulhas de tricô estavam espalhadas no chão, e eu arrisquei esticar um braço para pegar algumas. Dentro do meu frágil refúgio, ignorei os rosnados e as dentadas que se acercavam. Peguei duas asas e segurei-as sobre uma agulha, imaginando que elas se juntavam para formar uma nova espécie de borboleta, com corpo de metal, letal e afiado.

A borboleta de agulha de tricô ganhou vida em minha mão, as asas tremulando. Arfando, deixei-a ir, e ela voou na direção dos meus agressores. Por um instante, fiquei atordoada demais para me mexer.

Os berros do funcionário me impeliram à ação, e eu criei mais borboletas, enviando-as para ajudar a primeira.

A minha invasão de borboletas mergulhou sobre os besouros que atacavam, conduzindo-os de volta para os seus vasos; elas atacaram violentamente as cabeças da boneca de vinil e se enroscaram em seu cabelo, arrancando-o na raiz.

Em breve, todos os mutantes bateram em retirada, sibilando e rosnando.

A. G. Howard

De dentro do meu esconderijo, imaginei que as asas que sobraram podiam erguer-me no ar, grudadas em cada centímetro de meu pijama. Em questão de segundos, eu estava flutuando ao lado de Morfeu. Cobri o rosto, incapaz de olhar para baixo.

— Você conseguiu — ele disse, colocando um braço em torno de mim. Eu não podia ver o orgulho em seus olhos, mas o senti em suas palavras.

Pouco antes de Morfeu colocar o véu do sono sobre nós novamente, o funcionário começou a dar vivas aos meus insetos de metal.

Eu o salvara. Eu salvara a todos nós.

A bomba de ar de meu aquário gorgoleja, trazendo-me de volta ao presente.

Apoio-me na cômoda, pois as pernas vacilam.

Então é por isso que Morfeu enviou o palhaço, quase uma réplica exata do palhaço da loja. Foi um gatilho para a minha memória.

Trôpega, dou alguns passos para trás e sento-me com força na cama, desconcertada. Como eu era muito jovem quando ele começou a me visitar, e a maioria de suas visitas aconteceu em meus sonhos, nossas aventuras estão guardadas bem no fundo do meu subconsciente. Ele é mestre em me ajudar a recordá-las.

Estou louca para falar com mamãe. Descobrir se ela sabe algo sobre a madeira tulgey. Talvez ela possa compreender por que Morfeu quer que eu me lembre dela agora.

Morfeu e ela também tiveram um passado, e a persistência dele é que a colocou num sanatório. Mas não sei se ele a visitava em seus sonhos ou se ele a contatou através dos insetos e flores. Muitas vezes me perguntei que tipo de lembrança os unia.

Ela nunca foi ao País das Maravilhas. A simples ideia de passar pela toca do coelho a deixa horrorizada — o medo do desconhecido. É por isso que eu nunca a pressionei para contar a sua experiência. Ela parece sempre tão frágil. E é também por isso que cabe a mim descobrir quais são as motivações de Morfeu agora.

Use o que possui, ele disse em minha lembrança. *O que nós não possuímos.* Novamente, ele se contradiz. Se os intraterrenos

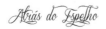

são tão perfeitos como ele afirma que são, o que os humanos podem possuir que lhes falta?

Levanto e vasculho uma gaveta em busca dos velhos livros de Lewis Carroll de mamãe, abrindo o exemplar de *Alice Através do Espelho e o que Ela Encontrou por Lá*. Ao contrário do exemplar de *As Aventuras de Alice no País das Maravilhas*, onde ela anotou comentários e observações nas margens — a tinta agora borrada demais para ler —, estas páginas estão limpas, velhas e amareladas.

Passo os olhos pelo poema do Jaguadarte, em busca da floresta de tulgey, mas não há nada sobre bocas voláteis e escancaradas que cospem coisas em formas horripilantes. Passando para o capítulo três e os "insetos do espelho", procuro uma referência ao mundo dos espelhos ou Qualquer Outro Lugar, a dimensão alternativa que Morfeu mencionou. Mais uma vez, nada.

Por fim, detenho-me no capítulo cinco: "Lã e Água". Nele, Alice visita uma loja. Conforme a cena se desenrola, vejo semelhanças com o lugar visitado em minha lembrança, mas diferenças também. É claro que não é o mesmo da versão de Carroll. Nunca é assim. Aprendi, no ano passado, que os livros dele são mais amenos, versões mais palatáveis da verdadeira loucura que é o País das Maravilhas.

Na narrativa de Carroll, um carneiro que gosta de tricotar é o funcionário da loja. Em minha lembrança, há um funcionário chamado Carneiro que é fascinado por tricô. O conjunto de prateleiras gosta de pregar peças, assim como no livro original, embora as peças que eu vivenciei tenham sido muito mais abomináveis do que a versão estilo conto de fadas.

Toca a campainha e eu fecho o livro. Convidei Jeb para vir aqui depois do jantar. Depois de guardar o livro na gaveta, corro até a porta de entrada.

Mas estou lenta demais, as minhas pernas ainda tremem. Mamãe chega à porta primeiro.

Jeb está aguardando sob a luz da varanda. Nossos olhos se encontram; é óbvio que ele quer entrar correndo e me abraçar, do

A. G. Howard

mesmo modo que quero correr até ele. Parece que não o vejo há uma eternidade, e a dura realidade é que talvez eu não o veja durante uma eternidade.

Mamãe se coloca entre nós. — Eu sinto muito, Jebediah. Allie teve um dia cheio. Você pode falar com ela por telefone.

Gesticulo por trás do seu ombro para chamar a sua atenção. Erguendo cinco dedos, balbucio a palavra *Santuário*.

Ele faz um sinal com a cabeça, educadamente se despede de mamãe e desce da varanda, entrando na penumbra. Mamãe fecha a porta e me segue até a sala de estar, onde eu tiro o meu livro de Química da mochila.

— Que delicadeza, mamãe — eu resmungo. Não quero magoá-la, mas, se eu não fingir que estou brava, ela pode desconfiar.

— Seu namorado tem que aceitar que às vezes você precisa de um tempo — ela responde.

— Ele não é o único que precisa aceitar isso. — Consigo produzir um olhar bastante mal-humorado. — Vou estudar no quintal.

Nos últimos meses, mamãe e eu passamos muitas tardes trabalhando em um jardim lunar que brilha à noite. Plantamos lírios, madressilvas e alcaçuz prateado. Fizemos até uma pequena fonte que acende. A água que jorra ajuda a abafar os sussurros dos insetos e plantas. É um dos meus lugares preferidos para estudar e meditar.

Quando mamãe ameaça ir junto, viro-me para encará-la. — Não preciso de acompanhante, *por favor*.

— Você precisa de ajuda com o seu vocabulário de Química — ela insiste.

Eu faço uma careta. — Isso é trabalho para uma mulher só, mamãe.

Papai surge da cozinha com um pano de prato no ombro. Suas roupas ainda estão todas sujas de farinha. Ele olha para uma e para outra.

Eu torço a boca, tentando não explodir. — Posso, por favor, ficar um tempo sozinha para desanuviar a cabeça antes da escola amanhã? — Eu dirijo a pergunta para papai.

Mamãe limpa as mãos no avental.

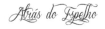

Pela porta da cozinha, o relógio de gatinho na parede faz tique-taque, com a cauda contraindo-se a cada segundo. Não posso ficar com ela na minha cola. Nada me fará mergulhar naquela toca do coelho amanhã sem falar antes com Jeb, sem estar mais uma vez em seus braços.

Papai deve perceber quanto estou perto de perder a paciência.

— Deixe que ela vá, ursinha — ele diz. — Ela não teve muito tempo para si mesma hoje.

Finalmente, mamãe concorda, depois de insistir que eu leve uma colcha extra, "pois as noites ficam mais frias com o tempo úmido que tem feito". Mas eu tenho outros planos para ela.

No pátio, fios com luzes piscantes cintilam sobre a treliça parecida com um gazebo que abriga um balanço, camuflando-o da visão da janela dos fundos.

Eu afofo as almofadas no balanço da varanda e estrategicamente coloco o cobertor que já está lá sobre elas. Depois, equilibro o meu livro aberto em cima, então, se mamãe espiar pela janela, vai ver a silhueta pela treliça e pensará que estou aqui.

Com a colcha em mãos, tomo o caminho que sai da varanda. A fragrância das flores é intensificada pelo ar úmido da noite. A luz da lua e das luzes piscantes é refletida nas pálidas flores e na folhagem. Está tudo calmo e no lugar. O oposto de como eu me sinto.

Estendo a colcha no canto mais escuro do quintal, fora do campo de visão da porta e da janela dos fundos. Este é o único pedaço de terra que não está repleto de flores ou plantas. A copa de um salgueiro pende sobre a cerca que separa o quintal de Jeb do nosso, criando uma caverna. Mamãe tentou plantar coisas aqui algumas vezes, mas, como elas nunca brotavam, ela decidiu que o local era muito sombreado.

Ela nem imagina que é porque Jeb e eu passamos tantas noites sob esta árvore — saindo de fininho depois que todos iam dormir — para conversar, contar estrelas, e fazer outras coisas...

É o nosso santuário.

Fomos nós quem sufocamos as sementes. E eu não me arrependo.

A. G. HOWARD

Deito-me e coloco entre os dedos o medalhão de Jeb que está em meu pescoço.

A luz da lua perpassa o amontoado de galhos acima de mim e a fonte gorgoleja. Tudo neste lugar me recorda o motivo pelo qual escolhi permanecer neste mundo no ano passado, o motivo pelo qual adoro ser humana. E Morfeu quer que eu deixe tudo isso para trás para lutar em outro reino.

Estou começando a perceber que ele tem razão. Se isso significa salvar as pessoas que amo, preciso ir.

Mas antes vou contar ao Jeb. Eu quero que ele saiba. Talvez porque sei que ele vai tentar me convencer de que tudo ficará bem se eu não for. Não para enfrentar algo tão perigoso. Não se existe a possibilidade de eu não voltar.

Eu quero ouvir que está tudo bem ser covarde. Ainda que eu não acredite.

Minha mão roça no cordão com a chave, e a imagem de um País das Maravilhas em frangalhos se acende em minha mente. Meu coração dói — um sentimento arrasador, como se eu estivesse sendo cortada ao meio.

Um grilo começa a cantar em algum lugar à minha esquerda. Entre pipilos, ele me provoca. *Coragem, Alyssa. Muitas mudanças à vista... mudanças loucas, loucas. Elas vão trazer à tona a rainha dentro de você.*

Eu estaco no lugar, os dedos agarrando os dois colares. Um ruído de fechadura do outro lado da cerca silencia o grilo. Folhas se revolvem acima de minha cabeça, e várias esvoaçam, roçando o meu rosto. Eu as afasto e analiso a silhueta em sombra fora da copa.

— Você está incrível sob a luz da lua. — A voz de Jeb, baixa e sedosa, é um bálsamo, acalmando os ecos premonitórios da mensagem do grilo.

Enfio os colares por baixo do suéter, com a voz presa na garganta.

Alguns galhos se afastam e revelam o seu rosto e o seu cabelo desgrenhado. Com o canto da boca ele dá um sorriso sexy. — Eu sei, estou dois minutos atrasado. Mereço ser espancado.

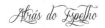

Eu dou uma risadinha marota, acalmada por sua provocação. — Você tem muita sorte. — Eu vou conseguir. Posso dizer qualquer coisa para ele. Afinal de contas, é o Jeb.

Ele se larga, segurando um galho com uma mão para poder dar um piparote, com os pés primeiro. É um truque que ele usava quando jogávamos damas na montanha, nos verões de nossa infância.

Com um movimento gracioso, ele se senta com as pernas abertas sobre mim, pressionando-me contra a colcha macia. — Está bem assim? Muito peso?

Eu o envolvo com força em meus braços quando ele tenta se equilibrar nos cotovelos e joelhos. — Fique exatamente onde está. — Ele volta a se acomodar no lugar e eu me encolho de satisfação. Nada é mais perfeito ou mais seguro do que ficar sem respirar debaixo dele.

Sua mão escorrega pelas minhas costelas, detendo-se em cada uma, como se ele estivesse verificando se estou inteira. — Finalmente eu tenho você só para mim — ele sussurra com a respiração quente perto do meu rosto.

Eu me deleito com o perfume de sua colônia. — Jeb, tem algo que preciso contar a você.

— Humm, não pode esperar, menina do skate? — Os seus lábios roçam o meu pescoço.

Ouvir o meu apelido me derrete. Puxo a sua cabeça para beijá-lo. Só uma vez, antes de estilhaçar por completo o seu mundo. Os meus dedos correm pelo seu cabelo. Ele rola para o lado e agora eu estou por cima, e ficamos deitados assim: o meu corpo por cima do dele, bocas buscando pescoços, orelhas, rostos. Nos beijamos sob as estrelas, fora do alcance do mundo, e não paramos até que nos falte o ar.

Arfando, nos afastamos e olhamos um para o outro — ainda tontos por todo o drama e emoções dos últimos dias. E está prestes a ficar muito, muito pior.

— Então... — Jeb quebra o silêncio. — Esta é a sua maneira de me distrair para poder roubar o meu rei?

A. G. HOWARD

Eu quase sorrio com a lembrança. — Sou tão transparente assim?

Ele me puxa para me deitar ao seu lado na colcha, afastando o cabelo do meu rosto. — Não acredito que desperdiçamos tantos verões jogando xadrez debaixo desta árvore enquanto o seu pai trabalhava.

— Você está bravo porque eu sempre vencia — eu digo.

Ele descansa a cabeça em meu braço esticado. — Valia a pena. Eu fazia cócegas em você depois. — Os seus dedos percorrem os meus lábios. — Eu gostava de ter uma desculpa para tocar em você.

Eu beijo o seu dedo. — Já naquela época você pensava em me tocar?

— Passar todos os dias rodeado pelos desenhos que você inspirava me deixava muito pouco tempo para pensar em outra coisa.

Sufoco uma onda de nostalgia pela simplicidade da vida que vivíamos. Eu não tinha ideia, então, de como ela era fácil.

Como dizer a ele que vou partir? Como dizer adeus a momentos como este?

Deslizo a ponta de um dedo ao longo de sua orelha, buscando as palavras.

Ele se arrepia e sorri. — Por falar do meu trabalho — ele diz antes que eu possa falar —, precisamos conversar sobre a Ivy. Nós estávamos errados acerca do quanto ela está disposta a pagar.

Eu comprimo os lábios ao ouvir o nome da herdeira. Não é de admirar que ele tenha sido tão evasivo ao telefone. Ele estava contando com esse dinheiro para nos ajudar a começar a vida em Londres.

Esta é a oportunidade perfeita. Direi a ele que não importa. Que o dinheiro é a última coisa que vai se interpor em nosso futuro.

Abro a boca, mas Jeb é mais rápido do que eu. — Ela está oferecendo dez mil a mais — ele diz, sentando-se e tirando as folhas de sua camiseta e do seu jeans.

Atrapalho-me para me sentar ao lado dele, com a mente em parafuso. O meu suéter escorrega do ombro, deixando-o frio e exposto. — *Vinte mil dólares?* Por um quadro de fadas?

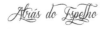

Jeb desliza a ponta de um dedo pelo meu ombro. — Não exatamente. Ela quer uma série... três novas pinturas de fadas. Mais sexy.

Quando Jeb me pinta, ele me coloca numa pose, avalia cada contorno do meu corpo, estuda o modo como a luz e as sombras incidirão sobre a minha pele, o que costuma levar a coisas que não são parte do trabalho. Venho sentindo saudade dessas sessões. Seria perfeito começá-las novamente. Essa ideia me faz desejar ainda mais não partir.

Eu engulo seco, lutando para dizer adeus, desejando não ter que fazê-lo.

Jeb inclina-se para beijar o meu ombro nu — carinhoso, cálido e doce — e depois cobre minha pele com a minha manga. — Você precisa saber que existe uma condição — ele diz, elevando o seu olhar à altura do meu. — Ivy quer que eu pinte uma coleção dela. *Ela* quer ser a minha musa.

8

Marionetes

Deixo de lado todos os pensamentos sobre o País das Maravilhas e guerras de magia. — Ivy quer posar para você?

Jeb seria obrigado a aceitar fazer retratos encomendados em algum momento, mas eu não estava preparada para que isso acontecesse *hoje*.

Ele me observa em silêncio.

— Como assim, pinturas *mais* sexy? — eu pressiono.

— Bem, ela tem uma roupa incrível que usou quando foi me encontrar no estúdio. É um tanto reveladora, mas... — Jeb coça o queixo. — Não é uma série de nus, nem nada assim. Eu disse que não fazia essas coisas.

Agradeço o cavalheirismo, mas não adianta muito. Pensar nele sendo tentado dia sim, dia não por uma mulher sofisticada, experiente e seminua faz meu estômago dar um nó.

— Al, você precisa conhecê-la. Vai se sentir melhor quando vir como ela encara a arte de um modo sério.

Ela tem ideias muito legais... excêntricas ao extremo. Ela é uma alma velha, como nós.

Alma velha. Já é ruim o bastante ela ser linda e rica. Ele não devia gostar da personalidade dela também.

O meu coração afunda de tal maneira que eu tropeçaria nele se desse um passo agora. Aquele refrão possessivo volta à tona: meu, meu, meu.

As folhas à nossa volta começam a esvoaçar, mesmo não havendo vento. Concentro-me nos galhos do salgueiro, enviando tudo o que estou sentindo para dentro deles. Eles se anelam em torno dos ombros de Jeb, como se fossem agarrá-lo — a corda de uma marionete para fazê-lo cumprir os meus comandos.

Ele dá um pulo e os membros relaxam. Olhando para o alto da copa que balança, ele franze a testa. Não percebe que eu estou causando o movimento, que algo está acordando dentro de mim, algo que mantive escondido durante meses. Algo que não quero reprimir agora, porque a raiva feral faz as minhas inseguranças parecerem superáveis, o que, por sua vez, faz com que eu me sinta mais forte.

Quando noto a perplexidade em seu rosto, a vergonha me joga um balde de água fria. Eu estanco minha raiva e meu ciúme. Os galhos voltam a se paralisar.

O olhar de Jeb encontra o meu. — Você viu isso?

Meu coração acelera. — Vi o quê?

Ele passa a mão no cabelo. — Eu poderia jurar... — E se detém. — Deve ter sido uma rajada de vento.

Não tenho resposta. Estou horrorizada com a facilidade com que o meu lado obscuro transbordou, e pelo quanto eu queria dominar Jeb. Controlá-lo.

Ele deve ter visto a vergonha nublando os meus traços, porque pega a minha mão e enlaça nossos dedos juntos. — Desculpe por trazer esse assunto da Ivy para você. Mas preciso dar uma resposta para ela. Ela ficará aqui somente esta semana. Se eu recusar, isso pode afetar a minha reputação. — Ele analisa as nossas mãos uni-

A. G. Howard

das. — Colecionadores e críticos poderiam pensar que eu só sei fazer uma coisa.

— Entendi — eu resmungo, tentando não permitir que minhas emoções voltem a me controlar.

Eu gostaria que ele pelo menos fingisse que era uma escolha difícil para ele, mas a sua expressão é de esperança. É óbvio que ele quer que eu diga que para mim não há nenhum problema, seja pelo dinheiro ou pelo crescimento como artista. Mas aquilo me magoa, mesmo sabendo que não deveria. Eu sempre havia sido a sua inspiração, e isso só prova que ele não precisa mais de mim... pelo menos artisticamente.

Para ser honesta, parece que ele vem crescendo e se distanciando de mim há algum tempo, e é isso que realmente me magoa.

As luzes sobre a varanda piscam, acendendo e apagando, uma dica sutil de meus pais para eu parar de estudar e entrar em casa. Eles chegam sempre na hora certa.

Jeb me coloca de pé, aproxima-se e beija a minha testa. — Conversamos mais amanhã. — Dou um passo para trás, mas ele segura a gola do meu suéter e o medalhão em forma de coração para me manter perto dele. — Olha, não esqueça que eu te amo.

— Também te amo. — Firmo a mão dele em meu peito. As folhas farfalham ao nosso redor novamente, mas eu me controlo.

Depois de olhar para cima, Jeb me beija e abraça longamente, e depois se estica para subir na árvore.

— Espere. — Eu agarro a cintura da sua calça jeans antes que ele possa se empoleirar nos galhos. Nada disso precisa acontecer. Eu posso tirar Ivy e essa encomenda da cabeça dele de uma vez por todas mostrando-lhe a verdade sobre o País das Maravilhas, sobre mim. — Pode me pegar na escola amanhã?

Pairando sobre mim, ele faz uma careta. — Não sei se consigo sair do trabalho tão cedo.

Ranjo os dentes de frustação.

— Tudo bem — ele diz, querendo me acalmar. — Tudo bem, eu dou um jeito.

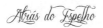

— Bom. Porque eu estou preparada para mostrar a você os meus mosaicos.

Eu só espero que ele esteja preparado para vê-los.

***

Nesta manhã de quinta-feira não me dou ao trabalho de discutir com a mamãe. Escolho uma roupa que ela vai aprovar — uma saia de organza de duas camadas com anágua que vai até abaixo dos joelhos do meu *legging* listrado — e chego à primeira aula quando está soando o sinal de cinco minutos. Termino a minha prova de Química antes de a aula chegar à metade, o que faz com que restem ainda mais duas aulas excruciantes para eu ficar pensando no que direi a Morfeu sobre a minha decisão de não deixar o reino humano até ajeitar as coisas com Jeb.

Morfeu não vai facilitar nada para mim.

Várias vezes, entre as aulas, cruzo com ele e seu harém nos corredores. Ele passa sem dizer nenhuma palavra, ignorando-me, mas toda vez consegue esbarrar o braço no meu, ou fazer as nossas mãos se tocarem de leve. É doloroso de maneira muito estranha.

Finalmente, chega a quarta aula e eu me tranco no deserto banheiro das garotas para esperar por ele. O sinal toca, e logo o corredor está vazio.

A luz do sol salpica de manchas o piso através da janela basculante, mas o cômodo à minha volta está cinza e quieto. Hoje, os insetos estiveram implacáveis em seus sussurros, como se o grilo da noite passada os convocasse para uma revolta:

Eles estão aqui, Alyssa. Não é o lugar deles... mande-os de volta.

Inclino-me sobre a pia. — Quem? — eu sussurro em voz alta, frustrada com os misteriosos alertas.

Enquanto aguardo uma resposta, ouço um ruído dentro de uma das baias entreabertas. Seguro um suspiro de susto, largo a mochila

A. G. HOWARD

e me agacho para olhar por baixo da porta de metal, com cuidado para não deixar o meu cabelo tocar o piso úmido.

— Tem alguém aí?

Não há resposta e não vejo botas de caubói. A menos que ele esteja de cócoras sobre o vaso sanitário, não é Morfeu. Enchendo-me de coragem, escancaro a porta.

Um silvo gorgolejante me saúda, junto com o rosto distorcido do palhaço. Ele está novamente do tamanho de um brinquedo, empoleirado na tampa do vaso. Solto um uivo e dou um passo para trás, tropeçando na minha mochila. Meu cotovelo bate no toalheiro, abrindo-o. Folhas de papel reciclado pairam à minha volta.

Pulando para o chão, o brinquedo demente dispara atrás de mim, escancarando dentes agudos feito navalhas e abocanhando o ar. Um dos seus sapatos escorrega em uma toalha de papel e ele cai. Mas continua no meu encalço, agora rastejando, mas com o mesmo ímpeto. Com o coração aos pulos, olho à minha volta em busca de algo para usar como arma — para me proteger daquela boca arreganhada.

A minha mochila está longe demais; não há nada mais ao meu alcance. O meu olhar se volta para o encardido teto branco e para as manchas de ferrugem que se alastram feito veias. Eu me acalmo, respirando profundamente, e imagino que as manchas são feitas de barbante.

Esquivando-me do brinquedo enfurecido, permaneço focada nas manchas. Elas começam a se destacar do teto e a descer. Concentrando-me ainda mais, persuado-as a se enroscar nos braços e pernas do palhaço, amarrando-o feito uma marionete.

Eu *o* controlo agora.

Com o medo cedendo lugar à raiva, faço a coisa maligna dançar em pleno ar, e depois imagino os cordões rodopiando o brinquedo, capturando-o em um casulo de manchas em um marrom amarelado. Com um grito agudo, o palhaço usa o arco de seu violoncelo para cortar as suas amarras antes que eu o encerre, e sai correndo na direção da porta do banheiro. O brinquedo ganha o corredor e a porta se fecha.

Escorrego pela parede até o chão, tremendo. As batidas rápidas de meu pulso são sentidas no pescoço. As manchas, abandonadas por meu pensamento, batem em retirada para o teto, voltando a encontrar os seus lugares permanentes.

Fico chocada, atordoada e extasiada, tudo ao mesmo tempo. No momento em que visualizei exatamente o que eu queria que as manchas no teto se tornassem, os meus poderes surgiram em um átimo de segundo. Estou ficando melhor nisso.

Mas por que eu deveria lançar mão dessa magia no meu mundo? Por que o palhaço de Morfeu ainda está aqui? Ele já não serviu ao seu propósito?

As minhas bochechas queimam e eu coloco as mãos frias sobre elas, tentando controlar a tremenda onda de adrenalina.

Vários minutos se passam e a porta para o corredor começa a se abrir lentamente. Dobro os joelhos junto ao peito, preparando-me para usar a minha magia novamente.

Aparece a ponta de uma bota de caubói e Morfeu entra em cena.

Sou tomada de alívio e acossada por um lampejo de irritação.

Vendo-me cercada de toalhas de papel no chão, Morfeu ergue as sobrancelhas. — Construindo um ninho? — ele pergunta. — Não precisa começar a agir feito um pássaro simplesmente porque você tem propensão para voar.

— Apenas... cale a boca. — Esforço-me para ficar de pé, mas as solas dos meus pés não param de escorregar nas toalhas. Ele estende uma mão. Relutante, eu a tomo e ergo-me.

Antes que eu possa cortar esse contato, ele agarra os meus dedos e gira o meu braço sob a luz tênue, observando minha pele cintilante. É uma manifestação visual de minha magia... resultante do uso de meus poderes.

— Ora, ora. O que você andou fazendo? — ele pergunta com um sorriso largo. Há uma pitada de orgulho por trás dos seus olhos provocadores.

— Como se você não soubesse. — Eu me solto, fazendo careta para ele, e em seguida verifico no espelho se as marcas em meus

A. G. HOWARD

olhos não apareceram. — O que você está tentando provar? — eu pergunto, aliviada por ver que ainda pareço normal, embora não me sinta nem um pouco. — Por que fica levando aquela coisa para todo lado?

Silêncio. Sua careta confusa no reflexo me deixa furiosa. Ele tem a habilidade de parecer completamente inocente mesmo quando eu sei que ele é tão puro quanto um corsário.

Volto-me e o encaro. — Se você não trouxe aquilo para cá, tinha que pelo menos ver a coisa saindo.

— Coisa — ele diz.

— Aquele brinquedo horrendo!

Ele sorri com escárnio, uma expressão familiar no rosto nada familiar de Finley. — Bem, visto que há caixas por toda a escola com brinquedos dentro, devo dizer que sim. Sim, eu vi uns vinte brinquedos.

— Estou falando do palhaço que você me enviou no hospital. Não finja que não teve nada a ver com aquilo.

— Eu não enviei nenhum brinquedo para você no hospital.

Eu solto um grunhido. É claro que ele não vai admitir que enviou o brinquedo, não mais do que admitiria tê-lo trazido para cá.

Eu o empurro, olhando para a porta. Primeiro, para um lado do corredor, depois para o outro. Não há ninguém, nada além das caixas para recolher doações. Eu saio e começo a revistá-las. Se eu esfregar a prova na cara dele, ele terá que dizer a verdade.

Morfeu me pega pelo cotovelo e me arrasta de volta para dentro, interpondo-se entre mim e a porta. — Você não vai a lugar nenhum. Nós temos mosaicos para decifrar e uma guerra para vencer.

Eu o encaro. — Eu não estou com os mosaicos.

— Como? — Morfeu pergunta, com a raiva em sua voz me empurrando para mais perto da parede. Toalhas de papel escorregam sob os nossos pés. — Eu lhe dei uma coisa para fazer. *Uma.* Você não tem ideia de como eles são importantes para a nossa causa.

Erguendo os ombros, determinada, balanço a cabeça. — Não importa. Eu não vou mesmo. Então pare de querer me intimidar.

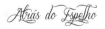

— Intimidar? — A sua verdadeira feição aparece, quase invisível por trás dos traços de Finley. As joias sob seus olhos faíscam, como se alguém tivesse implantado luzes de fibra ótica multicoloridas sob sua pele. As marcas escuras às quais elas estão ligadas não passam de sombras pálidas, um eco da brilhante estranheza que é Morfeu.

— Eu não preciso intimidá-la. Você *vai* comigo para o País das Maravilhas. O seu coração, a sua alma já estão lá. Você pode tentar quanto quiser, mas nunca conseguirá exilar-se de um mundo que mexe com o seu próprio sangue. De um poder que implora para ser libertado.

Eu me encolho, pensando na bizarra dança com o palhaço minutos atrás e na minha desventura mágica com os galhos do salgueiro na noite passada.

— Você vai me encontrar depois das aulas — ele continua — no estacionamento norte. E traga os seus mosaicos. Depois que nós os decifrarmos, decidiremos nosso próximo passo. Sem mais desculpas. Seu lugar agora é no País das Maravilhas.

Eu ergo o queixo. — O meu lugar sou em quem decide, e eu não vou sair daqui até estar preparada.

Morfeu franze o cenho e o piscar das joias denota um laranja metálico — ousadia e impaciência. Ele estuda o colar de Jeb. — Seu lugar é você quem decide, é? Espera que eu acredite que isso não tem a ver com o seu brinquedo humano?

— Não, tem a ver com a Loja de Excentricidades Humanas.

Os seus olhos borrados se estreitam, acesos por uma centelha de interesse. — Você teve uma lembrança, não foi?

— Como se isso fosse surpresa para você. Foi você quem a provocou.

— Ah! — ele diz, afastando-se com uma expressão sonhadora, nem negando nem confirmando a minha observação. — Foram bons tempos aqueles. Mutantes, asas de borboleta e prateleiras de tulgey.

Fuzilo-o com um olhar irritado. — Eis a questão. O que as prateleiras de tulgey têm a ver com isso tudo? Por que essa lembrança?

A. G. HOWARD

Ele balança a cabeça. — Por que está perguntando isso para *mim?* Foi o seu subconsciente que escolheu lembrar disso. Talvez tenha menos a ver com as prateleiras do que com o modo como você triunfou sobre elas. Não?

— Pare de se esquivar das minhas perguntas. Eu quero saber... desde quando ser só metade de alguma coisa é o melhor de tudo?

A sua boca se enruga. — Ser um intraterreno puro faz da Vermelha superior — ele concorda, e eu reprimo um acesso de irritação com o seu egoísmo. — Mas a fraqueza também pode ter vantagens nas mãos certas. Os intraterrenos puros só podem usar o que está em sua frente, do modo como é. A Rainha Vermelha pode animar trepadeiras, correntes e outras coisas. Mas *você* pode criar vida onde ela não existe, fazendo algo inteiramente diferente. Como uma criança humana, inocente e cheia de fantasias, você aprendeu a usar a sua imaginação. Isso é algo que nós não vivenciamos.

A minha cabeça está rodando, tentando absorver a explicação. Ela se encaixa perfeitamente com o que acaba de acontecer... como eu produzi as cordas da marionete a partir das manchas de água a fim de apanhar o palhaço. Também as borboletas de metal que eu criei em minha lembrança. — Eu nunca havia compreendido isso. Por que os intraterrenos não têm uma infância normal. — O meu comentário é mais retórico do que qualquer coisa. Sei que não terei uma explicação.

Os olhos negros de Morfeu se escurecem com uma melancolia que eu nunca vira antes. — Quem sabe um dia teremos essa discussão. Neste momento, saiba que eu tenho fé que você pode desafiar a Vermelha e sair vencedora. Eu já a coloquei em alguma situação que você não conseguisse controlar?

Eu abro a boca para proferir uma lista, mas ele me silencia com a ponta de um dedo sobre o meu lábio inferior. A minha mandíbula se aperta com força enquanto eu pondero se vale a pena mordê-lo. E a única coisa que me impede é a certeza de que ele iria gostar.

— Você sempre sai vitoriosa — ele insiste. — E com pompa.

— Não graças a você — eu resmungo.

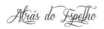

Ele estala a língua. — Pare de ser rabugenta. Você sabe como isso me irrita. Não consigo me concentrar. — Ele sustenta meu olhar por tempo suficiente para que eu veja a leve centelha fúcsia sob seus olhos. A cor da afeição. — A maior desvantagem para o seu lado humano é que você é escrava de suas afeições e inibições mortais. É isso que temos que trabalhar antes de partirmos para o País das Maravilhas.

Minha guarda se levanta — uma reação intuitiva. — E como planeja trabalhar nisso?

— Deixe que eu me preocupo com a logística.

Neste momento, a porta do banheiro é aberta.

Morfeu me puxa para mais perto e coloca as mãos em minha cintura. Eu resisto e tento me afastar, mas é tarde demais. Embora a luz que emana do corredor me impeça de ver direito, posso distinguir a silhueta de uma garota com cabelo loiro.

— M? — A voz de Taelor quebra o silêncio. — Por que você quis que eu o encontrasse aqui... — Ela adentra o ambiente pouco iluminado, e seu rosto ganha um ar de espanto ao me reconhecer.

Os lábios de Morfeu viram para cima, num sorriso de pura satisfação.

O sangue me sobe à cabeça.

Ele me armou uma cilada.

Pouco antes de eu me libertar, ele consegue beijar a minha testa.

Eu limpo o lugar do beijo com as costas da mão. Um grito furioso queima em meu peito, mas eu o seguro. Tudo o que menos preciso agora é atrair uma plateia maior. Morfeu adoraria isso.

— Eu te odeio — balbucio baixinho.

— Desculpe, linda — Morfeu diz a Taelor sem tirar os olhos de mim. — Alyssa me seguiu. Estávamos nos reaproximando.

A boca de Taelor está escancarada. Espanto e ódio faíscam em seus olhos castanhos.

Pego a minha mochila e passo por ela, detendo-me no corredor para encará-la. — Não é o que você está pensando.

A sua boca finalmente se fecha o suficiente para formar um sorriso soturno. — Com você nunca é, certo? Você fez o Jeb de bobo.

A perfeita, a inocente *menininha do skate*. — Há tanto veneno escorrendo dessas palavras que eu poderia jurar que ela está mergulhando a língua em arsênico.

Morfeu aparece por trás dela — uma silhueta de asas e bravata que só eu posso ver. Ele faz uma mesura, o mestre titereiro agradecendo a sua marionete. Taelor vinha esperando fazia um ano para me dar o troco por ter roubado o seu namorado, e Morfeu encontrou a maneira perfeita de assegurar que nada interferisse com os seus planos de me tornar uma mártir.

O meu peito queima. Não tenho como convencer Taelor de minha inocência, então dirijo-me para as escadas e concentro-me no impulso de cada um dos meus pés, bloqueando a conversa deles. Não preciso ouvir para saber que Taelor está bombardeando Morfeu com perguntas sobre os detalhes de nossa "reaproximação". Ele não poderia ter encontrado cúmplice mais inadvertida, nem com boca maior.

Ao término do almoço o nosso encontro no banheiro será assunto na escola inteira. Ao término do dia Jenara ficará sabendo. E hoje à noite Jeb ficará a par do meu segredinho sujo que nunca aconteceu.

9

Morcegos no Campanário

Na oitava aula, de Artes, trabalhamos em grupo para fazer a decoração do baile de formatura. O objetivo é criar um cenário de "floresta encantada" para a área de bebidas e a cabine de fotos.

A família de uma aluna tem um pomar de maçãs e forneceu quase duas dúzias de "árvores" de um metro e meio de altura formadas por galhos parecidos com chifres. Nas últimas duas semanas nós as pintamos com tinta branca, aplicamos purpurina, então as transferimos para vasos de cerâmica cheios de pedras preciosas de vidro transparente para mantê-las eretas.

Foi um projeto divertido. Até hoje.

Depois do que Taelor viu no banheiro, não consigo entrar em nenhum grupo. É isso que ganho por ser reclusa. Ninguém me conhece bem o suficiente — me conhece *de verdade* — para vir em minha defesa quando surgem fofocas.

Invento uma dor de cabeça por causa do cheiro da tinta e, quando estou largada, sozinha na minha carteira em um canto, mando uma mensagem de texto para

Jeb. É contra as normas da escola usar celular durante as aulas, mas o Sr. Mason saiu da sala por um minuto. Seu substituto temporário ou tem horror dos alunos do ensino médio ou simplesmente os ignora, porque não sou a única com o telefone na mão.

Tento consertar o estrago, contando a Jeb que tive um encontro estranho com o aluno de intercâmbio e para ele não surtar até que eu possa explicar.

Envio a Jenara uma mensagem parecida.

Ela e Corbin saíram da escola logo depois do almoço para ir à mostra de design de interiores da mãe dele. Mas é só uma questão de tempo até alguém enviar-lhe uma mensagem de texto ou telefonar contando as novidades. É melhor ela ouvir de mim primeiro.

Uma mosca zumbe pela sala e se acomoda no meu ombro. *Conserte as coisas, Alyssa.* Seu sussurro faz cócegas no meu ouvido. *As flores chegaram a um acordo. Você precisa detê-las.*

Afasto o inseto com suavidade. Estou cansada de suas rimas obscuras. Já tenho muito com o que me preocupar.

Alguns risinhos pipocam em uma mesa próxima à minha. Quatro garotas mais novas desviam os olhos quando olho para elas, fingindo estarem concentradas nas luminárias de toalhinhas de crochê que estão fazendo com velinhas de LED. Ao formarem as cúpulas, amarrando duas toalhinhas juntas, os seus risinhos aumentam. É o mesmo grupo que estava paquerando Jeb na sexta-feira passada, quando ele veio me pegar de moto. Não tenho certeza se elas estão falando sobre o que Morfeu e eu supostamente fizemos, ou sobre como eu sou idiota por ter dado mancada com um cara incrível como o meu namorado. Seja o que for, é óbvio que eu sou o assunto da conversa, como tenho sido em todas as aulas desde a quinta aula.

O meu pescoço e as minhas bochechas queimam.

O telefone vibra entre meus dedos. Clico na resposta de Jeb.

Uhm... encontro? Detalhes pfv.

Ele parece ou ciumento ou apressado.

A. G. HOWARD

Mordendo o lábio inferior, digito a mentira que fiquei maquinando na última aula: *Acontece que a família dele é próxima dos Liddell de Londres. Explico tudo quando você vier me pegar.*

Farei melhor do que explicar. Vou fazer um mosaico diante dele. Deixarei que ele observe a magia do meu sangue em ação. Aí, então, depois que ele sair do estágio de assombro, talvez consiga me ajudar a pensar em uma maneira de evitar o confronto com a Vermelha e ainda proteger o País das Maravilhas e as pessoas que amamos.

O meu telefone vibra novamente. *Não posso pegar vc hj depois da aula. Remarcaram a entrevista para hj de tarde. Pega carona c a Jen?*

Não. Tenho vontade de gritar, dizer a ele que eu preciso muito que ele largue tudo e venha me ver *agora*, mas, antes que eu possa responder qualquer coisa, a porta da classe se abre e o Sr. Mason entra. Junto com metade dos meus colegas de sala, tento esconder logo o telefone. O Sr. Mason conversa baixinho com o seu substituto e depois o dispensa.

Depois de se acomodar em sua mesa, o Sr. Mason tira um catálogo de materiais artísticos de uma gaveta. Contra todos os meus instintos de me curvar sobre a mesa e me mesclar com o ambiente, levanto a mão. Por detrás de seus óculos rosados, ele me vê e pede que eu vá até a frente.

Começo a andar para a frente da sala. Um som sibilado me detém no caminho. Soa igual ao som do palhaço no banheiro feminino. Com a espinha ereta, viro-me para o lado e vejo dois rapazes num canto mais distante pintando uma das "árvores" com spray.

Continuo avançando. Meu estômago se retorce quando as meninas voltam a dar risadinhas. Os olhares nas minhas costas pesam muito e tornam os meus passos mais lentos e desajeitados.

Quando chego perto da mesa, o Sr. Mason olha para mim e ajeita os óculos. — Alyssa. Venho querendo falar com você sobre os seus mosaicos.

Faço um sinal com a cabeça, indicando o gabinete dele. — Está bem. Podemos embrulhá-los em papel para eu levar para casa?

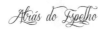

Ele fica boquiaberto, mas em seguida se recompõe e fica de pé ao lado da mesa com as mãos espalmadas ao lado do catálogo. — Sua mãe não lhe disse?

— Me disse o quê?

— Ela ligou do hospital depois do seu acidente. Ela tinha ouvido falar da sua série de mosaicos e queria vê-los, então eu os levei para ela no sábado à noite.

A minha pulsação lateja bem abaixo do queixo. *Quem contou a mamãe sobre o meu trabalho?* O meu sangue se move ainda mais rápido quando a imagino vendo a carnificina da Rainha Vermelha naquelas cenas.

— Então a minha mãe está com eles?

— Bem, ela ficou com três. Eram muito pesados para eu levá-los do carro todos ao mesmo tempo. Quando voltei para pegar o resto... eles tinham sumido. Foram roubados.

O sentimento de violação me provoca calafrios. Penso no palhaço e no meu sonho cheio de aranhas. Morfeu tinha que estar por trás disso tudo, tenha ele confirmado ou não. Então ele deve ter estado no hospital, espionando por entre as sombras, mexendo os seus pauzinhos. Ele pode ter ouvido o telefonema de mamãe para o Sr. Mason. O que significa que ele roubou aqueles três mosaicos e já sabe que a minha mãe está com os outros. Então ele me pediu para trazê-los a troco de nada. Ele está manipulando a minha cabeça novamente.

Já estou cansada dos seus joguinhos. A menos que ele diga a verdade sobre tudo, não vou a lugar nenhum a não ser para casa hoje.

— Não sei como me desculpar — o Sr. Mason diz. — Não sei como isso aconteceu. O carro é novo. O sistema de alarme é moderníssimo. Mas, de alguma maneira, o ladrão conseguiu abrir a porta sem dispará-lo. — Suas bochechas ruborizam quando ele pega o catálogo. — Eu estou verificando em todas as minhas listas de fornecedores e tentando encontrar mais daquelas pedras riscadas de vermelho. Eu quero comprar algumas para compensá-la. Não vai trazer de volta todo o trabalho que você teve, mas...

Soa o sinal, fazendo-me dar um pulo.

Os meus colegas de classe reúnem seus livros e mochilas e correm todos para a porta. Um nó denso se forma nas minhas entranhas, como se eu tivesse engolido uma pedra enorme. Só posso pensar em uma coisa: *mamãe sabe*. Ela sabe que a minha cabeça ainda está no País das Maravilhas, mas ela não disse uma palavra.

Pego o catálogo do Sr. Mason e viro-o com a capa para a mesa.

— O senhor nunca encontrará pedras para substituir as que eu usava. — Aturdida, vou até a minha carteira e pego a minha mochila. — Mas não se preocupe. Fazer os mosaicos não foi tão difícil quanto o senhor pensa.

Eu saio antes que ele possa responder.

Um zumbido persiste em meus ouvidos, como se todos os insetos escondidos em todas as fendas dos azulejos e sob cada armário de metal falassem ao mesmo tempo. A sensação enche minha cabeça e abafa os sons enquanto eu caminho pelos corredores lotados.

Taelor e sua turma lançam-me um olhar feroz quando eu passo, mas é como se houvesse um muro invisível entre nós. Portas de armário silvam feito leques de papel; falatório e risos são tão pequenos e insignificantes quanto os guinchos de um rato. Estou alheia a tudo.

Tudo, exceto à minha ira... Morfeu e minha mãe estão escondendo coisas de mim.

Não sei quem contou a ela sobre os mosaicos, mas *sei* que, se mamãe está emocional e mentalmente estável para ver a minha arte sanguinolenta e depois esconder que tem conhecimento dela sem se derreter completamente, ela não é tão frágil quanto eu pensei.

Ela e eu teremos uma conversa sobre seu passado, e será *hoje*.

Saio do prédio, agradecendo a brisa cálida e o sol em meu rosto. O zumbido em minha cabeça vai diminuindo até se mesclar com o ruído ambiente. É como se os insetos estivessem preocupados com alguma outra coisa. Ou talvez eles finalmente estejam me dando um tempo.

Atrás do Espelho

119

Intencionalmente, pego o caminho mais comprido, o que me toma uns oito minutos a mais, então o estacionamento está quase deserto. Morfeu está aguardando onde disse que estaria, ao lado das lixeiras, onde os jovens descolados evitam estacionar.

Parece que ele virou um pária social do mesmo modo que eu depois de nosso comentado interlúdio no banheiro, porque ele está completamente sozinho também. Mas não parece se importar. Quando me vê, ajeita os óculos escuros e um sorriso maroto se abre em seu rosto emprestado.

Penso no pobre Finley e tremo só de imaginar os horrores pelos quais ele deve estar passando agora, depois do deslumbre inicial com o País das Maravilhas. Pelo menos ele tem a Marfim para confortá-lo.

Morfeu indica, com o antebraço tatuado, o carro atrás dele.

— Um Mercedes-Benz Gullwing modificado — ele diz. — Você nunca viu um desses, suponho.

Detenho-me a cerca de um metro dele. Não há razão para eu me impressionar. Duvido que ele tenha pago um tostão por ele. Ele deve ter entrado na cabeça do proprietário e simplesmente o tomado.

O corpo do carro é esportivo e preto, mas sem nenhum brilho, como se alguém tivesse pegado papel-carbono e esfregado na pintura. Até as calotas e os aros são de um preto fosco. Uma olhadela nos vidros filmados revela bancos de couro e tapeçaria pretos. Finjo não notar que esse carro combina perfeitamente com Morfeu: lindamente gótico, excêntrico e intenso.

Para obter dele a verdade sobre tudo, tenho que assumir o controle. Morfeu floresce com atenção, seja ela positiva ou negativa. Ele se diverte com a raiva que tenho dele, assim como se diverte com os meus atípicos acessos de adoração. O que ele não consegue suportar é a indiferença. Ela o deixa carente e, por sua vez, vulnerável.

Então é exatamente isso que ele terá de mim. Completo e total desinteresse.

Faço questão de não olhá-lo nos olhos, mas olho para o brilho no centro do capô, onde uma faixa vertical cintila feito ônix polido.

Mantenho os lábios grudados para não gritar sobre os mosaicos que estavam com ele o tempo todo.

Com a minha reação nada estelar, o sorriso desdenhoso de Morfeu perde força e a satisfação me infla o peito. Com um sorriso oprimido, ele aperta um botão na chave do carro.

As travas estalam e se abrem. As duas portas deslizam para cima como se levadas por uma corrente de vento. Quando totalmente abertas, elas se estendem para o céu feito asas. O carro parece incrivelmente vivo, como um morcego em pleno voo... ou uma mariposa gigante.

Naquele momento, meu estratagema é esquecido.

Asas.

Morfeu exibe um sorriso magnífico. Uma pantomima de suas próprias asas aparece — uma diáfana névoa negra, quase uma fumaça — e espalha-se atrás dele num elegante arco que tanto espelha quanto eclipsa as portas.

— Vou deixar que dirija, amor. — A sua voz profunda me penetra, tentação líquida. Ele estende a chave e levanta as sobrancelhas, esperançoso, por baixo da aba do chapéu. As joias sob seus olhos se acendem e brilham num dourado leve que vejo pela borda de seus óculos escuros.

Eu só penso em encontrar uma estrada de terra e atingir velocidade até as árvores voarem por mim e a lei da aceleração de Newton pressionar o meu peito feito blocos de concreto. Neste momento, abrirei as janelas para que o vento possa me atravessar.

Igual a voar.

Um arroubo de excitação incendeia as minhas veias, deflagrado pela escuridão dentro de mim: a escuridão que gosta de andar de moto com Jeb para sentir o seu poder e sensualidade, a escuridão que faz os nódulos em minhas escápulas coçarem de ansiedade. É o lado com que eu raramente me permito brincar.

Esqueça o País das Maravilhas, os meus mosaicos roubados, as mentiras de mamãe e os jogos de Morfeu. A menina má quer brincar agora. Eu avanço e arrebato as chaves da mão de Morfeu.

— Para onde? — pergunto.

Ele dá um sorriso malicioso. — Você decide. Algum lugar reservado, onde possamos ler os mosaicos.

Eu aperto a mandíbula, pronta para sacar o meu ás. — Que mosaicos? Os que estão com a minha mãe ou aqueles que você está escondendo?

Ele tira os óculos escuros e responde com um olhar vazio. É bem impressionante. Ele aparenta estar realmente surpreso.

— Você deve ser louco mesmo para pensar que eu não descobriria — eu digo. Antes que eu possa contorná-lo para entrar no carro, ele pega a minha cintura e me rodopia de modo que minha mochila fica contra o seu peito.

Morfeu me puxa para perto pelas alças da mochila e inclina a cabeça para sussurrar: — Péssima ideia para uma brincadeira, amor. — Seu hálito quente faz meu couro cabeludo eriçar. Ele desliza as alças de meus ombros e eu me viro para encará-lo.

— Lembre-se da minha caixa invisível, Morfeu. — Eu cruzo os braços.

— Lembre-se de meu nome humano, Alyssa. — Ele fecha a cara e sacode a mochila como se quisesse sentir o que há lá dentro. A sua expressão carrancuda se transforma em careta de preocupação. — Não estão aqui.

— Pare de fingir que está surpreso, *M*. — Eu o contorno, sentando-me no banco do motorista. O calor do couro me envolve em luxo, como se tivesse sido feito para se encaixar no contorno de meu corpo. Coloco o cinto de segurança, deixando parte de minha saia longa demais presa na fivela. Tento abri-la, mas o tecido grosso impede o botão de funcionar. Recuso-me a pedir ajuda a Morfeu. Cuidarei disso mais tarde.

O carro cheira a fumaça de narguilé, o que só alimenta a minha irritação. Enfio a chave e a viro o suficiente para que o painel acenda, e depois me familiarizo com o painel e todos aqueles instrumentos e medidores prateados brilhantes e acessórios tecnológicos.

Depois de empurrar a mochila para o espaço exíguo atrás de meu banco, Morfeu se agacha ao meu lado. As suas solas raspam

A. G. HOWARD

o asfalto e ele segura a estrutura da porta acima da sua cabeça.
— Você estava falando sério quando disse que metade de seus trabalhos desapareceu?

Dou um suspiro e ligo o rádio, e vejo uma tela do tamanho de um iPad emergir para a vida. — Ah, por favor. Nós dois sabemos que você estava no hospital espionando todo mundo.

Uma canção de rock alternativo soa nos alto-falantes. O ritmo é tímido e ardente, combinando com o meu humor. Aperto um botão para diminuir o volume. — Você esperou o Sr. Mason entrar em casa com a primeira leva de mosaicos. Depois, pegou os outros do carro dele. Quem mais poderia arrombar o carro sem disparar o alarme?

— Diabos! — Morfeu grunhe. Uma lufada de ar me atinge quando ele sai do carro e fica de pé. Eu o observo contornar o carro correndo para chegar ao banco do passageiro até o meu olhar captar uma cauda falsa de texugo pendurada no espelho retrovisor; as listras vão de preto a vermelho, de laranja a cinza, conforme ela balança suavemente sob a brisa que entra pelas portas abertas. A cauda me parece vagamente familiar. Começo a estender a mão para tocá-la, mas Morfeu joga o seu corpo comprido no banco do passageiro e ativa o fechamento das portas. Em seguida, tira o chapéu e joga os óculos escuros no painel.

Eu nem tenho a chance de reagir e ele já pressiona os meus dedos em torno da chave e me força a ligar o carro. O motor ganha vida com um ronco que faz vibrar as minhas canelas e coxas, uma besta gigante pronta para trabalhar, à minha disposição.

Encaro Morfeu, confusa.

— Vamos fazer uma visitinha para a sua mãe — ele diz. — Agora dirija.

Não me oponho a isso. Eu quero conversar com a minha mãe sobre os mosaicos também. Mas eu não tenha certeza se seria bom Morfeu estar por perto. Mesmo sendo menos frágil do que aparenta, não sei como ela reagirá ao vê-lo.

Deixo o estacionamento e pego a rua principal que atravessa um bairro residencial. Em cerca de meio quilômetro ela vai passar por

um conjunto habitacional no subúrbio circundado por estradas de terra sinuosas e uma ferrovia. É o caminho mais longo para o meu residencial.

Esta rota me dará um pouco mais de tempo para interrogar Morfeu sobre a minha arte mágica e por que ela é tão importante para ele e para o declínio do País das Maravilhas.

O ar frio irrompe pelas saídas de ar-condicionado e faz o meu cabelo esvoaçar. Ajusto o espelho retrovisor para refletir o banco do passageiro a fim de poder manter os olhos em Morfeu. A cauda de texugo que muda de cor balança em minha visão periférica enquanto dirijo.

Paro o carro em um cruzamento com ninguém à vista e volto a atenção para o meu passageiro. — Então você está querendo dizer que não tem nada a ver com o sumiço dos meus mosaicos?

Ele não responde. Em vez disso, olha diretamente para a frente e segura o chapéu no colo, os músculos tensos. Ele está, definitivamente, escondendo alguma coisa. Ainda olhando para ele, começo a tirar o pé do freio. Ele coloca uma mão no meu joelho para deter-me e faz um gesto indicando a frente do carro.

Um menino em um triciclo atravessa a faixa de pedestres. O meu coração dispara, acelerado, e sou tomada pelo impacto do alerta, o que deixa os meus braços pesados na direção. Eu teria atingido aquele garotinho se Morfeu não tivesse intervindo. Eu poderia tê-lo matado.

— Não entendo — eu sussurro, o meu pulso lentamente voltando ao ritmo normal, enquanto o menino pedala e chega à calçada em segurança.

— Entende o quê, amor? — Morfeu pergunta, cravando o seu negro olhar em mim.

— Você poderia ter deixado que eu atropelasse aquele garoto. Você não se importa com ele. Ele é uma pobre alma mortal. Como o Finley.

Ele dirige sua expressão para um aspecto de indiferença. — Eu não queria macular o meu carro.

Tão atordoada por sua insensibilidade, momentaneamente esqueço que estou em um cruzamento. Um Chevette buzina na rua do outro lado e eu aceno para que o motorista prossiga. — Você realmente não tem compaixão, não é? — Faço uma cara de desaprovação para o reflexo de Morfeu.

Ele olha para mim no espelho e retribui a careta. Sua mão ainda repousa em meu joelho, pesada e quente através do meu *legging*.

— Pode me soltar agora — eu solicito.

Ele aperta com mais força antes de retirar a mão. — Preste atenção. Dirigir é um privilégio.

— Sim senhora, *vovó M*. — Esfrego a perna para apagar o eco de seu toque. — Eu dirijo há muito mais tempo do que você. E ainda não estou morta.

Passo pelo sinal de parada, dirigindo-me ao conjunto habitacional, com um plano tomando forma em minha mente. Saber que Morfeu ama o seu carro mais do que uma vida humana acaba de me dar uma vantagem.

Aparece um sinal: LUXO E ECONOMIA: CASAS DE CAMPO ANTIGAS. Vários esqueletos de telhados espetados no céu do outro lado de um canteiro de obras deserto. Um trem apita a distância... um som triste e solitário.

— Este não é o caminho para a sua casa. — A observação de Morfeu faz com que eu erga os lábios num sorriso desdenhoso.

— Ah, é? É que eu decidi jogar um joguinho — eu digo, jogando-lhe uma isca. — Você sempre me disse que jogos eram divertidos. — Ao pegar a primeira estrada de terra, acelero o carro.

Morfeu coloca o seu cinto de segurança e segura-se no painel, as juntas dos dedos salientes e brancas. — Não gosto muito deste. — As joias sob seus olhos piscam levemente, um turquesa profundo, a cor da agitação.

Acelero ainda mais. O ponteiro do velocímetro vai de trinta e sete a cem quilômetros por hora em menos de um minuto. Poeira esvoaça à nossa volta. Já percorri a estrada inúmeras vezes com Jeb

em sua moto. Não há quase policiais por aqui. É deserta e segue em linha reta por vários quilômetros até os trilhos da ferrovia. Um terreno perfeito para correr feito louca. Piso ainda mais e o ponteiro vai a cento e trinta.

— Pelos diabos, Alyssa! — Morfeu agarra o console com uma mão e a porta com a outra. — Cuidado!

Passamos por um buraco e o carro bate com força no chão. O meu estômago dá voltas quando derrapamos na terra. O meu pai me ensinou a dirigir no gelo, e esse treinamento ressurge em mim agora. Dou uma guinada na direção. Em questão de segundos, estou novamente no controle do carro.

Tento não rir ao ouvir a respiração ofegante de Morfeu.

O meu pé pesa ainda mais e passamos por outro buraco. O para-choque dianteiro afunda e vamos parar em cima de uma vegetação alta. O mato arranha o fundo do carro como unhas enquanto atravessamos a superfície irregular.

Morfeu solta um gemido.

Quando voltamos à estrada, olho de relance para ele pelo retrovisor. O seu amado chapéu está espremido contra o peito, entre os punhos. Se ele está tão preocupado em não amassar o carro, por que não me fez encostar e tomou as chaves?

É então que eu compreendo: não é a preocupação com o carro que está causando esta reação. É puro terror.

É por isso que ele deixa outras pessoas dirigirem o Mercedes: ele tem medo. Enquanto estiver imitando Finley, ele não pode usar as suas asas, nem se transformar numa mariposa. Ele nunca teve de depender de ninguém a não ser de si mesmo para o transporte, e ele não tem controle de suas reações dentro de um carro. Provavelmente se sente trancado em uma lata, rolando penhasco abaixo, e não pode fazer nada a respeito. Então... é melhor deixar alguém que sabe o que está fazendo assumir a direção.

Pela primeira vez, que eu me lembre, Morfeu está totalmente fora de seu elemento. Pela primeira vez, que eu me lembre, *eu* estou no controle.

A. G. Howard

Em todos aqueles anos em que ele me provocou e me pressionou quando íamos voar, todas as vezes em que ele me fez confrontar criaturas horrendas e situações assustadoras até eu ficar paralisada de medo, ele não demonstrou misericórdia.

É hora de tripudiar um pouco e obter algumas respostas.

Piso mais fundo ainda, sorrindo — um sorriso de Cheshire.

Poeira marrom bate com força nas janelas e nas laterais do carro, fazendo um barulho que parece de pedras de granizo do tamanho de ervilhas. Acionando o limpador de para-brisa para tirar a poeira, deixo escapar um *hurra*.

— Este passeio está espetacular! Não é, Morfeu? Igualzinho a voar, não acha? — Ele fica tenso, mas tenta esconder o seu pânico. Dou uma olhada e vejo que ele está praticamente verde; até as joias em sua pele faíscam num tom pútrido e doentio. — Qual é o problema? O estômago está um pouco revirado? Você não disse sempre que é a excitação que faz a gente se sentir vivo?

— Diabos! Quer olhar o que está fazendo? — ele diz em voz esganiçada e mais alto do que o apito do trem, que fica cada vez mais presente.

Eu rio, voltando a minha atenção para a estrada, onde a bifurcação adiante leva até o cruzamento com a ferrovia e direto para o meu bairro. — Olha só. Eu posso maneirar o resto da viagem, sob duas condições. Primeiro, que você esclareça tudo com o Jeb sobre o que aconteceu no banheiro feminino ontem. E, segundo, quero saber a verdade sobre os meus mosaicos. Senão... — Piso no acelerador e o carro dá um pulo para a frente.

— Está bem. — Ele esmaga o chapéu com os dedos trêmulos.

— As duas condições. Jure.

Ele coloca a mão no peito, repete as minhas condições e depois finaliza o voto com um ríspido "Pela minha vida de magia".

— Perfeito. Agora, sobre os mosaicos.

Ele bate na coxa com o chapéu. — Você sinceramente pensa que eu sou o único com a habilidade de entrar num carro com o alarme ligado sem ninguém perceber? Alguém mais deve desejar esses mosaicos tanto quanto eu. E ela fará de tudo para pegá-los.

— Ela? — Balanço a cabeça e diminuo a velocidade para 60 quilômetros por hora. — Minha mãe? Mas ela estava comigo no hospital... Como ela poderia...?

Colocando o chapéu amarrotado no colo, Morfeu lança-me um olhar que congelaria lava incandescente. Em seguida, os seus olhos se voltam para a chave em meu pescoço.

— *A Vermelha* — eu murmuro, com as têmporas latejando. — Ela está aqui. Ela está no reino humano.

A. G. HOWARD

10

Espelho, Espelho

Morfeu parecia enjoado novamente, mas desta vez não tinha nada a ver com a minha forma de dirigir.

— Se a Vermelha realmente estiver aqui — ele disse —, as coisas estão mais catastróficas do que pensei. Ambos os reinos têm os portais guardados contra ela. Para que ela entre, precisa trazer um refém do palácio, seja do Vermelho ou do Branco, o que muda tudo. E, se ela tiver visto parte do que você sabe, vai querer o resto dos mosaicos para completar o enigma. Temos de nos assegurar de que ela não os consiga. Não podemos deixar que tenha acesso às suas visões antes de você.

Força os olhos para mantê-los focados à frente, checando o retrovisor vez ou outra. — Minhas *visões*? O que você quer dizer?

Ele range os dentes e a cicatriz nas têmporas de Finley pulsa. — Pelo fato de você ter sido a última a ser coroada na linhagem real Vermelha, a magia da coroa agora corre em suas veias, somente nas suas, mesmo quando você não a está usando. Esse poder alcança o seu auge quando o reino está sob ameaça, e tem a habilidade de mostrar-lhe o futuro. Com a guerra iminente no País das Maravilhas, a magia está fluindo de forma abundante. O seu sangue não é capaz de detê-la, e ela agora achou um modo de existir por si mesma, tendo o vidro como receptor. Esses mosaicos que você fez são como visões engarrafadas. E a Vermelha não quer que você as decifre antes dela, por medo de que você as use para derrotá-la, da mesma forma que ela pode usá-las contra você.

Aperto as mãos no volante com tanta força que quase dou uma guinada. — Então, se ela puder dispor do meu sangue, poderá fazer os seus próprios mosaicos e lê-los?

— Não. A magia sempre escolhe uma rota exclusiva para a portadora da coroa. No seu caso, uma obra de arte. A Vermelha é uma intraterrena pura; não tem a habilidade de deixar a imaginação e o subconsciente livres. Você é metade humana, e artista. A criatividade é o seu poder. Um poder que ela cobiça, mas nunca terá. No entanto, se ela conseguir roubar o que você já fez e decifrar...

A minha traqueia se aperta ao pegar a bifurcação para a estrada de terra. O meu condomínio fica meio quilômetro depois da linha de trem.

— É por isso que ela faria qualquer coisa para tê-los — respondo, com o coração tomado de pânico.

Morfeu assente. — Agora você entende por que precisamos levar você para a sua casa?

Neste momento a cancela da linha de trem começa a baixar e soa o alarme.

Não esqueci da minha intenção de "levar tudo numa boa". Piso fundo no acelerador, determinada a ultrapassar a linha de trem e chegar logo até onde está mamãe, preocupada demais com a segurança dela para prestar atenção em qualquer outra coisa.

O motor ronca e o carro acelera em frente a toda a velocidade, até que, de repente, o motor solta um estampido. O carro dá um solavanco e, tremendo, para, morrendo em seguida — bem no meio dos trilhos. A luz do alternador começa a piscar. — Ah, não — sussurro. — Não, não, não. — Giro a chave. Nada acontece.

A. G. Howard

— Ligue esse maldito carro — diz Morfeu, olhando desesperado pela janela à direita, por onde o trem de carga vem em alta velocidade em nossa direção.

Giro a chave mais uma vez, e mais outra, mas o motor não arranca.

— Ande! — ele grita.

— Não consigo! Eu... eu não sei o que está errado!

O apito do trem ecoa, não mais solitário, mas fatídico.

— Saia! — Morfeu solta o seu cinto de segurança. Com os dedos duros e trêmulos, tento soltar o meu, mas a saia ainda está enganchada na fivela, bloqueando o botão que o destrava.

Começo a arfar e os meus músculos se contraem enquanto tento, com toda a minha força, puxar o tecido. Morfeu se mete entre o console e o banco. Primeiro ele tenta rasgar a saia. Isso não funciona, e ele grita para que eu a tire.

— O zíper também está enganchado. — Engasgo ao perceber que estamos prestes a morrer. — Não temos tempo!

Rosnando, ele aperta a sua mão na minha e pressionamos o botão juntos, mas não adianta. — Use o seu poder, Alyssa!

Os meus pensamentos se aceleram, tentando imaginar algo que nos livraria daquilo. Mas o pânico sobe por minhas costas até o cérebro, bloqueando qualquer pensamento. Tremo e encosto a cabeça no ombro dele. — É melhor você sair! — Solto gritos agudos, encobrindo o apito.

O rugido do trem se aproximando faz vibrar a carroceria do carro, e eu grito de novo para Morfeu se salvar.

Então, os sentidos e as sensações se esvanecem. O trem parece estar a apenas alguns metros, mas o único som que ouço é minha pulsação crescente nos ouvidos. Mesmo quando Morfeu grita as palavras "Chessie, uma ajudinha!", é como se ele estivesse falando debaixo d'água.

Aperto os olhos e vejo o rabo laranja e cinza do texugo desaparecer do espelho retrovisor. Um estouro alto explode no capô. O motor ressuscita num rugido. Tenho as mãos inertes e dormentes

grudadas no volante. O trem avança em nossa direção, a poucos metros de distância.

Morfeu passa a sua perna por cima da minha e acelera. Os pneus giram, lançando-nos para o outro lado dos trilhos. O trem passa por nós ressoando o apito, não nos atingindo por questão de segundos.

Morfeu solta o pé do acelerador e puxa o freio. O Mercedes para silenciosamente. Nenhum de nós se move. O corpo dele ainda está pressionando o meu lado direito, as mãos agarrando as minhas sobre o volante, a respiração ofegante em meu ouvido. Sons, sensações e luzes vão voltando aos poucos, até tudo ficar muito vívido e brilhante.

As emoções vêm depois: o terror atrasado, confusão, arrependimento, tudo muito rápido. Eu tremo, incapaz de segurar as lágrimas.

Morfeu me abraça. — Está tudo bem, flor — fala em meu ouvido. — Acha que pode dirigir?

Fungo, concordando.

— Bom. — Volta rapidamente para o banco do passageiro e segura o meu queixo, forçando-me a olhar para ele. — Da próxima vez, espero que você ache uma solução. Uma solução *intraterrena*.

As minhas lágrimas se acumulam na mão dele, borrando-a de maquiagem.

— Você não me abandonou — deixo escapar, incrédula. — Pensei que você me deixaria.

Ele solta o meu rosto e olha na direção oposta, esfregando a mão na calça para limpar a maquiagem. — Besteira. Fiquei por causa do carro.

Antes que eu possa responder, uma fumaça laranja se forma saindo do ventilador do carro. Um sorriso que reconheço de minhas memórias do País das Maravilhas aparece em meio àquela névoa.

— Chessie? — pergunto. O restante da criatura do tamanho de um hamster se materializa, exatamente do jeito que eu me lembrava: cara de gatinho, asas de colibri e corpo de texugo laranja e cinza. Ele pula rapidamente para o painel e lá se acomoda, lambendo-se,

A. G. Howard

limpando as manchas de óleo e graxa do pelo, como um esquilo se banhando.

Balanço a cabeça. — Espere aí... então foi você? Você entrou lá dentro e consertou o motor? — Ele espirra e pisca os grandes olhos verdes para mim.

— O dom de Chessie é a delineação. — Morfeu fala displicentemente, enquanto continua a olhar pela janela. — Ele pode controlar uma situação fazendo um esquema em sua mente e então traçando o melhor plano para alcançar a solução. Ele vê coisas que o resto de nós não vê, e as conserta.

Dando uma sacudidela no rabo, Chessie retorna apressadamente ao seu lugar no espelho retrovisor. A metade de cima de seu corpo se desvaece e ele volta a ser um simples enfeite de carro.

Esfrego as lágrimas do rosto. — Você tem mais alguma carta na manga para me surpreender? — pergunto a Morfeu.

Desamassando o chapéu, ele franze o rosto, zangado. — Começo a me perguntar se as trouxe em número suficiente. Se tem uma coisa em que os intraterrenos são bons é em arrumar a bagunça dos outros.

— Ah, sim, e também são bons em fazê-la — eu digo.

— Concordo. Alguns são especialistas em fazer *grandes* bagunças. — Ele olha diretamente para mim e afivela seu cinto de segurança. — Bichos mortos à beira da estrada é a imagem que me vem à cabeça. Seja mais cautelosa desta vez. Não seremos de grande ajuda à sua mãe ou ao País das Maravilhas se estivermos mortos.

Embora abalada, consigo dirigir até a minha casa. Estaciono na entrada da garagem e fico aliviada ao perceber que tudo está aparentemente normal e tranquilo, pelo menos do lado de fora.

Mais uma vez, tento agradecer a Morfeu pela coragem que ele teve nos trilhos, mas ele me dispensa como já havia feito: — *Fiquei por causa do carro.*

Mas sei que é mais do que isso. Não é a primeira vez que ele faz algo altruísta por mim. E estou começando a desconfiar que ele me impediu de bater no garotinho no semáforo devido a um lado sensível que ele não gosta de demonstrar.

Se ao menos ele fosse coerente — em vez de sempre ficar mudando a imagem que faz de si mesmo para mim.

Desligo o motor e toco no rabo pendurado de Chessie. — Pode entrar, se ficar escondido. — O tufo de pelo se enrosca em volta do meu dedo como uma cobrinha peluda, aperta-o e então solta. O gesto me traz paz e aconchego.

— Ele não precisa que o convidem — Morfeu caçoa. — Se ele quiser entrar, ninguém conseguirá impedi-lo.

Tento desafivelar meu cinto de segurança. — Ainda estou presa.

Morfeu se aproxima e segura a minha mão. — Será que devemos tentar tirar a saia? — ele pergunta, em tom provocante. — Desta vez, temos tempo para aproveitar.

Fico em dúvida se ele realmente fala sério com suas insinuações, mas, considerando que se trata de Morfeu, suspeito que sim.

— Esqueça. Eu me viro sozinha. — Tento me livrar, mas ele guia a minha mão para o cinto. Dobrando os meus dedos em volta da chave do carro, usa os dentes para desenganchar a saia da fivela, enquanto pressiona o botão. Alguns minutos depois o tecido se solta, amarrotado mas intacto.

— Obrigada — murmuro.

— Não foi nada. — Com os olhos nos meus, ele leva a minha mão até a altura de seus lábios e a vira. Respira tão próximo ao meu pulso que as minhas veias latejam em resposta. Então, sem mais nem menos, desdobra os meus dedos, pega as chaves e larga a minha mão. Antes mesmo que eu possa me recompor, ele já está de volta em seu banco.

Aliso a saia amarrotada com os dedos, desejando que fosse tão fácil desamassar os meus pensamentos quanto o tecido da saia.

— Olhe... — Eu recupero a voz — Desculpe por assustar você dirigindo feito uma louca. Eu não deveria ter brincado assim com os seus medos.

Ele abre a porta. Assim que está aberta, põe os pés no chão e me olha por cima dos ombros.

— Você quer se desculpar? — E ri, irônico. — Seja pelo que for? Todos temos algo que pode ser usado contra nós mesmos. Você

A. G. HOWARD

colocou de lado a sua natureza piedosa e usou a minha fraqueza para obter o que queria de mim. Boa jogada. Você seguiu os seus instintos e deixou os seus escrúpulos de lado sem que eu ao menos tivesse que orientá-la. Muito bem. Porque o único jeito de você ser capaz de derrotar a Vermelha é aprendendo a ser impiedosa. Compaixão não tem lugar em campo de batalha algum... seja mágico ou não. — Ele sai lentamente do carro, cambaleando, como se estivesse se recompondo do impacto recente. — Você sabe como me manipular e eu sei como manipular você. Isso nos iguala.

Não. Nunca estaremos igualados.

Estaremos sempre tentando superar um ao outro. Não direi isso em voz alta, assim como não vou admitir que é assim que eu gosto; um lado meu primitivo e poderoso anseia por desafios, e tem sido assim sempre.

— Espere. — Saio do Mercedes, coloco a mochila e aciono a tranca das portas. — Antes de encontrarmos a minha mãe, precisamos combinar bem a história. Você é um estudante de intercâmbio da minha escola. Ficou interessado em ver os meus trabalhos de arte. É assim que vamos chegar aos mosaicos que estão com ela.

Com os braços sobre o capô do carro, ele me encara, o brilho da joia debaixo dos seus olhos cintila sob a sombra do chapéu. — E se ela enxergar a verdade por trás da máscara? Vocês têm o mesmo sangue.

— Damos um jeito — respondi, embora soubesse que não seria algo tão simples.

Enquanto andamos em direção à garagem, ouço um grito vindo da casa ao lado.

— Oi! — Jen corre até nós com uma sacola de vestido sobre um dos ombros e uma bolsa de costura no outro. Eu havia me esquecido completamente que tínhamos combinado de fazer os ajustes no vestido do baile de formatura que ela fez para mim. Ela olha Morfeu de cima a baixo. — *M?*

Ela parece confusa, mas não zangada, o que significa que ainda não tinha ouvido falar sobre o nosso suposto romance da hora do almoço.

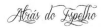

— Oi, Jen. — Mexo distraidamente com as alças da mochila, evitando olhar para Morfeu. — Você recebeu minha mensagem?

— Ah, desculpe — ela responde. — A bateria do meu telefone acabou na hora do almoço. Deixei em casa carregando. — Ela volta a atenção para Morfeu, com um persistente lampejo de curiosidade.

— Boa tarde, olhos verdes. — Ele ajeita o chapéu, exibindo o seu sorriso cativante.

— Ah, oi! — Quando ela se vira para mim, as suas faces estão mais rosadas que o seu cabelo. — O meu irmão não ia pegar você hoje?

Pelo menos não tenho que inventar uma desculpa e mentir ainda mais do que já estou fazendo. — A revista remarcou a entrevista dele. Mor... M se ofereceu para me trazer. É um velho amigo da família. — Bem, *velho* é modo de dizer, mas *amigo*? Não explica muito. — Quero dizer, a família dele conhece a nossa há muitos anos. — *Atormenta* seria mais adequado. Olho para o chão. — Eu o trouxe para ver a minha mãe, só isso.

— O que você tem? — Jen pergunta. — Você está agindo como se eu tivesse flagrado vocês dois se pegando no carro.

Morfeu dá uma risada. — Tudo é questão de saber a hora certa, não?

— O que você quer dizer com isso? — Jen pergunta, virando-se para ele.

Morfeu fala me encarando: — Se você tivesse chegado um minuto antes, teria nos pegado em flagrante. Eu estava com as mãos na saia da Alyssa.

Jen lança um olhar mortal para Morfeu, olha para a minha saia amassada e franze a testa. — O que está havendo, Al? O que houve com você?

Contenho-me para não dar um murro em Morfeu. — Descobri que o Sr. Mason perdeu três dos meus mosaicos — eu digo para amenizar o tom acusatório de Jen. — Estou chateada. — Limpo o rímel borrado dos olhos para parecer verdade.

A. G. HOWARD

A expressão de Jen se suaviza ligeiramente e ela passa o polegar em minha maquiagem borrada. — Mas o que isso tem a ver com a sua saia?

Olho com tanta raiva para Morfeu que o calor irradia dos meus olhos. É culpa minha. Fiz com que ele prometesse ajeitar as coisas entre Jeb e eu, mas não com Jenara. O que significa que ele ainda poderia usá-la para arruinar o meu mundo. — Ela ficou engancha- da no cinto de segurança e ele teve que me ajudar a tirá-lo.

— Ah. — Jenara ri. — *Mãos na saia dela*. Sinceramente, isso é hilário. — Ela usa um tom de sarcasmo quando se vira para Morfeu e fala: — Para bom entendedor. Eu não faria essa brincadeira com o Jeb. Ele não tem o meu senso de humor... na verdade, o lema dele é "bata primeiro, pergunte depois".

— Conheço bem as tendências superprotetoras dele — Morfeu diz.

— Como assim? — Jen pergunta, enrolando a capa do vestido em volta do pescoço como se fosse uma jiboia. — Você só esteve com o meu irmão uma vez. E não foi exatamente um dia bom. A Al estava praticamente afogada.

Morfeu retira o chapéu e o rodopia no dedo, em reverência. Ele se sai lindamente, mas sei que está fingindo. — É claro. O que per- cebi foi cuidado e atenção. — Morfeu me olha. — É evidente que ele iria até o fim do mundo por ela.

A minha garganta se aperta de saudade. — Exatamente como eu faria por ele.

— É por isso que vocês dois são tão bonitos juntos. — Jen sorri e passa o braço em volta do meu ombro, voltando a ser a minha me- lhor e descontraída amiga. — Então, está pronta para ver o vestido? Recém-saído da lavagem a seco, só esperando os retoques finais.

Morfeu recoloca o chapéu na cabeça meio de lado, comple- tamente à vontade. Como ele pode ser tão calmo? O fato de Jen estar aqui só complica as coisas ainda mais. Vou ter que levar a minha mãe para um canto e convencê-la a me apoiar dizendo que Morfeu é um amigo da família. E, para fazer isso, precisarei ser ho- nesta quanto a quem ele é de verdade. Some-se a isso uma possível

presença da Rainha Vermelha em nosso mundo, uma batalha para a qual não estou preparada para lutar, e estou à beira de um ataque de nervos.

Gotas de suor se acumulam em minhas têmporas enquanto encaminho para a garagem e digito a senha no teclado. Morfeu para e olha os baldes cheios de ferramentas de jardinagem.

Jen para ao lado dele. — A Al usava esses baldes para fazer armadilhas, para capturar insetos para os mosaicos. Bom, antes de ela começar a trabalhar com as contas de vidro.

Morfeu não responde, apenas olha fixamente os baldes.

— Sabe, eles não são tão confortáveis como parecem — ele diz, franzindo o rosto.

Ele se refere à noite que passou dentro de um deles na forma de uma mariposa, um ano atrás, mas é impossível que Jen saiba disso.

Ela dá uma risada. — Mesmo? Foram os insetos que disseram isso pra você? Você fala com eles?

— Com certeza, eles falaram para Alyssa — responde —, mas ela prefere não escutar.

Jen ri.

O meu rosto arde quando ouço vários insetos escondidos atrás da campainha da garagem, me repreendendo:

Falamos para ela, é verdade...

Ela nunca escuta. Mesmo agora, ainda tentamos lhe falar...

As flores, Alyssa. Você não quer que elas vençam, e nós também não.

Você é uma rainha... detenha-as.

Eu pensava que os insetos e as flores estavam do mesmo lado. Juntos, eles foram a conexão entre mim e o País das Maravilhas por anos. Agora brigavam entre si?

A. G. HOWARD

Isso deve ter alguma coisa a ver com a cólera da Vermelha.

Jen nos contorna e segue pela garagem até a sala de estar. Morfeu bate com o dedo no chapéu num gesto irritante e me indica para que eu passe primeiro.

É um alívio deixar os insetos para trás, mas este se mostra temporário quando percebo que a sala está vazia. Ar úmido cheirando a mofo sai do aparelho de ar-condicionado da parede. O revestimento de madeira faz a sala parecer pequena e escura. Toalhas limpas e panos à espera de serem dobrados estão na cadeira favorita de papai — uma cadeira reclinável com apliques de margaridas, onde mamãe costumava esconder os seus tesouros do País das Maravilhas. Eles desapareceram, menos os livros de Lewis Carroll, que estão em meu quarto.

— Mamãe? — Largo a mochila no chão e espio na cozinha. O aroma de biscoitos de chocolate se desprende dos tabuleiros sobre a bancada.

— Onde será que ela está? — eu digo distraidamente, mas os meus convidados já foram ao corredor dos fundos, onde estão expostos os meus mosaicos de insetos.

Papai os pendurou depois que ganharam uma menção na feira municipal. Ele se recusa a tirá-los, apesar de mamãe e eu implorarmos. Ele é sentimentalista ao extremo, e, como não podemos explicar-lhe a nossa aversão pelos trabalhos, ele sempre ganha.

— Eu disse para você que ela era talentosa — Jen declara, ajeitando a sacola de costura no ombro.

Morfeu concorda, em silêncio.

Jen vai até a sua peça preferida: *Pulsação de Inverno*. Pequenas flores e contas de vidro prateadas formam a imagem de uma árvore. Na ponta de cada galho, há frutas silvestres secas parecendo gotas de sangue, e o fundo é formado por grilos pretos.

Morfeu toca os frutos com suavidade, como se os contasse.

— Parece algo de um sonho glorioso — diz, olhando de relance para mim por cima do ombro. Percebo orgulho e nostalgia em sua voz.

Aquela mesma árvore está no País das Maravilhas, cravejada de diamantes no tronco e pingando rubis dos galhos. Morfeu me levou lá em um sonho quando ambos éramos crianças. Reproduzi a imagem anos depois como uma maneira de libertar a memória do subconsciente.

Todos os meus mosaicos retratam paisagens do País das Maravilhas e momentos vividos com Morfeu. Com certeza, alimenta o seu ego saber que ele inspira a minha arte. Ou a *assombra*.

Assombra é uma palavra melhor...

— Ok. Vamos, Al. — Jen me indica o quarto com a cabeça. — A festa de formatura é amanhã. O vestido não vai se ajustar sozinho.

Antes de segui-la, dou uma espiadela no quarto dos meus pais. Mamãe não está lá, nem no banheiro deles. É estranho. O perfume dela paira no ar, como se ela estivesse aqui minutos atrás. Ela sempre está em casa quando volto da escola. Ela não dirige, então alguém deve ter vindo buscá-la.

Ou, pior, alguém pode tê-la forçado a sair.

Tento chamar a atenção de Morfeu. Ele percorre com o dedo as borboletas azuis, mas com o cuidado de não tocá-las, em *Luar Assassino*, completamente absorto. Então dou uma tossida.

Ele olha para mim. — Está precisando de alguma coisa, amor?

Olho sobre os ombros para o meu quarto. Jen abre a sua sacola de costura e retira a fita métrica, o giz de marcação, um dedal e uma caixa de alfinetes, colocando-os sobre a cama. Olho de volta para Morfeu e ele já está no outro mosaico de insetos.

— A Vermelha não esteve aqui — ele diz antes mesmo que eu expresse a minha preocupação. — Está tudo muito arrumado. Você bem sabe o rastro de caos que ela deixa. Além do mais, o que ela quer é enxergar dentro da sua mente. Se ela tivesse encontrado a sua casa, as suas obras teriam desaparecido.

Isso acalma os meus temores momentaneamente. Mas ainda não gosto da ideia de deixá-lo sozinho. — Morfeu — sussurro.

Ele me olha de novo.

— Não mexa em nada aqui. Prometa.

A. G. Howard

Ele franze a testa, como se ofendido com o pedido. — Eu juro. Distraia sua amiga, vou dar uma olhada por aí. Talvez a sua mãe tenha deixado um bilhete.

Ainda hesitante, deixo-o explorar e vou para o meu quarto, fechando a porta para ter mais privacidade. O sol penetra por entre as frestas das persianas, revelando a poeira suspensa no ar. Tudo está em seu lugar: o espelho de pé está no canto, as pinturas de Jeb na parede, as enguias deslizando suavemente dentro do aquário. Mas ainda sinto a minha nuca arrepiar. O perfume de minha mãe está mais forte aqui do que em qualquer outro lugar da casa. É quase como se ela estivesse de pé na minha frente mas eu não pudesse vê-la.

Estremeço.

— É, essa também foi a minha reação. — Jen ri ao retirar o vestido da capa de plástico. — Ficou ainda melhor do que o do filme, não é? — Ela abraça o vestido contra seu corpo.

O vestido está exatamente como eu o havia imaginado, e solto um suspiro de admiração.

Quando Jen e eu decidíamos a nossa roupa de formatura, eu só tinha a certeza de uma coisa: não iria usar um vestido de desfile de princesa, nem um traje justo e de lantejoulas como o da fada Sininho.

Só conseguia pensar no vestido de um filme meio brega a que assisti com Jeb, Corbin e Jenara, *Noivas Zumbis em Las Vegas*. Ele era delicado, com decote nas costas, corpo justo e saia esvoaçante — elegantemente esfarrapado e manchado com o mofo azul acinzentado da sepultura. Gostei tanto dele que mal conseguia explicar.

Como minha cúmplice em todas as coisas mórbidas e bonitas, Jen insistiu em fazer uma réplica. Usando como exemplo algumas imagens que encontramos na internet, ela fez vários croquis e deu uma cópia para a nossa chefe da loja. Perséfone procurava vestidos parecidos sempre que ia fazer compras nos bazares de família, e finalmente achou um por vinte dólares: tomara-que-caia, branco, de cetim, com lantejoulas e perolado... um exemplo típico de charme *vintage*. Tinha até uma cauda longa. E, o melhor de tudo, era só um número maior do que o meu.

Com tesoura, alguns ajustes, um aerógrafo do estúdio de Jeb e um tingimento na cor de miosótis desbotado, Jen realizou uma obra-prima.

Ela cortou pedaços triangulares da bainha para criar pontas arredondadas. Então queimou o cetim para que não desfiasse, deixando as bordas enrugadas, como pétalas de flores murchas. Como toque final, usou o aerógrafo com um pouco de purpurina nas bordas, no decote coração e na costura, onde o corpete e a saia se unem, convergindo em uma cascata preguada.

O resultado está cintilante, sombrio e mofado.

Jen mexe o vestido para a frente e para trás para que as pontas em forma de pétala esvoacem. Sinto algo que não sentia há anos: a emoção de colocar uma bela roupa.

— Ih, temos um problema. — Jen brinca, percebendo o meu estado. — Estou vendo alguém animado? Alyssa Gardner mal pode esperar para usar o seu vestido e sua tiara e sair com os amigos? Isso é sinal de tensão pré-formatura.

Rindo com deboche, ela coloca o vestido sobre a cama e tira da sacola plástica uma anágua de filó azul-violeta, sacudindo-a. Aquilo me lembra a névoa multicor que permanece no horizonte após uma tempestade, logo antes de as nuvens se dissiparem e o sol aparecer.

— Preciso dizer isso para você, Al. Estou muito feliz por você não ter desistido.

Ela está errada. Estou desistindo. Mas não porque quero.

Nada disso ajuda os meus nervos exaustos. Estou preocupada com a minha mãe, com os meus mosaicos, e com a Vermelha... estou preocupada por ter que contar a verdade a Jeb e deixá-lo ficar com Ivy em vez de mim. Estou preocupada com *tudo*.

A última coisa que eu deveria estar fazendo é ficar ansiosa por causa de um baile bobo.

Não posso simplesmente fingir que tudo está normal e no lugar.

— Então, vamos ver essas botas — diz Jen, referindo-se ao par de botas de salto plataforma que comprei na internet um mês atrás.

A. G. HOWARD

Movendo-me mecanicamente, tiro-as do armário. Depois de me despir e ficar de calcinha e sutiã, coloco a anágua pela cabeça e ajeito o elástico na cintura. Então ponho o vestido e Jen fecha o zíper nas costas.

Sentada na beira da cama, coloco a bota no pé esquerdo sobre a tatuagem em meu tornozelo e sinto com as mãos o couro sintético. É do mesmo tom azul-acinzentado do vestido, com solado de oito centímetros e fivelas até a altura da canela — a combinação perfeita para tudo o que é do estilo princesa.

— O que acha? — pergunto hesitante a Jen, após colocar as botas e as luvas azul-pervinca rendadas e sem dedo até os cotovelos.

Ela sorri, entre orgulhosa e cúmplice. — Acho que todas aquelas *princesas-sapo* vão parir um monte de girinos quando derem uma sacada em você. — E explode numa gargalhada enquanto me ajuda a ficar de pé. Faço o que posso para fingir um risinho despreocupado, mas pareço sem graça e óbvia.

Jen ajusta as alças transparentes do sutiã que costurou para manter o corpete no lugar e arruma uma tiara de miosótis e florzinhas artificiais em minha cabeça. Ela foi extremamente meticulosa, colocando até teias de aranha falsas junto às flores para penderem sobre meu pescoço e no alto das costas, como um véu.

Quando ela me vira para o espelho, a minha respiração para o reflexo dela por trás dos meus ombros mostra que está igualmente impressionada.

O vestido é exatamente como eu esperava que fosse, até melhor, pois ela o modernizou, fazendo as bordas onduladas, na parte da frente, ficarem na altura dos joelhos, ressaltando as minhas botas. Com a adição da anágua, as costas do vestido mal se arrastam no chão, então não tropeçarei enquanto estiver dançando.

Ou, melhor, não *tropeçarei* caso eu realmente vá à festa de formatura.

Retiro o medalhão de Jeb de dentro do corpete do vestido. O colar com a chave se engancha nele e sai também. Olhando os dois atentamente, fico admirada ao perceber como as correntes estão

enroladas juntas, inseparáveis, como se tornaram as minhas duas identidades.

Jen arruma a tiara. — Agora me diz o que *você* acha.

Estou determinada a não desapontá-la, sabendo que vou deixá--la em breve, que todo o seu trabalho foi em vão. Ela gastou tanto tempo nesta obra-prima e colocou nela muito de sua afeição por mim. — Você é um gênio — sussurro. — Está perfeito.

Ela afofa a parte de trás. — Espere só até que você esteja usando a máscara.

Olho de relance a meia máscara de cetim branco sobre a cama, pintada com aerógrafo para combinar com o vestido.

— Você vai ficar parecendo uma das fadas de Jeb que ganhou vida. Não me surpreenderia se vocês acabarem sendo coroados rei e rainha.

As palavras dela me transportam a uma ocasião em que usei um vestido carregado de joias, e asas de borboleta transparentes brotaram de minhas costas, uma vez em que fui coroada uma verdadeira rainha das fadas sombrias. É difícil decidir qual título — se o da escola ou o dos intraterrenos — traz mais prestígio, escrutínio e pressão. Aquele momento no País das Maravilhas mudou o meu futuro e o meu passado... e quem eu sou hoje. Eu pensava que a noite do baile de formatura fosse o começo de uma mudança de vida. Jeb e eu finalmente ficaríamos juntos em tudo.

Mas era tudo mentira. Ele não conhece quem eu sou verdade — conhece apenas metade de mim. Ainda não fiz as pazes com a outra metade. Até que eu faça, como esperar uma verdadeira conexão com alguém?

Preciso parar de perder tempo ansiando por uma experiência que parece tão fora do alcance agora.

— Como está indo o smoking sepulcral de Jeb? — pergunto, tentando impedir a mim mesma de me deixar levar por aqueles pensamentos aflitivos. Afinal, eu deveria estar distraindo a Jen.

— Só precisa de um pouco mais de angústia — ela responde, arqueando a sobrancelha esquerda comicamente. — E pensar que vocês diziam que não iriam à festa de formatura nem mortos. Agora vão ter que engolir as palavras, pois vão ser o casal morto mais sexy da festa.

Pelo espelho, percebo que a mecha vermelha de cabelo se prendeu no véu de teia de aranha, parecendo muito com a espada de sangue que usei para libertar o corpo morto e encapsulado de Jeb. Seguro o medo que sobe pela minha garganta.

Pelo reflexo do espelho, vejo Jen me rodear enquanto faz uma dobra junto ao zíper para ajustar a cintura.

— Este tal de M é estranho — ela diz, remexendo na caixa de alfinetes. — Pensei que você não conhecesse ninguém em Londres. E ele nunca ao menos mencionou ao Jeb que conhecia você. Muito menos que é amigo da família. — Ela coloca alguns alfinetes entre os dentes e continua a ajustar a cintura, retirando os alfinetes da boca quando precisa deles.

— Bom, minha mãe o conheceu quando ela era criança.

Jen arregala os olhos e eu travo a língua. Mal acredito no que acabei de falar.

— Quero dizer, o *pai* dele. A minha mãe conheceu o pai dele. M e eu nunca tínhamos nos encontrado, por isso ele não me reconheceu naquele dia.

Mentirosa, mentirosa, asas de fogo.

— Ah! — Jen murmura com os alfinetes na boca. Ela puxa a saia para se certificar de que os alfinetes estão seguros, cospe os que não usou na caixa e para. — Bem, acho que o nosso caubói britânico está babando por você. As coisas vão ficar bem interessantes quando o Jeb chegar. Os rapazes costumam farejar esse tipo de coisa.

É a deixa perfeita para eu contar-lhe do episódio no banheiro. A hora perfeita para dizer mais uma mentira e despistá-la novamente. — Não acho que ele goste de mim *dessa* maneira. Ele só é meio... excêntrico.

Jen pega os seus materiais de costura e ri. — Que seja, então, rainha das negativas.

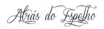

Antes que eu possa responder, mentir ou finalmente dizer-lhe a verdade, ela sai pela porta.

Esmagada pelo peso de todas as mentiras que venho carregando por mais de um ano, e pelas novas que têm se acumulado, olho-me no espelho na esperança de encontrar algo mais do que o vestido para admirar. Porque, neste momento, não sou a minha pessoa favorita.

Partículas de poeira flutuam em volta do meu reflexo — tingidas de laranja pela luz do sol. Flutuam dispersas, como pequenos pedaços de magia. Eu queria ser a antiprincesa da festa de formatura. E consegui, parecendo uma intraterrena — a antítese de tudo o que pertence ao universo dos contos de fadas.

De repente, percebo que é por isso que mamãe não gosta do jeito como me visto, porque isso me faz ficar parecida com eles.

O meu estômago aperta. Não é Morfeu quem está forçando os dois elementos do meu mundo a se aproximarem. Sou eu mesma. Sempre foi assim. E estou começando a perceber que não é tanto uma escolha, mas uma necessidade.

Estou tão absorta em pensamentos que mal percebo quando as partículas de poeira se aglutinam e formam uma pequena silhueta felina pairando no ar. O ruído de asas batendo acaba por me tirar do transe.

Em um piscar de olhos, Chessie paira ao meu lado, sorrindo com os seus dentes afiados, de forma inquisidora e contagiante. Assustada, abafo um grito e corro para fechar a porta, trancando-a, caso Jen volte antes que eu o convença a desaparecer.

Cetim e filó farfalham à minha volta quando me viro para encará-lo. — Não podemos deixar que ninguém veja você — eu sussurro. — Vamos encontrar um lugar para você se esconder, está bem? — Estico a palma da mão enluvada.

Ele se empoleira na renda, um pompom de pelos reluzentes cinza e laranja, como brasas sobre cinzas. Os seus grandes olhos verdes me encaram enquanto o carrego até a cômoda e abro uma gaveta. Coloco-o sobre as meias macias e faço carinho em sua cabeça.

A. G. HOWARD

Antes que eu feche a gaveta, ele voa para fora — agitando as asas como um borrão. Sorrindo ainda mais, ele acena com a pata da frente e sai em zigue-zague atravessando o vidro do espelho até a sua cauda desaparecer totalmente.

Por uma fração de segundo, o reflexo revela o seu destino: uma ponte de metal cruzando um vale enevoado e escuro, com um vilarejo pitoresco do outro lado. E então, o vidro estala e racha, limitando-se a refletir imagens partidas de mim mesma.

Apesar de, por dentro, ficar em alerta, coloco a mão na interseção de uma rachadura, mas retiro a mão com o contato. Embora soubesse que o vidro quebrado é afiado como metal e lembra um complexo buraco de fechadura, ainda me surpreendo. Faz tanto tempo que viajei pelo espelho.

No reino humano, um espelho pode levar você a qualquer lugar do mundo, desde que haja outro espelho grande o suficiente para recebê-lo no lugar de destino.

No País das Maravilhas, viaja-se pelo espelho também, mas as regras são diferentes. Lá, um espelho pode levar você a qualquer lugar do reino intraterreno, tendo ou não um espelho do outro lado.

A única regra que não muda é que você não pode levar um espelho de um reino para outro. O único jeito de um espelho do País das Maravilhas vir para o reino humano é através de um dos dois portais — um localizado no castelo de Marfim e o outro no Vermelho. E o único jeito de chegar ao País das Maravilhas daqui é pela toca do coelho, que é uma entrada de sentido único.

Sabendo disso tudo, eu não deveria estar nervosa. Para onde quer que Chessie queira que eu o siga, é aqui no reino humano, ao menos. Com os dedos tremendo, miro com a chave em meu pescoço. O medalhão em forma de coração de Jeb balança logo abaixo. Ao vê-lo, imagino o que ele diria nesta situação.

Chessie é o felino braço direito de Morfeu. Pode ser que isto seja um truque...

Vou dar só uma espiada. Enfiar a cabeça, mas manter os pés bem plantados no aqui e agora.

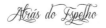

— Visualize o lugar ao qual deseja ir — eu digo, usando o que Morfeu me ensinou. Fecho os olhos e imagino a ponte e o vilarejo que vi antes de o espelho se quebrar. Então, enfio a chave no buraco e a giro.

Quando olho novamente, o vidro está líquido. A janela de água se abre, revelando a ponte de metal. Estrelas brilham no reflexo do rio abaixo dela, cintilantes e receptivas. Aonde quer que este caminho leve, é lindo.

Uma mulher me olha de longe. Ela anda por uma colina gramada em direção à ponte. Engasgo, atônita. Mesmo sob a luz da lua, reconheço o moletom preto e fúcsia. Era o que ela vestia esta manhã quando saí para a escola.

Mamãe.

A. G. Howard

11

Imagens Estilhaçadas

Ver mamãe dentro do espelho faz o meu coração bater tão depressa quanto as asas de Chessie.

— Como você entrou aí? — eu pergunto, sabendo que ela não pode me ouvir, nem me ver. Toco na chave em meu pescoço; eu poderia jurar que era a única que tínhamos. Talvez a Vermelha a tenha atraído para dentro.

Solto um gemido ao pensar nisso.

Mas, olhando melhor, mamãe não parece nervosa, nem assustada. Ela carrega uma enorme sacola de estopa no ombro — a que usávamos para enfiar as toalhas de praia, pás de plástico e baldes para piqueniques no lago. Isso, quando eu era pequena, antes de ela ser internada. Eu adorava esses piqueniques...

Os seus passos largos são determinados e seguem na direção da ponte. Ela planeja alguma coisa. Algo que ela *quer* fazer. Quando a figura cintilante de Chessie aparece ao seu lado e se aninha nas alças da sacola, mamãe nem se assusta, como se o esperasse.

É demais. Não me interessa onde eles estão; tenho que entrar e ver o que está acontecendo.

— Deseje com todo o seu coração — eu lembro a mim mesma.
— Depois, mergulhe. — Levanto a minha bota e meto uma perna no ar frio do outro lado, endurecendo quando alguém tenta girar a maçaneta da porta.

— Al, por que trancou a porta? — Jen diz do outro lado. — O Jeb está aqui e a coisa está ficando feia. Ele recebeu um telefonema da Taelor no trabalho. Ele e o M estão lá fora...

Não. Não posso tratar disso agora. Tenho que ver o que mamãe pretende. — Estou ocupada!

— Ocupada? — Jen berra do outro lado. — Você está de brincadeira ou o quê? O Jeb vai matá-lo! Você precisa sair daí agora!

— Droga — eu murmuro. Como se deflagrado pela minha falta de concentração, o portal se dilui em ondas, como água enchendo um balde. Se eu tiver que ir, tem que ser agora, antes que ele se feche. Fico dividida, desesperada para esclarecer o mistério de minha mãe, mas sentindo o apelo de minha vida aqui.

A hesitação me custa a oportunidade. O líquido falso se solidifica e volta a ser um espelho. Liberto-me um instante antes que ele se feche, separando-me de minha mãe e de todos os segredos que ela vem escondendo.

* * *

Nem me preocupo em mudar de roupa ou tirar a tiara. Quando entro às pressas no corredor, Jen faz perguntas sobre o que aconteceu na escola. Não tenho ideia de como responder, então eu a afasto, corro para a porta da frente e vou até o gramado, esperando um banho de sangue.

Em vez disso, os dois rapazes estão parados à sombra do capô do carro de Morfeu. Nenhum dos dois percebe que tem plateia.

Jeb deve ter vindo direto de sua entrevista. Ele ainda está com a roupa que usa para fotografias: jeans preto, camiseta polo de malha preta bem agarrada aos músculos, uma camiseta de manga comprida bordô por baixo e uma gravata com

A. G. Howard

desenhos japoneses pendendo frouxamente onde os botões estão abertos.

— Então, ele morreu em alguma rua por aí? — ele pergunta sem levantar os olhos.

Morfeu confirma. — Morreu de modo muito inconveniente, na verdade.

Eu franzo a boca ao ouvir essa descrição tão branda.

Jeb apoia os cotovelos sobre a estrutura do carro e mexe no motor. — Não sei ao certo o que pode ter sido. Este modelo tem uma só correia de serpentina para tudo, então, quando ela falha, o motor inteiro para. Mas, se tivesse sido isso, seria quase impossível ligar o motor novamente. — Ele fica procurando, e suja a mão de graxa. — O seu parece um pouco cansado. Vai precisar trocá-lo em breve.

Morfeu bate de leve na aba do chapéu, pensativo. — Esse era o meu receio. E quanto será que custa?

Quase me falta o ar. Eu deveria estar aliviada por eles não estarem matando um ao outro, mas a minha mente não consegue digerir aquilo tudo. Com a minha mãe dando um passeio no espelho, é muita estranheza ao mesmo tempo.

Viro-me para olhar para Jen, que veio parar ao meu lado. — Você disse que eles estavam brigando — eu sussurro.

Ela dá de os ombros.

Morfeu deve ter mantido o seu voto e apaziguado as coisas com o Jeb de alguma maneira. O que me deixa livre para cuidar de mamãe. Com os nervos no limite, começo a voltar para dentro.

Jenara faz um pigarro.

Eu me viro, e vejo Jeb e Morfeu olhando para mim.

Eles ficam lá, pasmos, pelo que parece ser uma eternidade. O sol de fim de tarde está abrasador, tornando as camadas de tecido muito quentes, coçando. Com tudo tão silencioso, fico dolorosamente ciente da ausência dos sussurros dos insetos. Mais uma vez, eles parecem ter abandonado os seus postos. Ultimamente ou estão aborrecendo as flores ou simplesmente... quietos.

Jeb fecha o capô do carro. Fico apreensiva quando ele diminui a distância entre nós, limpando a graxa das mãos em uma bandana que tira do bolso.

— Uau! — Ele me olha de cima a baixo e depois encontra o meu olhar, enviando uma mensagem ávida que nunca ousou falar em voz alta: *Eu quero tanto tocá-la que até dói...*

O modo como ele me estuda nunca foi tão intenso. As minhas pernas parecem argila mole.

Ele pega a minha mão coberta de renda e me puxa para um abraço.

— Como eu posso esperar até depois do baile com você *desse jeito?* — ele sussurra ao pé do meu ouvido, e em seguida me beija na têmpora.

A sensação me deixa sem ar. Se eu pelo menos pudesse me deleitar com ela... Olho por cima de seu ombro forte e vejo que Morfeu está observando. Ele tira o chapéu e o lampejo em seus olhos me diz que ele também aprova o vestido.

Eu faço uma careta, os meus olhos gritando para ele: *Pare de perder tempo! Tire a minha mãe do espelho! Encontre a Vermelha para podermos mandá-la de volta!*

— A perfeita noiva de um conto de fadas — diz Morfeu, tornando óbvio que ele não conseguiu ouvir os meus pensamentos desta vez. — Só lhe faltam as asas.

Os braços de Jeb se retesam em volta de mim. Era essa a fricção que eu esperava ver entre eles quando saí de casa. Eles estão se comportando, mas essa paz pode ser quebrada a qualquer momento.

Jenara muda de posição, bloqueando a minha visão de Morfeu.

— Por falar em asas... Sr. Entomologista. Tenho uma pergunta técnica com relação ao vestido de Alyssa. O que me diz de comermos uns biscoitos e falarmos sobre isso?

Ele a segue, lançando-me um último olhar por sobre o ombro.

No instante em que eles desaparecem, Jeb sussurra: — Achei que eles nunca iriam embora — e depois se inclina para me beijar.

Eu me esquivo e avanço na direção da porta.

A. G. HOWARD

Ele faz cara feia e me segue. — Você está brava porque não fui pegá-la na escola. Encurtei a entrevista para poder chegar aqui. Tenho que voltar a me encontrar com o jornalista para terminar as perguntas. Isso não conta?

A sua expressão magoada me revira por dentro. — Sim, quero dizer, não. Não estou brava. Achei que *você* estivesse bravo. A Jen disse que a Taelor...

— O Mort esclareceu as coisas. — Jeb joga a bandana fora.

— O Mort? Ele deixa que você o chame assim?

— Não pedi permissão.

Eu inclino a cabeça, pensando. — Então está tudo bem entre vocês dois?

— Você mandou uma mensagem dizendo que teve um "encontro". Então, quando o Mort disse que queria causar ciúme na Taelor fingindo dar em cima de você, e que ela exagerou nos detalhes, que o tiro saiu pela culatra e ela o dispensou... bom, a explicação se encaixou. Mas é pena que ele tenha feito da Tae uma inimiga. Ela não é o tipo de garota que vale a pena contrariar.

— Nem me fale — eu murmuro, apressando o passo para atravessar o gramado com Jeb na minha cola. — Você devia ouvir o que ela andou espalhando pela escola.

— Bom, ele vai explicar tudo amanhã. Velho amigo da família ou não, o Mariposão não tinha o direito de usar você desse jeito.

Os meus pés ficam mortificados, o corpo inteiro congela quando eu ouço esse apelido. Jeb não pode estar começando a lembrar da capacidade que Morfeu tem de tornar-se uma mariposa. Tecnicamente, ele não esteve no País das Maravilhas para gerar essas lembranças... não mais. A menos que mamãe estivesse certa no hospital, quando disse que ninguém sai ileso do País das Maravilhas. Será que o subconsciente dele, de alguma maneira, se lembra de algo que ele não vivenciou?

— Do que você acabou de chamá-lo? — eu pergunto com a voz trêmula... esperançosa.

— Mariposão — ele responde. — Sabe, o arqui-inimigo do Godzilla. Porque o cara é fanático por mariposas. — Ele me dá um

sorriso matreiro. — Ora, não dá para não ver aquele chapéu. E o carro? Os Gullwings parecem mariposas quando as duas portas estão levantadas.

— Certo. — É claro que ele não se lembra. Os meus pensamentos se voltam para mamãe e seus segredos. — Devíamos entrar para que eu possa mudar de roupa.

— Espere. — Jeb pega a minha mão e me rodopia, fazendo a minha saia de flores ondular. Quando volto a olhá-lo de frente, ele balança a cabeça. — O Mort tinha razão. Você parece uma fada na noite de casamento. Permita-me desfrutar da fantasia um pouco mais. — O seu apelo é tão doce que eu quase posso senti-lo na pele. Ele beija a minha mão enluvada.

Nós nos detemos onde a grama termina e começam os degraus para a varanda. O riso de Morfeu chega, vindo da porta. O som transforma a expressão de Jeb, de admiração para raiva.

— Quando cheguei aqui, estava pronto para matá-lo. — Eu sigo o olhar dele para a sua motocicleta, estacionada visivelmente às pressas sobre a rampa. Ele nem se deu ao trabalho de abrir o cavalete. — Eu o prensei contra o capô, ameacei fazer mais uma cicatriz em seu rosto.

É estranho ser finalmente o centro da atenção de Jeb, mas agora sou eu quem está dividida. Uma parte de mim me puxa para dentro da casa, a outra me empurra para ele.

Jeb pega a minha mão e a segura junto ao peito. — Ele disse que eu podia fazer qualquer coisa no rosto dele. Só pediu que não danificasse o carro. Foi a única coisa que sobrou do pai dele, que faleceu. — Com o polegar, Jeb percorre a renda que abraça o meu pulso. — Eu vi as cicatrizes, Al. Aquelas tatuagens não conseguem escondê-las. Você sabia das tentativas de suicídio?

Faço um sinal afirmativo com a cabeça, relutando em estimular a sua compaixão por Morfeu, mas sabendo que não conseguirei explicar que as cicatrizes pertencem a outra pessoa.

Jeb olha para o carro de Morfeu. — Ele me disse que o pai morreu odiando-o. E que o motivo principal de ele ter vindo para os

Estados Unidos foi para conhecer a sua mãe. Para tentar ver o pai através dos olhos de outra pessoa. Fazer as pazes com as suas memórias. — Quando Jeb volta a olhar para mim, a sua expressão está coberta de empatia, e eu sinto o meu peito apertar. Não é justo Morfeu explorar as vulnerabilidades que Jeb nem sequer sabe que tem. Mas eu não tenho o direito de julgá-lo, porque também sou manipuladora e mentirosa.

— Então, desde que ele respeite você — Jeb diz, alheio à minha agitação interior —, vou fazer o possível para respeitá-lo.

O seu tom de voz é reprimido e dolorido, mas ele está sob controle. Ele tem se empenhado muito para não ser violento como o seu pai foi. E eu estou orgulhosa dele, porque se tornou um homem honesto e compassivo, apesar de tudo o que seu pai fez para arruiná-lo emocionalmente. E também nunca me senti mais indigna dele.

Levo as suas mãos até os meus lábios e beijo a tatuagem onde o seu pulso fica a descoberto da manga. O que ele pensaria de mim se soubesse o quanto tenho sido desonesta? Poderia bem ser eu naquele espelho, em outra parte do mundo, e estaria tão longe dele quanto me sinto agora.

— Ei... — Ele solta a mão e me levanta, colocando-me na varanda. Com ele ainda na grama, ficamos com os olhos no mesmo nível. — Você está muito quieta. Você me contaria se houvesse mais alguma coisa nessa história, não é?

Há mais, sim. Eu tenho que descobrir por que a minha mãe está no meu espelho, e tenho que derrotar uma rainha mágica e psicótica... Só não sei ao certo como contar isso para você.

Os meus olhos ficam marejados.

A expressão séria de Jeb evolui para uma careta. — Por que você está chorando? A Tae estava falando a verdade? — Os olhos dele faíscam. — Aquele babaca colocou as mãos em você? Ele beijou você?

Maldição. — Não, não foi nada disso. É que agora talvez você possa perceber como eu me sinto com relação a Ivy. Por que eu estou hesitante.

Ele estreita os olhos. — É totalmente diferente.

Olhando para as fivelas de minhas botas, busco dizer a coisa certa — para consertar isso logo e correr para o meu quarto e consertar todo o resto.

Jeb entra na varanda. — Al, são só negócios. Só isso. E eu já disse a ela que aceito.

As minhas emoções sofrem uma reviravolta, de preocupada a indignada. — Eu achei que nós discutiríamos o assunto.

— Ela foi para a Toscana esta tarde e só voltará no fim do mês. Eu tinha que dar uma resposta antes de ela ir embora. Faço isso por nós dois, você não vê? Aí teremos dinheiro para o nosso primeiro ano em Londres e ainda vai sobrar algum. É muito dinheiro; é a prova de que não sou um derrotado.

— É claro que você não é um derrotado. — Eu sufoco o soluço que me vem à garganta. — Você é o artista mais talentoso que eu já conheci.

— E você também é — Jeb diz, afastando-se um pouco para me observar mais atentamente. — Chega de lágrimas, está bem?

Eu começo a choramingar. — Mas você está cansado de me retratar. — Como sou patética! A minha mãe está em algum lugar no outro lado do mundo e aqui estou eu, chorando porque não vou mais posar para o meu namorado.

É que neste exato momento ele é o único mundo estável que me restou. E eu estou prestes a me separar dele, embora seja a última coisa que eu queira fazer.

— Cansado...? — Uma ruga desponta em suas sobrancelhas. — Está brincando? Eu nunca vou me cansar de pintar você. Este vestido... — Ele afaga as pérolas e lantejoulas que me cobrem o peito — ... já me inspirou uma nova série: a sedução da Fada Noiva sob a luz do luar. Vamos começar depois do baile.

Está bem. O meu baile que não vai existir. Mordo o interior da bochecha para segurar o grito.

Jeb dobra os joelhos para que as nossas testas se toquem. — Eu mal posso esperar, sabe? — ele diz, o polegar deslizando sob a alça em meu ombro, deixando a minha pele atiçada. — Eu vou dar

A. G. HOWARD

uma olhada no ateliê que a Ivy vai alugar hoje à noite. Ele tem um apartamento. Estou pensando que poderia ser o lugar perfeito para a gente ter um pouco de privacidade depois do baile.

Mas eu não estarei aqui, anseio por dizer.

A porta da frente se abre, detendo o meu impulso de contar tudo — toda a verdade.

— Olá, pombinhos — provoca Jenara. Ela oferece um biscoito a Jeb, depois nos estuda, como se sentisse que interrompeu alguma coisa. — Vocês me desculpem, mas a mãe da Al apareceu aqui.

— Apareceu? — eu pergunto.

— É, está aqui dentro. Ela estava trabalhando no jardim e não sabia que estávamos aqui.

A pulsação em meu pescoço volta a acelerar. Ela deve ter voltado pelo espelho. Eu tenho que descobrir aonde ela foi. — Espere... você a deixou sozinha com *ele?*

Jenara limpa algumas migalhas do seu moderno jeans rasgado, parecendo confusa. — Quem, o M? Ele foi direto para o banheiro antes que eu pudesse vê-la.

Um estrondo seguido de um grito da mamãe quebra o silêncio da tarde. Jogo a cauda de meu vestido sobre o braço e entro pela porta correndo, com Jen e Jeb logo atrás de mim.

Morfeu está parado à porta do meu quarto, olhando para dentro com expressão diligente. Passo por ele e me dirijo a mamãe, cautelosamente. Ela está de joelhos em meio a um amontoado de vidro estilhaçado no chão. O meu espelho giratório está caído ao seu lado, uma moldura de madeira vazia.

Enfiando um colar no bolso do seu agasalho, mamãe levanta o olhar para mim. Não consigo pensar nas palavras para perguntar-lhe onde ela pegou a chave. Ela parece tão pequena e frágil, engolida por seu agasalho. O sol é refletido nos cacos à sua volta, salpicando o tecido preto com pontos prismáticos de luz.

Eu me agacho com cuidado para não me cortar. — Você está bem?

Ela mantém um braço escondido. — Eu estava tentando mudar o espelho de lugar... e ele caiu sobre a cômoda. O vidro se espatifou. — Ela observa a plateia. — É culpa dele.

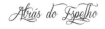

A princípio, penso que ela está se referindo a Jeb, até que Morfeu entra.

— É uma mentira deslavada — Morfeu diz, sentando-se na cama. — Você quebrou o espelho antes mesmo de eu entrar no corredor. Eu diria que foi de propósito, embora não consiga imaginar a razão.

— Alto lá... — Jeb é o próximo a entrar, lançando um olhar irritado, mas contido, para Morfeu. — Um pouco de respeito, por favor.

Morfeu retribui o olhar zangado e se põe de pé, de modo que os seus olhos fiquem na mesma altura. — As pessoas têm de *conquistar* o meu respeito.

Os lábios de Jeb se franzem. — Você está começando uma coisa que não vai terminar, mariposo. Você é um visitante. Não se esqueça disso. — Ele abre caminho, alheio à sombra de asas que se erguem por trás de seu oponente.

Mamãe começa a arfar, prova de que ela *vê* as asas, que ela sabe que o nosso convidado não é quem finge ser. Desconfio que ela tenha sabido no momento em que o viu à porta.

Jeb ajoelha-se e toca o braço escondido de mamãe. — Posso ver a sua mão, Sra. Gardner? — A voz dele está visivelmente mais branda agora.

Como se estivesse em transe, mamãe oferece a mão espalmada. Há sangue jorrando de um corte profundo que começa na base do polegar e vai até o mindinho.

Sinto um nó no estômago. — Mamãe, você se machucou!

Jen solta um grunhido, cobrindo a boca. Ela pode aguentar uma maratona de vinte e quatro horas de filmes de terror, mas não suporta ver sangue na vida real. Isso a faz lembrar de cenas de sua infância. — Vou pegar uns curativos. — Tremendo, ela se dirige ao banheiro.

— Vai precisar levar pontos — Jeb diz a mamãe, ajudando-a a se levantar e conduzindo-a à cama. Ele envolve a mão dela no lado limpo de sua bandana. Ela parece alheia a tudo o que a cerca, e o meu corpo inteiro arde de preocupação. Começo a recolher os cacos de vidro.

Eu deveria ficar sozinha com ela, confortando-a, pressionar a minha marca de nascença contra a dela para que ela ficasse boa. Mas como posso me livrar de todo mundo? Os meus dedos apertam mais o vidro que seguro, numa tentativa de controlar a minha louca e incontrolável vida.

Morfeu se afasta e fica de costas para Jeb e minha mãe quando eles se sentam. Ele arranca um lenço de papel da caixa em minha cômoda e o oferece, apontando com o queixo para minha mão cerrada.

O sangue escorre da dobra de meus dedos, respingando nos cacos aos meus pés. Sinto uma ferroada no dedo indicador. Viro a mão e vejo um arranhão menor do que um corte feito por uma folha de papel. Eu devia estar segurando o vidro com muita força. Envolvo o dedo no lenço de papel para parar o fluxo e evitar que o sangue manche as minhas luvas.

Ao olhar para o chão novamente, a minha respiração para. O meu sangue pula de um pedaço de vidro para o outro, como um seixo quicando na água e deixando leves marcas atrás de si. Quando termina, o resultado de todas as marcas é uma seta vermelha que aponta para o meu armário.

Eu havia deixado a porta ligeiramente entreaberta quando peguei as minhas botas, um pouco antes. Através da abertura, consigo ver sinais de movimento lá dentro. Dois brilhantes olhos cor-de-rosa, emanando das sombras, me encaram.

12

Estranhos Íntimos

Eu reconheceria aquele olhar rosado em qualquer lugar. Era de uma das primeiras criaturas que me saudaram quando Jeb e eu mergulhamos na toca do coelho no ano passado.

— *Rábido Branco* — murmuro baixinho. Morfeu aparenta estar tão confuso quanto eu com a aparição do intraterreno. O que significa que esta não é uma de suas tramoias.

No verão passado, o Rábido jurou lealdade a mim e à Rainha Grenadine como nosso conselheiro real. Ele pode estar aqui para alertar-me de que algo está errado no reino Vermelho. Talvez ele tenha assustado a mamãe, e foi por isso que ela quebrou o espelho.

Subitamente, fico grata por quinta-feira ser o dia do inventário semanal no trabalho de papai. Ele não chegará em casa antes das sete. Talvez eu consiga limpar essa bagunça antes disso, com a ajuda de Morfeu. E eu não estou falando do vidro...

Jeb chega correndo com o estojo de primeiros socorros e eu corro para ajudar a enfaixar a mão de mamãe, ficando de olho no armário. Como se soubesse que foi visto, o Rábido se encosta bem no fundo. Suas antenas pegam em alguns cabides, que resvalam um no outro, fazendo barulho.

Jeb olha para trás ao ouvir o som, ainda segurando a mão de mamãe para que eu possa enfaixá-la. — Vocês ouviram...

— Eu posso levá-la de carro — Morfeu interrompe, amassando cacos de vidro com suas botas quando vem até a cama. Ele estende a mão para mamãe. — Alyssa e eu vamos levá-la para dar pontos.

Jeb balança a cabeça e fica de pé. — Não, quem dirige sou eu, porque você está tendo problemas com o carro. Passe as chaves, Mort.

Mamãe irrompe de seu estado letárgico e fica de pé ao meu lado. — A Alyssa pode dirigir. — Ela devolve a bandana toda manchada de sangue e graxa a Jeb. — Agradeço a vocês dois pela ajuda, mas o Mort é praticamente da família. Ele pode nos ajudar a cuidar disso.

A facilidade com que ela mente me deixa atônita. Ela e Morfeu devem ter passado algum tempo juntos antes de nós entrarmos. Só assim ela pode ter ficado a par de nossa história de mentirinha.

A expressão magoada no rosto de Jeb me chama a atenção e me fere o coração. Se ele soubesse a verdade... o quanto mamãe odeia Morfeu e como é difícil para ela fingir o contrário.

— É claro, não vamos mais atrapalhar. — Jeb pega a sacola de costura da irmã, após ela recolher suas coisas.

Eu os acompanho até a porta da frente, apressada, apreensiva por deixar mamãe sozinha com nossos visitantes de outro mundo — embora eu comece a desconfiar de que ela se sente menos intimidada por eles do que eu imaginava.

Jenara pega a sacola de Jeb e entra na varanda. — Eu preciso fechar a loja, mas você pode trazer o vestido depois. Só vai levar alguns minutos para terminar os ajustes.

Faço um sinal afirmativo com a cabeça, desejando *poder* usar o meu vestido em alguma outra ocasião.

Jen aperta a minha mão, e sua expressão fica mais suave. — Eu sei que você está preocupada com a sua mãe. Mas a mente dela é forte, ou ela não teria tido alta do sanatório. Ela disse que foi

A. G. HOWARD

um acidente. Eu tenho certeza que foi. Vai ficar tudo bem, ok? Me mande uma mensagem de texto ou ligue se precisar de mim.

— Obrigada. — Eu também aperto a mão dela, tocada, apesar de ela não ter a mínima ideia do que realmente me preocupa.

Depois que a sua irmã vai embora, Jeb coloca os dois braços em volta de mim e me puxa para perto. — Tem certeza que não quer que eu vá atrás? O carro do Mort não é confiável.

Eu estudo a veia que pula em seu pescoço e a pressiono com a ponta do dedo para sentir a sua pulsação acelerada. — Não é no carro que você não confia. É nele.

— Ele não tinha o direito de falar com a sua mãe daquele jeito. Ele é um idiota desrespeitoso.

Você achou a mesma coisa da primeira vez que o viu, eu quero confessar. O fato de eu não poder compartilhar essas memórias com ele me machuca tanto...

Eu forço as palavras a saírem apesar do nó na minha garganta. — Eu adoro quando você se preocupa. Mas prometo que vai ficar tudo bem. Vou telefonar para o papai e pedir a ele que encontre a gente no pronto-socorro. Está bem?

Jeb não responde e não parece querer sair.

Desesperada para voltar para mamãe e curar sua ferida, falo a única coisa que sei que o fará ir embora. — Você não tem que encontrar o cara da revista? Você disse que ele tinha mais perguntas.

A expressão em seu rosto combina com o modo como me sinto por dentro: dividida. — Me dê notícias sobre o estado da sua mãe. É para *ligar*, não para mandar mensagem de texto. Quero ouvir a sua voz.

— Eu ligo. — Ele começa a ir embora, mas eu o pego pelo braço. — Obrigada por estar ao meu lado. Por ajudar.

— Eu sempre estarei ao seu lado. — Ele me lança um olhar que quase me derrete e me dá um beijo de adeus.

Eu mal fechei a porta quando mamãe entra correndo na cozinha.

— E nunca mais me toque! — Ela grita por sobre o ombro na direção da sala de estar. Enquanto passa por mim, ela desenrola a bandagem da mão, revelando uma ferida curada.

Morfeu entra na cozinha pelo lado da sala. — Você se tornou uma mocinha muito ingrata, Alison — ele diz, sem me lançar um só olhar. — Eu não vou ficar sentado aqui vendo alguém de minha própria espécie sangrar até morrer.

Ele atira o chapéu sobre a mesa. A luz do sol penetra pelas janelas, e a sua forma intraterrena aparece vívida por baixo da máscara de corpo inteiro de Finley. As suas asas estão abertas e altivas, a decoração em seus olhos, escura, e as joias reluzentes vão do vermelho ao preto.

— A Allie poderia ter me curado muito bem — mamãe rebate.

Eu aperto o batente da porta e os estudo, calada, enquanto mamãe usa a espátula para transferir biscoitos do tabuleiro para um recipiente com tampa, como se as coisas que aconteceram na última hora fossem eventos corriqueiros.

Por que ela não está surtando com a presença de Morfeu? Ela não deveria estar perguntando por que ele e o Rábido estavam em meu quarto em vez de ficar brigando porque ele havia curado a sua mão? Ou, melhor ainda, ela não deveria estar me contando aonde ela foi através do espelho e onde escondeu os meus mosaicos?

Mamãe lambe uma gota de chocolate derretido de seu dedo e aponta para Morfeu. — Não é igual ao passado. Estou mais velha. Mais esperta. Não preciso mais da sua ajuda.

Seus olhos estão mais azuis do que nunca, e suas bochechas explodem de cor. Ela irradia energia e força. Morfeu parece despertar algo que está dormente dentro dela, assim como faz comigo. Imagino o que realmente aconteceu entre eles, se ele chegou a dizer que a amava, como disse a mim. Talvez ele tenha seduzido todas as minhas predecessoras.

Esse pensamento me dá náuseas.

— Não precisa de mim, não é? — Ele se aproxima de mamãe, mas não chega tão próximo como costuma chegar de mim. É como se ele estivesse respeitando aquele limite da caixa invisível. Ele rouba um biscoito do recipiente e senta-se na beira da mesa com um floreio fantasmagórico das asas. — Bem, suponho que esteja

A. G. HOWARD

certa. Você certamente usou muito bem as informações que eu lhe dei. Eu lhe contei sobre os mosaicos para que você os mantivesse *seguros*. Aí então eu soube através de Alyssa que você pediu àquele professor desajeitado para trazê-los, publicamente, e ele deixou três deles sozinhos. Eu diria que você *precisa muito* da *minha ajuda.* — Ele joga um pedaço do biscoito dentro da boca para ser mais enfático.

— Espere aí. — Eu entro na cozinha com a cabeça completamente desorientada. — Foi Morfeu quem lhe contou sobre o meu trabalho? Você sabia que ele estava aqui? Achei que eu estivesse protegendo você... e o tempo todo você é que estava escondendo coisas *de mim.*

Com os lábios retesados, mamãe joga o tabuleiro de biscoitos na pia e abre a torneira. — Sem ter a série completa, eles são inúteis — ela retruca, respondendo a Morfeu, mas me ignorando. — Eu cuidei dos três que estavam comigo. Eu os escondi num lugar seguro. Onde nenhum de vocês, intraterrenos, ousaria tocá-los.

As suas palavras me lembram do que eu vi no espelho rotatório. — É por isso que você estava dentro do reflexo... ao lado daquela ponte? Os meus mosaicos estavam na sacola?

Mamãe volta-se para mim, franzindo o cenho.

— Ah! — Morfeu olha para nós, alternadamente. — Alison foi até a ponte de ferro, é? Estratégia brilhante, pular para Londres desse jeito.

Ponte de *ferro*... Morfeu uma vez me disse que os intraterrenos têm aversão a ferro. De algum modo, esse material interfere na magia deles, mas ele nunca me deu detalhes.

— Foi a única maneira que eu encontrei de manter os mosaicos a salvo — mamãe diz, como se lesse a minha mente.

— Naturalmente — Morfeu diz, provocando. — Chegou a visitar os nossos refúgios favoritos no Desfiladeiro de Ironbridge enquanto esteve lá? Andou de trem e reviveu algumas lembranças perdidas? — Ele estreita os olhos. — Foi por isso que você quebrou o espelho. Para encobrir seus rastros.

Ela volta a atenção para as panelas dentro da pia. — Se eu pudesse, fecharia todos os portais que entram e saem do País das Maravilhas — ela diz num resmungo, mais para si mesma do que para nós. — Para que a Vermelha e todos os que querem ferir Allie ficassem isolados em seu reino intraterreno sem poder voltar. É assim que deveria ser.

— Como se você fosse deixar isso acontecer. — Morfeu recoloca o chapéu. — Você fala de nós como se fôssemos de espécies diferentes. Mas você é igual. Violenta... manipuladora... e um pouco louca. Você é mais intraterrena do que humana, Alison. Não conseguiria ficar sem poder voltar ao coração de sua terra.

Bato a mão no balcão para chamar a atenção deles. — Alguém pode me dizer o que está havendo?

Em silêncio, mamãe limpa resíduos dos biscoitos com uma esponja. Água e sabão espirram em cima dela e escorrem pelo balcão.

Morfeu limpa a boca com o canto do pano de prato. — Alison enganou você para que você pensasse que ela é um indefeso botão de rosa. Mas foi tudo encenação, Alyssa. Sua mãe é cruel e teria dado uma Rainha Vermelha espetacular. Ela desejava aquela coroa de rubis de fato. E chegou muito perto de tê-la. Mas aí ela conheceu o seu pai... e não conseguiu completar os testes. Do contrário, ela nunca teria desistido, nunca teria permanecido no reino humano. E você, amoreco — o olhar dele se crava em meu rosto, as joias mais negras do que nunca —, nunca teria nascido.

Minha língua fica grossa e pesada feito pedra. Todas as perguntas que eu preciso fazer ficam retidas debaixo dela. Recuo para a entrada, onde as sombras oferecem conforto, colocando uma distância entre mim e as horrendas acusações de Morfeu.

Não. Mamãe *não pode* ter desejado ser rainha. Isso significaria que ela conhece a verdade. Que tudo o que conversamos na noite em que eu voltei do País das Maravilhas — os momentos ternos que compartilhamos no sanatório, quando eu lhe disse que nossa família não estava amaldiçoada —, afinal, era encenação. Isso significaria que ela vem *fingindo* ignorar tudo.

Se é esse o caso, sobre o que mais ela vem mentindo?

Pressiono uma mão sobre a boca. Morfeu tenta se interpor entre nós. Eu não permitirei.

— Não — eu digo. — Você... — Eu aponto para Morfeu. — Você me disse que eu era a primeira desde Alice a mergulhar na toca do coelho.

Ele levanta um dedo. — Não é bem assim. O que eu disse foi que você foi a primeira desde Alice a ser astuta o bastante para descobrir a toca do coelho sozinha e mergulhar nela. Eu levei a sua mãe até a toca do coelho, e ela me deixou que eu a conduzisse para dentro. Ela não era tão engenhosa quanto você. Acredito que esta tenha sido sua ruína, afinal. E também sua total e completa falta de lealdade.

Mamãe faz uma careta para ele.

Eu engulo um soluço. — Mas a Irmã Um, no cemitério aquele dia... disse que eu era a primeira a me apresentar para conquistar a coroa.

O olhar trocado entre mamãe e Morfeu é cheio de segredos.

— Talvez porque a sua mamãe nunca tenha chegado tão longe? — Morfeu oferece a resposta em forma de pergunta. Um sinal seguro de que ele está escondendo alguma coisa.

— Isso não teria importância — eu respondo. — A Irmã Um estava acompanhando o meu progresso o tempo todo que passei no País das Maravilhas, por causa do que ela ganharia se eu passasse nos testes. Ela teria feito a mesma coisa com a minha mãe. Não. — Dirijo as próximas perguntas a mamãe. — Você nunca estava lá. Você achava que os Liddells eram amaldiçoados. Você não sabia da verdade, não sabia para que eram os testes. Não até eu contar para você. Certo, mãe? Certo?

Ela enxuga as mãos em um pano de prato e começa a vir para a porta. — Allie — ela diz ao cruzar a soleira —, deixe-me explicar.

Morfeu a segue, a boca num ângulo sério. — Você deve a ela mais do que uma explicação. Você lhe deve desculpas por todos esses anos de fingimento.

— Olha só quem fala de fingimento — mamãe diz, fervilhando de raiva.

— Ora! — Em um movimento gracioso, Morfeu a encurrala contra a parede sem nem mesmo tocá-la. Mais uma vez, ele mantém aquela distância entre eles, uma linha invisível que ele não ultrapassa. — Você deixou que culpassem a mim por Alyssa ter sido atraída para o País das Maravilhas, pela desordem que virou a vida dela. Mas foi você quem deu as costas aos seus compromissos. Você fez uma escolha consciente que afetou o futuro de qualquer criança que você e o *fofinho* viessem a ter. É hora de você admitir isso.

Na penumbra, o cabelo loiro platinado de mamãe brilha e se retorce como fragmentos vivos de luar — tão evocativos quanto as plantas de nosso jardim lunar sob a brisa. Estou prestando tanta atenção nela que não percebo o que está acontecendo com Morfeu até ele grunhir.

As mariposas na aba de seu chapéu se debatem, como se tivessem ressuscitado. Elas erguem o chapéu de sua cabeça e ele tem que pular para pegá-lo. Os cantos da boca de mamãe tremem, reprimindo um sorriso de prazer.

Ela está manipulando as asas delas.

Reprimo um grito que cresce em mim, incapaz de negar o que está bem diante dos meus olhos: a magia dentro dela, que eu pensei nunca ter vindo à tona, está viva porque ela foi ao País das Maravilhas... está de volta.

Lembro-me do primeiro encontro com as flores no País das Maravilhas, como elas mencionaram que eu me parecia com "você sabe quem". Eu sempre achei que elas estivessem falando de Alice, ou talvez da Vermelha. Mas não era nada disso. Elas falavam da minha mãe.

Pressiono a espinha contra a parede com força suficiente para apertar os brotos das minhas asas. — A escrita borrada no livro *As Aventuras de Alice no País das Maravilhas* — eu digo em voz pouco mais forte que um sussurro. — Não foi Morfeu que fez aqueles borrões. Foi você. Você não queria que eu descobrisse que tinha estado lá.

Morfeu recoloca o seu chapéu na cabeça. Ele se inclina, apoian-do-se na parede perto de mim, com o calcanhar de uma bota repousando no rodapé. — A sua mãe quis trabalhar comigo desde o começo, quando ela tinha treze anos de idade e ouviu o chama-do intraterreno. Isso demonstra o quanto ela desejava o poder da coroa. Eu só precisava encontrar um modo de ela passar nos testes impossíveis do decreto do Rei Vermelho. Então, durante três anos, trabalhei em uma rota alternativa de obstáculos para atender às exigências dele, jogando com as definições que ele havia escrito, conseguindo que ela fosse aprovada em cada etapa...

— Você ia deixar a Rainha Vermelha viver dentro de você? — eu interrompo, encarando mamãe com incredulidade.

— Não é bem assim — Morfeu retruca. — Ao contrário de você, Alison planejava usar o desejo dela conforme eu instruísse, para banir a Vermelha do País das Maravilhas para sempre. E nós nem estaríamos aqui neste lamentável dilema se você tivesse escolhido fazer o mes-mo em vez de salvar a vida do seu insignificante namorado mortal.

Eu queria arrancar as joias dos olhos dele por ter dito aquilo, mas continuo imóvel.

Morfeu acena com a mão. — Isso não importa agora. Eu come-ti o erro máximo ao não fazer com que ela jurasse pela magia de sua vida terminar o que começou. Alison é uma traidora. Ela re-cuou porque conheceu o seu pai. Mas é revelador o modo como ela guardou todas as suas relíquias, precavendo-se para que ninguém mais pudesse seguir as pistas que eu dei. Talvez ela quisesse outra oportunidade de tentar conquistar a coroa um dia.

— Não é essa a razão, Morfeu — mamãe diz sibilando. — E você sabe disso.

Ele dá de ombros. — Podemos perguntar ao Rábido. Ele estava lá.

Eu balanço a cabeça. — Onde está o Rábido? — Com toda aquela loucura, eu havia esquecido que o deixamos sozinho no meu quarto.

— Eu o amarrei — mamãe responde. — Ele está se divertindo com as suas enguias. Terapia de eletrochoque. Penitência por ter colaborado com o que aconteceu com você no verão passado.

Fico aturdida com a indiferença dela e dirijo-me para o meu quarto, mas Morfeu se coloca no meu caminho.

— Ele está bem — ele me assegura, colocando uma mão em meu ombro. — A eletricidade não afeta a nossa espécie.

Eu me desvencilho dele. — É, mas pode não ser bom para as minhas enguias! — eu grito. — Elas devem estar apavoradas! — Morfeu e mamãe olham para mim como se eu estivesse ficando louca. Se estou, são eles os culpados. — Tire o Rábido de lá. Diga a ele que eu exijo saber por que ele está aqui.

Morfeu levanta uma sobrancelha para mim. Depois, com brilho de admiração nos olhos, ele retira o seu chapéu e faz uma mesura. — Como desejar, Majestade. — Ele lança um olhar significativo para minha mãe. — Você poderia tentar contar à sua filha a verdade, para variar. Conseguiu decifrar algum dos mosaicos antes de escondê-los?

Mamãe dá de ombros, com uma expressão amarga no rosto.

— Compartilhe o que viu... junto com tudo o mais que vem escondendo. Ela não sobreviverá ao ataque da Vermelha, a menos que esteja armada da verdade. — Morfeu me oferece um último olhar, as joias faiscando com o suave azul da compaixão, e recoloca seu chapéu. As suas botas estalam pelo chão de linóleo.

Quando os seus passos são abafados pelo carpete da sala, dou atenção total a minha mãe, esperando aquela explicação. — Os mosaicos — eu deixo escapar, embora não seja só para eles que eu desejo respostas.

Ela responde ao meu olhar com um olhar tipicamente seu. — Eu só tive tempo de decifrar um. Havia Rainhas Vermelhas lutando pela coroa de rubis, e a silhueta de outra mulher observando por trás de um muro de trepadeiras e sombras... alguém interessado no resultado... alguém que tem grande participação nisso tudo. Eu vi os olhos dela. Tristes, penetrantes. Mas eu estava com pressa. Foi só o que consegui ver.

Houve três Rainhas Vermelhas desde o verão passado: eu, Grenadine, a quem nomeei para reinar em meu lugar, e a própria Vermelha.

A. G. HOWARD

Isso deixa a dúvida sobre a quarta interessada, a que estava nas sombras.

Mamãe observa a minha expressão enquanto eu analiso as possibilidades em minha cabeça. A sua careta fica mais suave, tornando-se um compreensivo franzir de sobrancelhas, e ela volta a parecer a mulher que eu sempre conheci: a que me fazia picolés quando minha garganta doía; a que beijava os meus ferimentos e me cantava canções de ninar; a que se comprometeu a me salvar do País das Maravilhas.

Mas a mãe de quem eu me lembro não é esta. O cabelo desta mãe ainda está brilhando, a sua pele, cintilando feito neve sob a luz do sol. Esta mãe... esta *intraterrena*... é uma estranha para mim.

— Você esteve no País das Maravilhas — eu digo com a voz embargada.

— Não foi como ele disse, Allie — ela murmura. — Eu borrei as pistas nas páginas. Mas foi porque conheci o seu pai e quis pôr um fim definitivo nesta procura. — Ela torce o pano de prato em suas mãos. — Eu estava tentando decidir o que fazer com as relíquias. Foi por isso que as escondi. Eu não podia simplesmente jogá-las fora... eu tinha que descobrir um modo de consertar aquilo para que nenhum de nossos descendentes acabasse indo para o País das Maravilhas novamente.

A resposta dela faz um eco vazio no pequeno saguão de entrada. As suas palavras fazem um frio crepitante percorrer a minha espinha de cima a baixo. — Você sabia dos testes. Pior ainda, você os *provocou*. Por sua causa, Morfeu surgiu com aquelas coisas malucas que eu fiz no País das Maravilhas. Tudo para que você pudesse ser rainha. Depois, você o deixou lá plantado e eu virei a sua substituta.

Mamãe amassa o pano de prato. — Nós bolamos este plano antes de você nascer, Allie. Eu... eu não sabia que ia dar no que deu...

— Sério? — A palavra sai estridente e embargada. — Você não está entendendo! Você esteve no País das Maravilhas e nunca se deu ao trabalho de me contar! Você viveu o que eu vivi. Você tem

ideia do quanto eu precisava saber disso? Saber que não estava *sozinha*?

A sua expressão desmorona, mas ela permanece num silêncio enlouquecedor.

— Por que não me contou naquela noite no sanatório, quando eu me abri com você? — Os soluços que venho reprimindo se acumulam um no outro e a minha garganta dói mais do que quando aquele tubo de respiração foi enfiado nela. — Ou antes disso. Se você tivesse sido honesta desde o começo, quando descobriu que eu podia ouvir insetos e plantas. — Eu deixo escapar um soluço. Ele se divide em dois. — Isso poderia ter mudado tudo. O País das Maravilhas não estaria nesta bagunça porque eu não teria ido lá e estragado tudo.

Mamãe agarra-se ao seu pano de prato como a uma corda de segurança. — Não foi você quem arruinou tudo. Foi a Vermelha.

— Mas eu a *libertei* — eu digo num grunhido. — E, por causa disso, é responsabilidade minha consertar as coisas.

— Meu amor, não... — Ela larga o pano de prato e se aproxima.

Encurralada no canto, não consigo escapar, então dou um tapa em sua mão.

— Allie, por favor... — A voz dela falha.

Quase não dou importância à sua voz de mágoa. Tudo o que vejo é uma traidora. Os lírios no meu quarto de hospital referiam-se a ela. Era *ela* quem me trairia da pior maneira possível.

— Você é inacreditável — eu digo por entre os dentes cerrados. — Você planejou consertar as coisas para todos nós, não é? Você, que tinha tanto *medo* de tudo que dizia respeito ao País das Maravilhas. Você, que pensava que a nossa família estava amaldiçoada até eu afirmar o contrário. Você, que entrou no espelho hoje, com uma chave que manteve escondida durante meses, se não anos. Por quê? Por que você queria voltar algum dia e tornar-se rainha? Você pretendia contar ao papai antes de abandoná-lo?

Ela abre a boca para responder, mas eu continuo com as acusações antes que ela consiga.

A. G. Howard

— Esse tempo todo, você regulando minhas roupas e minha maquiagem... não era porque eu parecia muito selvagem ou arrogante. Era porque eu parecia demais com uma intraterrena. E isso a lembrava de tudo o que perdeu. Não é?

Ela fica fungando, mas não responde.

— Você martelou na minha cabeça que não queria que eu cometesse os mesmos erros que você... me apaixonar ainda muito jovem e perder a chance de ser artista. Eu não conseguia compreender por que você não começava tudo novamente, agora que tinha se libertado, por que não ia atrás da carreira que tanto desejava. Mas, na verdade, você nunca quis ser fotógrafa. Papai a impediu de tornar-se rainha. E, agora, eu detenho a coroa. Você deve mesmo estar ressentida conosco.

— Não, Allie...

Torno-me surda para ela. Não consigo ouvir além das mentiras.

— Como pode guardar mágoa de alguém tão incrível quanto o papai? Ele foi leal durante *onze anos*. Ele foi sempre verdadeiro com você e esperou você ficar boa. Todas as noites em que ele ficava sentado sozinho na sala de estar... ansiando pela esposa... olhando para aquelas margaridas idiotas que escondiam todos os seus segredos. Ele merecia a verdade, mãe. — Mais um soluço escapa de minha garganta. — *Nós dois* merecíamos!

Lágrimas rolam pelo seu rosto sob a luz turva.

Ela foi internada para me proteger quando eu era pequena — essas memórias ameaçam apaziguar a minha raiva. Mas como eu posso saber de verdade o motivo de ela ter feito o que fez? Talvez ela só não quisesse que eu me tornasse rainha em seu lugar, e foi por isso que tentou cortar a minha ligação com o País das Maravilhas. Talvez seja ela no mosaico. Talvez seja ela nas sombras, observando e aguardando a oportunidade de usurpar a coroa.

A desconfiança que desabrocha abafa qualquer outro traço de compaixão, e eu profiro o insulto mais cruel que consigo pensar. — Eu não sei mais quem você é. Mas de uma coisa eu sei: você é mais mentirosa do que Morfeu jamais conseguiu ser.

Rota de Colisão

Eu não consigo encarar a expressão arrasada de mamãe, então eu a ignoro, recolho a cauda de meu vestido e vou direto para a sala dos fundos.

Ela fica para trás, os seus soluços suaves ecoam mais alto do que qualquer grito... mais alto do que o trem que quase me atropelou hoje cedo. Talvez fosse melhor que eu tivesse sido atropelada. Seria uma dor momentânea que depois cessaria. Não se demoraria, não me devoraria como faz agora.

Pobre papai. Não consigo acreditar no quanto ela foi desonesta com ele — o homem que ela jurou amar e ser sua eterna companheira. E eu estou ficando igual a ela, mentindo para o homem que amo. Algo que nunca mais quero fazer...

Os passos de mamãe se arrastam, pesados, pela sala de estar; em seguida, a porta de trás bate com força. Em vez de vir atrás de mim, ela foi para o seu jardim comiserar-se com as suas plantas tagarelas. Combina com ela. As plantas a conhecem melhor do que eu.

Eu me apoio na parede diante de meu quarto, procurando parar de tremer antes de encarar Morfeu. Com o peito enfunado e os olhos pinicando, dou uma espiada pela porta.

Há algumas poças de água na base do aquário. As enguias parecem bem, deslizando por entre as bolhas como se nada tivesse acontecido.

Na minha cama, Rábido Branco está embrulhado numa toalha de banho. A única parte à mostra do intraterreno do tamanho de um coelho é a sua careca: olhos rosados de corça cravados em sua franzida pele de albino. Chifres brancos e felpudos se erguem por trás de suas orelhas humanoides.

Ele está tão deslocado aqui. Ele precisa voltar. O problema é que, com o meu espelho giratório quebrado, não tenho um espelho grande o suficiente para enviá-lo a Londres para que ele entre na toca do coelho. O mundo intraterreno mais uma vez me controla com essas passagens só de ida ou de vinda. Os portais dos reinos Vermelho e Branco só levam *para fora* do País das Maravilhas. A toca do coelho só leva *para dentro*. Gostaria que houvesse um modo de contornar essas regras.

Eu também gostaria de ser tão despreocupada quanto Morfeu.

Ele está sentado à moda indiana diante do Rábido, numa cena tão bizarra quanto comovente, como um amigo confortando o outro. Ele enfiou fones de ouvido nas orelhas humanoides do Rábido. A cara anciã da criatura é só fascínio, acompanhando o ritmo da música.

Sou tomada por uma onda de afeição pelo Rábido e por Chessie e por todos os intraterrenos do País das Maravilhas — rapidamente seguida por uma onda de raiva de Morfeu. Ele fez com que eu acreditasse que ele usou a mente de minha mãe para se aproximar de mim quando eu era ainda muito jovem porque estava desesperado para se livrar do feitiço que o prendia. Eu já aceitei isso e, até certa altura, posso compreender. Uma das coisas que ele e eu temos em comum é o nosso medo de ficarmos restritos ou presos, seja da maneira que for — mente, corpo ou espírito.

A. G. HOWARD

Agora eu desconfio que ele queria se vingar de mamãe por ela não ter honrado o acordo entre eles. Isso é algo que eu não posso perdoar.

Morfeu oferece ao Rábido alguma coisa brilhante e prateada para brincar. É o dedal de Jen. Ela deve tê-lo esquecido na pressa de arrumar as coisas e sair. O Rábido tenta comê-lo, mas Morfeu o detém.

— Aqueça-o com seus olhos — ele orienta.

O Rábido aguça suas íris brilhantes até elas ficarem incandescentes. Sob sua concentração, o dedal fica da cor laranja.

Morfeu coloca o pequenino copo invertido em uma das quatro pontas da antena esquerda do Rábido. O brilho laranja penetra em seu chifre peludo e evapora cada gota de água em seu caminho, como se o calor viajasse por ele.

— Agora só precisamos de mais sete para secá-lo e aquecê-lo — diz Morfeu, e depois ri quando o Rábido estala as mãos ossudas num aplauso.

Eu não sei o que pensar, vendo o meu obscuro torturador cuidando de alguém de sua espécie — gentil e brincalhão. Ele também é assim comigo, às vezes.

Tento resistir às lagrimas que brotam por dentro de meus cílios. Estou tão absolutamente sozinha e confusa, mas uma rainha não permite que suas vulnerabilidades apareçam.

Ao entrar, faço um pigarro.

Morfeu levanta os olhos. A sua verdadeira aparência se esvai por baixo da fantasia de Finley, embora reminiscências de suas joias ainda permaneçam. Elas piscam num fosco lilás acinzentado, o mesmo tom de minhas botas. É a cor da confusão, como se ele demonstrasse empatia para com o meu tumulto interior. Como se ele não tivesse contribuído em nada para ele.

— O que a sua mãe lhe disse sobre os mosaicos? — ele pergunta.

— Por que ele está aqui? — eu desvio da pergunta, apontando para o Rábido. Não sei ao certo se posso confiar em Morfeu e contar alguma coisa que mamãe disse, ou se posso falar de minha desconfiança sobre as razões dela.

Antes que Morfeu possa responder, o Rábido percebe a minha presença. Seus olhos rosados aumentam.

— Majestade, hoje e sempre seu! — O intraterreno larga a toalha e derruba o dedal do chifre. O cheiro de água de peixe e ossos empoeirados me adentra o nariz.

O Rábido desloca-se rapidamente para a beira do colchão, salta ao chão e faz uma mesura. Os fones de ouvido saltam e se enredam em seus chifres. Morfeu pega as pontas do colete ensopado da criatura para impedir que ele caia de cara sobre o carpete cheio de cacos de vidro.

— Penitente ser eu. — O Rábido entrelaça os seus dedos esqueléticos uns nos outros em um gesto de prece. A saliva branca e espumante, que lhe valeu o nome, pinga dos lábios.

— Por que você é penitente? — eu pergunto, cautelosa.

Seu olhar brilhante se arrasta pelos pedacinhos de vidro que cintilam no chão. — Quebrar seu portal *não* fui eu.

Eu franzo a testa. — Eu sei. Foi minha mãe.

A criatura curva a cabeça. — Traí meu reino... assim diz a Rainha Grenadine. — Ele oferece um pedaço de fita vermelha amarrado com um laço.

Grenadine já nasceu uma irremediável amnésica. Os laços que ela usa nos dedos dos pés e mãos são encantados com a habilidade de lembrá-la de coisas importantes que, do contrário, ela esqueceria.

Um sussurro me saúda quando eu aperto a fita de veludo contra a minha orelha. *A Rainha Vermelha vive e procura destruir aquele que a traiu.*

A impressão digital sobre o meu coração, deixada pela Vermelha como um alerta no verão passado, se alarga — um impacto agudo que tira o ar dos meus pulmões. Deixo a fita cair e ela sai flutuando. Os meus olhos encontram os de Morfeu. Ele ergue uma sobrancelha, fazendo a cicatriz na têmpora de Finley se enrugar.

— O que isso tem a ver com você? — eu pergunto ao Rábido, tentando não deixar a minha voz tremer.

A. G. Howard

— Prenderá mim, disse a Rainha Grenadine. — Ele ergue as mãos na minha direção, os ossos rangendo enquanto espera ser algemado. — Amarras por ti usarei, Rainha Alyssa. Contrito ficarei. — Ele cai sobre seus joelhos cadavéricos.

Eu me contraio quando ele aterrissa com força sobre o vidro quebrado, mas me controlo. Ossos não são tão suscetíveis a cortes superficiais.

Morfeu tira o seu chapéu e fica de pé, elevando-se sobre o Rábido.

— O que você sabe sobre isso? — eu lhe pergunto.

Uma sombra de asas distorce o ar atrás dele, como uma onda de calor irradiando do asfalto num dia de verão. — Ele ajudou a Vermelha a encontrar um corpo para habitar. Foi por causa dele que o espírito dela sobreviveu.

Volto a atenção para o meu súdito ajoelhado. — Por que fez isso? Você jurou lealdade a mim.

O Rábido estremece, e os seus ossos fazem um ruído igual ao de galhos de uma árvore roçando um no outro. — Outras obrigações estragaram boas intenções... — Grunhindo, ele mantém a cabeça abaixada. Seus chifres lhe cobrem a cara.

— Como você sabe, a Vermelha salvou a vida dele uma vez — Morfeu esclarece, acomodando o chapéu na cabeça. Ele desliza um dedo pelas mariposas que permeiam a aba. — O Rábido teve de pagar sua dívida para com ela. Somente ela poderia libertá-lo.

— Libertá-lo? — pergunto.

— Libertá-lo para ser o seu leal súdito — Morfeu explica. — Ele fez uma troca. A vida da Vermelha por sua lealdade. Para poder servir a você para sempre, ele teve de traí-la pela última vez.

Lógica revestida de asneiras. Algo de esperar, vindo do País das Maravilhas. — Então a Vermelha está aqui? — eu pergunto, reprimindo um aperto de pavor em meu peito.

O Rábido não responde. Tudo o que aconteceu hoje — Taelor ter visto eu e Morfeu juntos, o sumiço dos mosaicos, o passeio de carro quase fatal, a traição de mamãe — paira sobre mim, uma nuvem tóxica de emoções negras. O poder dentro de mim implora para ser libertado, prometendo *fazê-lo* falar. Fazê-lo obedecer.

Rendo-me a ele: imagino os fones de ouvido se erguendo e serpenteando feito cobras. E a música que eles tocam fica mais alta e aguda. O Rábido tampa os ouvidos, uiva e recua. Os fones o seguem e o atacam. Embora eles não tenham presas, nem veneno, são terríveis em sua perseguição.

Com um sorriso entretido, Morfeu se afasta para permitir que o Rábido pule para o colchão. Os fios pretos deslizam pela borda atrás dele.

— Os insetos, ouvir deveria! — o Rábido berra enquanto as cordas atacam e se enroscam em seus chifres, prendendo-o contra o colchão de barriga para cima. — Por favor, Majestade!

Eu ergo a mão e os fones afrouxam.

— Eu perguntei: *a Vermelha está aqui?* — O poder por trás de minha voz surpreende até a mim.

O Rábido balança a cabeça em negativa enquanto Morfeu ajuda a desemaranhar seus chifres. — Uma flor escolheu ela ser. Liderar a floresta numa revolta. Amplificar os biscoitos para todas. Espinhos do tamanho de garras de dragão. Primeiro, acordam os mortos. Balançam os alicerces, libertam os consagrados. — Saliva espumosa e branca pinga dos cantos de sua boca. — Depois, dividir e conquistar os vivos. Escravizar a todos.

O terror, tão obscuro quanto as asas de um corvo, lança uma sombra em meus pensamentos. Então era isso que os insetos estavam tentando me dizer. Eles não estavam se referindo às flores aqui do reino humano, mas às flores do País das Maravilhas. A Rainha Vermelha reuniu um exército de flores gigantes.

— Não vai dar certo, vai? — pergunto a Morfeu, enquanto ele ajusta o volume dos fones de ouvido e persuade o Rábido a voltar a ouvir música. — O cemitério é terreno sagrado, certo? Nenhum intraterreno puro pode entrar pelos portões do cemitério. Foi isso que você me disse.

Morfeu puxa a toalha da cama e vai até o aquário, secando as poças. — Isso é verdade para aqueles de nós que *vivem* — ele responde sem se virar —, mas a Vermelha é um habitante morto

A. G. HOWARD

em um corpo vivo. Ela não é mais regida pelas leis naturais de nosso mundo.

O uso leviano do termo *natural* em referência ao País das Maravilhas quase me faz rir.

— A Vermelha pode cruzar as fronteiras dos portões do cemitério porque parte dela já pertence àquele lugar — ele continua. — Se ela conseguisse chegar lá dentro, poderia libertar os mortos, pois conhece os segredos do labirinto. Mas teria que passar pelas Irmãs Twid. Isso não seria nada fácil.

— Eu me recordo. — Os meus pés ficam nervosos quando imagino as metades inferiores dos corpos das duas irmãs por baixo de seus vestidos. A Irmã Um até que tem lá seus atrativos, mas a Irmã Dois...

Eu estive em seu lado do cemitério, senti o frio das lâminas próximo ao meu pescoço quando ela me ameaçou com a sua mão mutante. Fiquei debaixo de suas árvores ornamentadas por brinquedos possuídos pelos espíritos dos mortos. Nunca esquecerei como os seus olhos me trespassaram de agonia.

— Quando as gêmeas se unem — Morfeu continua —, são os dois intraterrenos mais formidáveis daquele mundo. A única maneira de derrotá-las é colocá-las em desacordo, de modo que não trabalhem juntas. Como as duas irmãs odeiam a Vermelha por ela ter conseguido escapar no ano passado, é duvidoso que ela tenha conseguido separá-las. — Ele diz a palavra *duvidoso* em voz mais baixa, enquanto desliza o dedo pelo vidro do aquário. A sua silhueta se mostra perturbada enquanto minhas enguias seguem seu dedo, fascinadas.

Morfeu adora o seu mundo. É por isso que ele está tão determinado a conseguir a minha ajuda. Eu vi a destruição em meus sonhos e a violência em meus mosaicos. Seria doloroso ver aquela linda terra, tão única e bizarra, sucumbir perante os ditames da Vermelha.

A náusea me acomete. Todo esse desastre é culpa minha. Eu o tornei possível ao secar o oceano no ano passado, ao abrir um ca-

minho para as flores entrarem no coração do País das Maravilhas, e ao libertar o espírito da Vermelha do cemitério, de onde ela pôde ter acesso a um novo corpo.

Vou aos tropeços para a minha cama, quase caindo sobre o vestido. Morfeu num instante surge ao meu lado e me firma, colocando-me sentada ao lado do Rábido.

O Rábido larga os fones de ouvido no chão, aproxima-se depressa e dá tapinhas em minha mão enluvada, os dedos frágeis pegando na renda. — Majestade — ele entoa em voz sentimental. — Por favor... não exílio para Rábido da família Branco. Sempre seu leal súdito. Ficar sempre consigo. — Ele enfia a mão dentro de seu colete molhado e me oferece uma chave que se parece exatamente com a minha, com um rubi na ponta.

— Você não vai ficar aqui — eu respondo, envolvendo seus dedos ossudos na chave. Eu aponto para o armário atrás de nós. — Volte lá para dentro até conseguirmos encontrar uma maneira de você voltar para casa.

Os olhos rosados do Rábido perdem sua luz, como se uma cortina de algodão-doce caísse sobre eles. Ele enfia a chave no bolso interno do casaco e treme. — Rábido molhado.

Tocada pelo seu desconforto, pego o dedal e o entrego a ele. — Pode se secar, e fique quietinho lá dentro.

A luz em seus olhos volta a brilhar. — Um prêmio para guardar! Generosa a senhora é! — Ele enfia o dedal em seu chifre, apressa-se para atravessar a cama, desce e vai trancar-se no armário, deixando-me a sós com Morfeu.

— Você disse *casa*. — Morfeu olha para mim com esperança. — Você admitiu. O País das Maravilhas é a sua casa.

Eu balanço a cabeça. — Eu quis dizer a casa *dele*.

Não quis?

Afasto as dúvidas de minha mente, novamente desconfiada do papel de Morfeu em tudo isso. — Você estava com as flores no meu sonho, quando eu me afogava. — Direciono a ele um olhar incisivo.

A. G. HOWARD

Ele dá um passo atrás, ralhando. — É óbvio que a Vermelha ainda não as havia aliciado para auxiliá-la em sua causa. Pare de encontrar motivos para duvidar de mim. Precisamos trabalhar juntos.

Os meus dedos deslizam pelas pérolas de meu vestido, permitindo que a sua protuberância lisa e fria me acalme. — Eu não sei como trabalhar com você.

— Você sabia quando fomos parceiros na infância — ele responde com a expressão mais próxima da humildade que eu já vi em seu rosto.

Cerro os meus punhos em torno do tecido de meu vestido. — Antes de eu saber que você é um mentiroso. Você e minha mãe. É só isso que os intraterrenos sabem fazer. As únicas pessoas em quem posso confiar são... *pessoas*. Meu pai, Jeb, Jenara. Os humanos nunca me decepcionaram. Não como você.

Seus olhos negros se abrandam, atingindo uma emoção tão profunda que me surpreende. Ele realmente parece magoado. — Talvez porque você me coloque num outro patamar. Você não me dá o benefício da dúvida como dá a eles. Você age como se eu nunca tivesse feito nada certo por você.

Minha atenção se volta para minhas mãos enluvadas. Ele me treinou para conhecer as criaturas do País das Maravilhas, para compreender como posso sobreviver no reino intraterreno. Ele permaneceu ao meu lado no carro ainda há pouco, diante de um trem... e não foi a primeira vez que ele enfrentou a morte para que eu não precisasse encará-la.

Ele tem os seus momentos de coragem, ternura, e até de abnegação. Mas colocará qualquer pessoa ou qualquer coisa em risco em um átimo de segundo se isso o levar aonde ele quer. Levanto os olhos para encarar Morfeu. — Conquiste a minha confiança.

— Como? — ele pergunta.

— Dizendo a verdade. O que aconteceu entre você e mamãe? Você seduziu todas as mulheres da família Liddell? Disse a todas elas as mesmas palavras bonitas que disse para mim? — Enrosco

as pernas por baixo do vestido, sentindo-me pequena e vulnerável por perguntar.

Morfeu afasta alguns cacos de vidro com a bota e se ajoelha. Ele toma a minha mão na sua. — Conheci não mais do que três gerações de mulheres Liddell. Contando com as de Londres, foram em torno de vinte. A maioria era distraída e inatingível... elas não ouviam o chamado intraterreno. As outras não foram fortes o bastante para encarar sua linhagem sem perder a razão. Quanto a Alison, ela e eu fomos parceiros de negócios. Nunca houve mais do que isso entre nós. Só há uma Liddell que eu desejo, somente uma que conquistou a minha devoção eterna. — Ele enfia a ponta de um dedo na renda que cobre o meu cotovelo e tira a minha luva. — Aquela que foi minha amiga mais leal... que tomou o meu lugar e enfrentou o ataque que era dirigido a mim.

Eu seguro a respiração enquanto ele desliza o polegar sobre as cicatrizes na palma de minha mão.

— Mas eu não sabia o que estava fazendo — eu insisto. — Eu era uma criança ingênua que queria proteger o seu inseto de estimação.

— Não acredito nisso. — Ele segura a minha mão na dele. — Sacrificar-se é algo inato em você. Sua mãe queria a coroa pelo poder, mas você enfrentou os testes do País das Maravilhas para salvar a sua família; assim como enfrentou o *bandersnatch* pelo Chessie; e depois a Vermelha... você enfrentou a Vermelha sozinha, por Jebediah. Não pode enfrentá-la uma última vez, comigo ao seu lado, pelo País das Maravilhas?

Tento puxar a minha mão, mas ele me segura com mais força. — Por favor, já basta.

— Nunca bastará — ele insiste, conduzindo a minha mão ao seu peito para que eu possa sentir o seu coração batendo. — Eu não vou parar até que você reine sobre a corte Vermelha para sempre. Até que você volte para o lugar ao qual pertence.

— Eu não pertenço àquele lugar.

— Pertence, sim. Por causa de quem você é. *Do que* você é. Uma metade transbordando de obscura curiosidade e um apetite voraz por tudo o que é insano. Mas a outra metade é sonhadora e leve, cheia de coragem e lealdade. — Ele morde o lábio inferior, um gesto tão mínimo que poderia ser objeto de minha imaginação. — Nada pode quebrar os laços que você inspirou em meu coração. Porque você é o País das Maravilhas.

A infinita profundidade de seus olhos é, ao mesmo tempo, nefasta e tranquila. A luz faz cintilar o vidro no chão em torno dele, salpicando seu rosto como se ele tivesse um manto de estrelas. Em algum lugar existe uma lembrança dele assim — uma criança encantada sentada sob as constelações do reino intraterreno e me dizendo a mesma coisa: *Você é o País das Maravilhas. É sua essência; aceite-a e poderá governar o nosso mundo...*

A lembrança, como este momento, é uma coisa viva — sorvendo a minha alma, quente o bastante para queimar, mas que congela o meu sangue.

— Alyssa — Morfeu murmura. — Nós fomos crianças juntos. Eu esperei pelo seu retorno durante mais anos do que o seu cavaleiro mortal sabe de sua existência.

Não consigo sustentar seu olhar novamente... não consigo encará-lo, nem a tentação que ele despertou. Eu quero ceder, abraçá-lo e ao País das Maravilhas e às suas amáveis, embora macabras, criaturas para apropriar-me de toda a beleza insana e do poder que lá aguarda por mim e nunca mais sair.

Mas não é o certo. Não é o futuro que eu planejei. O meu lugar é ao lado de Jeb e das pessoas que eu amo aqui.

Retiro a minha mão da mão de Morfeu. Somente o zumbido do aquário e o som das bolhas saindo do filtro quebram o silêncio.

Morfeu suspira. — Chega de indecisão. É hora de irmos para o País das Maravilhas.

— Não sairei daqui até encontrar um modo de contar a verdade a Jeb — eu digo. — Quero que o meu futuro com ele seja baseado na honestidade. Ele tem que saber por que eu irei... onde estarei. Quando voltarei.

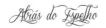

A expressão de Morfeu é suave, mas decidida. — Você já esperou muito tempo tentando ignorar o que está acontecendo. Se a Vermelha ainda não está aqui, estará em breve... e todos os mortais que você ama estarão em perigo. É isso o que você quer?

Solto um gemido e enterro o rosto nas mãos. — É claro que não — respondo para meus dedos.

— Seu lugar é o de rainha. A Vermelha não pode vencer — Morfeu insiste. — Desta vez não é um jogo. É vida e morte.

Desta vez não é um jogo.

Desta vez.

Largo as mãos na beira da cama e me ponho de pé. Ele segue o meu movimento, parecendo intrigado. Embora eu quase não chegue à altura do seu peito, uma onda de ressentimento faz com que eu me sinta muito mais alta do que ele.

— O que você chamou de jogo na última vez foi vida e morte para mim. — Não consigo evitar um rosnado. — Foram você e mamãe que me forçaram a fazer todas aquelas peripécias. Vocês dois juntos devem ter magia suficiente para derrotar a Vermelha. Por que eu tenho de desistir dos meus planos para arriscar a minha vida novamente?

O humor de Morfeu muda de suave a desafiador em questão de segundos. Ele agarra meu queixo de modo que não consigo olhar para nada além dele. O toque me surpreende, porque as mãos de Finley não são tão macias e etéreas quanto as de Morfeu. Elas são calejadas e humanas, como as de Jeb.

— Você é tão responsável quanto nós — Morfeu diz. — Por não seguir as minhas instruções ao pé da letra. Você escolheu dar ouvidos ao sentimentalismo mortal em detrimento do gênio intraterreno. O mesmo erro que ela cometeu ao escolher seu pai. Você me desapontou uma vez, Alyssa. Não ouse fazê-lo novamente.

Consigo soltar meu queixo. — *Eu* desapontei *você*? — Estou tão cansada dessa arrogância. — É melhor você ir. Eu já estou cansada de olhar para a sua cara.

Ele ri; com malícia, mostra os dentes brancos. — Você quer dizer, a cara de Finley.

A. G. HOWARD

Eu recuo, pensando mais uma vez no homem aprisionado no País das Maravilhas. — Saia — eu insisto. — Quero você fora daqui antes que o meu pai chegue.

Como Morfeu não se mexe, eu animo os fones de ouvido para atacar as suas botas.

Ele os chuta para longe. — Faltou imaginação, amorzinho. Você precisará fazer melhor para me derrotar. Essas coisas grotescas não vão nem arranhar a armadura da Vermelha.

Ele tem razão. Mas estou emocional e fisicamente exaurida. Sinto uma dor que começa em meu coração e desencadeia por meus músculos, ossos e sangue.

— Preciso de tempo para descansar — eu sussurro. *Sem mais revelações, sem mais discussões.* — Saia. E não visite meus sonhos esta noite.

Morfeu sopra e bufa a caminho da porta. — Como se eu pudesse, nesta forma.

Ele está quase no corredor quando eu o seguro pelo cotovelo. — O que quer dizer?

Tenso ao meu toque, ele se vira: — Gasto os meus poderes sustentando esse maldito encanto do Finley. Eu não tenho entrado em sua mente nem em seus sonhos desde que você desmaiou na água.

— Está mentindo.

Ele dá a volta em mim, bate a mão no alto da porta e me imprensa entre ele e a parede. — O que a faz pensar que eu estive em seus sonhos? — Por baixo de seu sinistro olhar, as suas joias brilham num amarelo-laranja, como solidagos, o tom da apreensão.

— Para começar, porque você mandou aquele palhaço para o hospital.

— Eu já disse que não mandei brinquedo nenhum.

— Mas ele está em todo lugar onde você está. Estava no espelho da escola, chacoalhando aquele globo de neve de minha lembrança da Loja de Excentricidades Humanas. E depois teve a espada de sangue com a qual eu sonhei — coberta com suas impressões digitais.

Ele se aproxima. — Você teve um sonho com o seu sangue? Por que não me disse isso antes?

— Porque você já *sabia.* — Eu enterro as unhas nas palmas das mãos, querendo estrangulá-lo.

— Não, Alyssa. Eu não sabia. Esse sonho pode ser simbólico, implantado em sua mente pela magia de sua coroa. Pode ser que o seu sangue seja usado como uma arma... possivelmente contra você.

— Não. Você disse que a Vermelha não pode usar o meu sangue porque ela não é humana.

Com a mandíbula cerrada, Morfeu aperta o batente da porta. — Você é a criatura mais chata que eu já tive o desprazer de conhecer!

Eu olho para as minhas botas. Sinto uma comichão na orelha quando ele pega minha mecha de cabelo e a puxa para atrair minha atenção.

Sua expressão suaviza. — Eu nunca, jamais, aleguei ser digno de confiança — ele afirma veementemente. — Mas uma coisa eu posso dizer com toda a sinceridade: eu sempre a incentivei a encontrar o melhor em você.

Eu bufo. — É verdade. Mesmo que eu termine morta.

Ele balança a cabeça. — Nada disso. Nossos destinos estão interligados. *Esta* é a verdade absoluta acerca do tempo que passamos juntos. Então é lógico que eu queira que você vença.

Libertando o meu cabelo, eu o empurro com os punhos. — Nada acerca de você ou do País das Maravilhas faz sentido. E a única "verdade absoluta" é que a vida seria muito mais fácil se eu esquecesse o seu ego enorme e que existe um outro mundo.

Um tremor lhe percorre os traços, primeiro leve, depois mais forte. Os seus músculos sofrem espasmos por baixo da camiseta, enviando uma sensação de formigamento para os meus dedos. — Você quer que eu não exista?

Antes que eu possa responder, ele recua e tira o chapéu da cabeça. Em seguida, livra-se do colete e da camiseta, largando-os no chão aos meus pés. Depois de tirar o seu colar e as pulseiras, ele fica me encarando, só de jeans e botas.

O peito e os abdominais de Finley são bronzeados, definidos e cheios de cicatrizes. Outra tatuagem — um crânio furioso com ossos cruzados — lhe cruza os peitorais, mas eu vejo, através de tudo isso, a macia pele de porcelana de Morfeu.

Eu o observo apreensiva. — O... o que... está fazendo?

— Estou limpando o caminho para o meu ego enorme. — Suas longas pernas fecham o espaço entre nós. Ele pega a minha cintura. Eu me debato, mas ele me levanta até eu ficar ao seu nível contra a parede, com o meu queixo quase tocando o dele.

Eu engulo e elevo o olhar, empurrando os seus ombros musculosos.

Ele se aproxima como se fosse me beijar.

Eu fico dura. — Morfeu, não.

Ele hesita, resmunga e em seguida me abaixa. A malha e o cetim de meu vestido ficam presos entre mim e a parede. Quando os meus pés finalmente tocam o chão, o vestido está enrolado em minhas coxas, revelando mais de minhas pernas nuas do que eu gostaria. Puxo o tecido para baixo, ruborizada.

Ele sorri maliciosamente e eu invisto para tirar, com um tapa, a soberba de sua expressão. Sem perder um segundo, ele desvia de mim e acaba no meio da sala.

— Sugiro que fique onde está, *Majestade* — ele diz antes que eu volte a me mover. — Não iria gostar de ser pega no fogo cruzado.

As pontas de seus dedos explodem em esferas de luz quando ele ergue as mãos. Filamentos azuis de eletricidade alcançam todos os cantos da sala. O vidro do chão chacoalha e salta, como se um terremoto estivesse sacudindo a casa. As minhas enguias se escondem em sua caverna e o Rábido choraminga dentro do armário.

A sombra das asas de Morfeu assoma por trás de seus ombros, e então o envolve, como uma margarida dos campos se fechando quando a luz do sol queima as suas pétalas. Ele é rapidamente envolto por uma nuvem espessa como neblina que tem aroma da fumaça de narguilé, com ecos de relâmpagos azuis dentro dela.

Em um piscar de olhos, as suas asas se manifestam por inteiro e cortam a fumaça do narguilé, jogando-a para trás e revelando-o em

seu estado verdadeiro: sem defeitos, pele alva, marcas curvas feito heras abaixo dos olhos. As joias em forma de lágrimas faíscam, luminosas e ofuscantes através de um arco-íris de cores, tantos humores que não podem ser lidos.

O cabelo aparado de Finley transforma-se numa massa de cachos azuis à altura dos ombros, desgrenhada devido à estática da magia que ainda emana das pontas dos dedos de Morfeu. Suas asas se estendem atrás dele — intimidadoras e ao mesmo tempo majestosas.

Todos os traços do encanto se foram. É Morfeu em carne e osso.

Encosto na parede, minhas asas em botão coçam para juntar-se a ele em sua metamorfose. As tatuagens desapareceram de seu antebraço e a sua marca de nascença cintila num leve azul, espirais de magia contraem-se feito uma serpente abaixo dela.

Meus dedos tremem, lembrando de como o tocaram no verão passado... de como ele me curou.

Com um grande floreio, ele extingue os impulsos elétricos de suas mãos.

— Vamos ver como se sairá sem mim. — A sua voz é áspera e seca. — Aposto que vai estar de joelhos implorando para que eu retorne antes de chegar à escola amanhã. — Ele joga as chaves do carro no chão, por cima do chapéu e das outras peças de roupa.

Ele se transforma em uma enorme mariposa e paira no ar. A sua voz irrompe em minha mente: *Não a procurarei em seus sonhos, nem esta noite nem em nenhuma outra. Você terá de me encontrar agora. Estarei oculto entre as lembranças perdidas. Durma bem, amor.*

E então, com um bater de asas, ele sai pela porta e da minha vida — desaparecendo tão rápido quanto penetrou nela.

Prova

No instante em que Morfeu parte, sou tomada de arrependimento. Quanto mais eu penso, mais claro me parece: ele não visitou a minha mente nenhuma vez desde que apareceu usando a imagem de Finley. Mesmo em meu sonho no hospital, não era a voz dele que eu ouvi. Era um sussurro que poderia ser de qualquer pessoa. Inclusive o meu.

Ele dizia a verdade. Ele abriu o seu coração e eu o dilacerei. Ele só deseja salvar o País das Maravilhas, e eu não consigo deixar de agir como covarde.

A luz do pôr do sol é filtrada pelas persianas e refletida no vidro no chão, projetando desenhos rosados sobre as paredes. Tal serenidade está fora de sintonia com os meus sentimentos. Não consigo forçar-me a recolher os pedaços do espelho. Tanto foi quebrado hoje. Foram tantas coisas que eu nem sei como começar a consertar todas elas.

O ruído de alguém roncando me distrai de minha culpa, conduzindo-me ao armário. O Rábido está enrolado feito uma bolinha no chão. Algumas roupas caíram dos cabides e eu as arrumo sobre ele para camuflá-lo. Ele estala os lábios e se aninha ainda mais na cama de sapatos e cintos. Por mais estranho e assustador que ele seja quando está acordado, é adorável quando dorme — até vulnerável.

Sua segurança é minha maior prioridade. Preciso mandá-lo de volta pela toca do coelho. Não podemos correr o risco de papai ou outros humanos se depararem com ele.

A loja Fios de Borboleta tem espelhos de corpo inteiro cobrindo as paredes. Se eu pegar o carro de Morfeu antes de papai chegar em casa à noite, ganharei algum tempo antes de ter de explicar o que ele está fazendo na porta de nossa garagem.

Posso entrar na loja com o Rábido escondido. Ele tem o tamanho de um coelho. Vai caber na minha mochila. Podemos chegar lá antes que Jen feche e tranque as portas. Vou levar o meu vestido do baile e sugerir que eu feche a loja para ela poder sair mais cedo e terminá-lo.

O plano é infalível. Mas a pergunta é: o que acontece *depois* de eu mandá-lo de volta? Morfeu se foi. Isso significa que eu tenho de recorrer a mamãe, tenho de procurar confiar nela. Talvez ela tenha alguma ideia de como podemos deter a Vermelha e suas flores zumbis.

E também já é hora de contar tudo a Jeb, como venho querendo fazer há muito tempo. E mamãe vai me ajudar a convencê-lo, gostando ou não.

Pego a minha mochila na sala e detenho-me para dar uma olhada nela pela janela dos fundos. Ela está sentada na grama junto a uma touceira de alcaçuz prateado, sussurrando todos os seus segredos em suas orelhas peludas. Lágrimas rolam pelo seu rosto.

Se ela pudesse se abrir comigo ou com o papai tão intimamente quanto faz com as plantas... Todos esses anos, elas conheceram um lado dela que nós nunca vimos. Mordo a bochecha por dentro, apreensiva, porque ainda não estou louca o bastante para deixar de perceber como é ridículo ter ciúme de uma planta.

De volta ao meu quarto, retiro dois livros da mochila e os coloco sobre minha escrivaninha, deixando dentro dela somente meia garrafa de água e meu celular. Telefono para o Jeb para preparar o terreno para o que virá depois. Cai na caixa postal. Com receio de deixar uma mensagem com voz tão hesitante, mando um SMS.

Tentei ligar como vc pediu. Mamãe está bem. Eu me detenho. Não posso dizer a ele por mensagem que vou para a loja a fim de mandar uma criatura careca e ossuda para dentro do espelho. Em vez disso, improviso.

Estou cansada... vou estudar e dormir um pouco. Mande msg quando tiver tempo. Preciso ver vc hj de noite.

Uma parte do que eu disse é verdade. Eu *estou* cansada. Preciso tomar um banho para me renovar.

No banheiro da suíte de mamãe, em tons de rosa e pérola, tiro o meu vestido de baile e a lingerie. Entro no boxe e coloco a ducha no modo massagem. O calor trabalha com a sua magia sobre os meus ossos e músculos doloridos.

Cheirosa feito uma flor, saio do boxe e me enxugo. A minha mente está clara, mas o meu corpo ainda está pesado e preguiçoso. Não há tempo para secar o cabelo e me maquiar, então eu enrolo o meu cabelo molhado numa trança que deixa somente a mecha vermelha de fora. Enfio uma calça jeans *skinny* — com listras verticais vermelhas e pretas, presente de Natal da mamãe. É a primeira vez que eu a uso. Calça jeans sem maquiagem. Ela ficará orgulhosa.

Depois de enfiar uma camiseta preta esburacada por cima de uma regata roxa e calçar botas de cano alto com cadarço, coloco os colares no pescoço.

No meu quarto, guardo o vestido e coloco a sacola aos pés da cama, enfiando-me debaixo das cobertas — com roupa, botas e tudo. Não importa que os lençóis estejam úmidos e cheirando a ossos velhos e água de aquário. Estou exausta demais para ligar para isso.

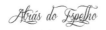

Com os olhos embaçados, olho para o relógio no criado-mudo. Os números vermelhos digitais mostram 18h15. Eu me atrapalho com os botões para programar o alarme para as 18h45.

Só uma sonequinha... eu posso tirar uma soneca antes de o papai chegar em casa... e depois estarei descansada para levar o Rábido para a loja.

No instante em que fecho os olhos, a minha mente começa a acelerar. Fico pensando: será que Morfeu estava certo, que meu sangue pode ser usado como arma contra mim? Ele é uma criatura dos sonhos. Ele sabe interpretá-los. Se ele não enviou o palhaço, quem foi?

Quem deflagrou aquele pesadelo terrível que terminou com o corpo de Jeb em um casulo?

Se a enfermeira Terri não tivesse me sedado naquela noite, as coisas não pareceriam tão embaralhadas. Se ela não tivesse aqueles olhos tão tristes que me fizeram querer agradar-lhe.

A minha respiração fica presa em meus pulmões.

A interpretação que mamãe fez dos meus mosaicos me vem à mente: três Rainhas Vermelhas lutando pela coroa de rubis, e outra mulher observando de trás de uma touceira de trepadeiras e sombras. — *Eu podia ver os olhos dela. Tristes, penetrantes.*

A enfermeira Terri... usando aquela fantasia branca. Ela era estranha. Talvez fosse uma habitante do País das Maravilhas disfarçada. Ela tinha acesso ao meu quarto, poderia ter levado o palhaço para dentro. Ela pode ter nos escutado falar deles e teve acesso aos mosaicos no carro do meu professor de Artes... e ao meu sangue.

Mas, se ela fosse intraterrena, eu teria visto traços de sua verdadeira forma através do encanto, como via em Morfeu.

É tudo tão confuso. Mas uma coisa é certa: há outro jogador nesta partida. Alguém que está no reino humano mas não pertence a ele. Não posso voltar para o País das Maravilhas para lutar enquanto a minha família e os meus amigos ficam aqui desprotegidos com uma intraterrena misteriosa à solta. O fato de eles já terem tido contato com ela me provoca arrepios.

Se eu atravessar o espelho e for até a ponte de ferro, em Londres, talvez consiga decifrar os mosaicos que mamãe escondeu e descubra quem estou enfrentando. Eu aperto a chave em meu pescoço, tentando decidir se devo chamar Morfeu de volta.

Ele não virá. Eu feri o seu orgulho. Ele me disse que agora eu terei de encontrá-lo. Ele disse que estaria escondido em lembranças perdidas, seja lá o que isso significa.

Mais uma charada para eu decifrar sozinha.

Estranho, pois esse pensamento me aquieta para o sono, como se eu estivesse me preparando a vida inteira para lidar com tudo isso sozinha. Vai saber, talvez eu estivesse.

***

— Borboleta?

Eu acordo assustada com a voz de papai na escuridão. A luz chega em ângulo inclinado, vinda da porta entreaberta por onde ele está espiando.

Demoro vários segundos para me recuperar de minha confusão mental, lembrar onde estou... o que deveria fazer antes de papai chegar em casa.

O ruído leve do ronco do Rábido vindo de dentro do meu armário faz minha espinha arrepiar. Eu me sento, uivando, na esperança de acordar o meu hóspede oculto.

— Poxa! Eu não queria assustar você. — Papai entra e fecha um pouco a porta para que os meus olhos se acostumem. Ele se senta na beirada do colchão e afaga a minha cabeça, como fazia quando eu era criança. O Rábido está quieto agora, e eu suspiro de satisfação.

— Por que está de roupa na cama? — papai pergunta.

Eu esfrego a cara e bocejo. — De roupa?

— São as roupas de ontem? A sua mãe disse que você não estava se sentindo muito bem, então eu não quis incomodar. Mas eu sei que você tem mais um exame. Eu só queria verificar se já estava pronta para ir para a escola.

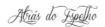

— Escola? — Estou feito um papagaio, repetindo tudo o que ele me diz.

Olho para o meu relógio brilhante: 6h20. Só então eu percebo que programei o alarme para 6h45 da manhã e não para as 18h45.

Meu estômago vazio se revira. Estou dormindo há doze horas. Morfeu manteve a palavra e não assombrou meus sonhos, então eu dormi bem. Bem demais. Agora não terei tempo para mandar o Rábido de volta nem para procurar os meus mosaicos antes da escola.

A minha mente descansada entra em modo acelerado, formulando um novo plano. Eu poderia sair cedo e usar os espelhos de corpo inteiro do vestiário feminino. Para isso eu teria que enfiar o Rábido na mochila e levá-lo comigo para a escola. A ideia de misturar ainda mais o País das Maravilhas com a minha vida real me deixa nervosa, especialmente porque ainda preciso consertar a bagunça de Morfeu com a Taelor e os outros alunos.

Mas não importa. Não há tempo a perder.

Papai inclina-se para ligar o abajur. — Tem alguma coisa quebrada no chão... — Ele acende a luz antes que eu possa detê-lo. Fica atônito quando vê o vidro brilhando no chão. — O... o que houve aqui?

Me pegaram em cheio.

Reprimo um grunhido. — A mamãe vai te contar.

É vergonhosa a rapidez com que eu a entrego, embora de certo modo eu me sinta vingada. Deixe que ela justifique o espelho quebrado. Deixe que ela fique sob o microscópio. Ela já provou ser mestra em mentir durante todos esses anos.

Papai se agacha perto da cama, com cuidado para não apoiar os joelhos no vidro. Ele ainda não está com as suas roupas de trabalho, o que significa que está fazendo o café da manhã. Mamãe deve estar dormindo.

Ele pega um caco manchado de sangue seco. — Allie... você se cortou?

— Não. A mamãe... — Eu paro no meio da frase. Ele está olhando para as palmas de minhas mãos. É claro. Isso lhe remete à vez

A. G. Howard

em que ela me cortou. — Está tudo bem, papai. — Jogo as cobertas para o lado e saio da cama.

Seu olhar atônito desce para as minhas botas.

Eu me curvo e aperto os cadarços, como se fosse perfeitamente normal acordar com elas. — A mamãe deixou o espelho cair enquanto tirava o pó. Ele caiu sobre a minha cômoda. Ela se cortou um pouco, mas está bem agora. Foi... um corte de nada, sabe? Superficial.

A preocupação não abandona a sua expressão enquanto ele pega os cacos, um por um, com cuidado para não se ferir. — Eu não notei corte nenhum. Por que ela não me contou?

— Acho que ela pensou que eu já tivesse limpado. — Inclino-me para ajudá-lo, mas ele levanta uma mão, proibindo-me.

— Deixe que eu cuido disso, Allie.

Ele sempre foi assim — sempre cuidou de nós, limpou a nossa bagunça. E nós só fizemos guardar segredos.

Depois de jogar o último pedaço de vidro na lata do lixo e endireitar a moldura vazia do espelho, ele se vira para mim. — Querida, me desculpe. É que... fiquei com medo de que estivesse acontecendo novamente. Ela costumava quebrar espelhos. De propósito. Ela não permitia nenhum espelho perto de você desde que era bebê.

O sol aproxima-se aos poucos, e a luz rosa alaranjada suaviza os contornos de papai, fazendo-o parecer tão jovem quanto mamãe. Ele nunca falou muito sobre como foi quando Alison começou a "perder a razão." Deve ter sido horrível para ele.

— Pai... — eu toco em seu braço, afagando o seu agasalho puído.

Ele coloca a mão sobre a minha. — Eu não aguentaria se tudo começasse de novo. Não posso mais ficar longe dela.

Aquiescendo, arrisco uma pergunta. — Ela chegou a explicar essa aversão por espelhos? Você perguntou?

Ele se senta na beirada da cama. Depois de mais um olhar atônito para as minhas botas, ele contrai os ombros. — Era uma coisa com *espelhos*. As explicações dela não eram muito sensatas.

É claro que as suas lamúrias deviam parecer insanas para alguém que não conhecia a verdade. Por que ela não provou a ele quando eu era pequena, mostrou-lhe seus poderes? Ela teve anos para achar uma maneira de fazer isso.

— Se ela tivesse dado alguma prova real de que o País das Maravilhas existe — eu digo, dando uma de tonta —, o senhor teria acreditado nela, não é?

Ele balança a cabeça. — O sangue nas mãos dela, quando ela se cortou nos espelhos. O sangue em nossa menininha quando ela foi atacada com as tesouras de poda. — Ele olha para mim com expressão de pura agonia. — Allie, era tangível. Era real. Eu não conseguiria lidar com outras provas. Você simplesmente não *sabe*. — Ele esfrega o rosto, escondendo os olhos nas mãos. — Ela ficava gritando que tinha que consertar você. Como se você fosse uma coisa que pudesse ser colada. Mas ela agia de modo tão instável, tão tenso, e tinha acabado de machucar você, então... eu não podia deixar que ela se aproximasse. Essa foi a última gota, mas as coisas já estavam ruins muito tempo antes disso. Até *eu* comecei a ter pesadelos com o País das Maravilhas. Eu sabia que precisávamos de ajuda... você precisava que pelo menos um dos pais fosse sensato. Oferecesse segurança.

Então foi por isso que mamãe não curou minhas mãos. O meu rancor contra ela diminui um pontinho bem pequeno.

Papai se inclina para pegar a sacola com o meu vestido. Ela deve ter caído no chão ontem à noite. Ele a coloca no colo.

— Você a viu deixar o espelho cair? — Ele desliza um dedo sobre o zíper da sacola. — O que eu quero dizer é que não faz sentido. Ela teria que jogá-lo contra a cômoda para causar todo esse estrago. — Ele olha para a lata do lixo. — Talvez seja melhor ela ir ao médico.

Essa sugestão me deixa arrepiada. Eu não vou amarrá-la em uma camisa de força nem fazê-la babar com sedativos novamente. Eu a amo, apesar da lacuna entre nós, e ela já sofreu demais nesta vida.

A. G. Howard

— Espere, pai. — Eu me sento ao lado dele, tateando as minhas opções. — Eu vou te dizer uma coisa... não sei como você vai reagir. — Encarando os fones de ouvido no chão, penso em animá-los, fazer com que eles se enrosquem no tornozelo dele feito um gato carinhoso.

Olho-o com tanta seriedade que os meus olhos ardem.

— Allie, você está me deixando nervoso. O que está havendo?

O meu coração bate com tanta força que eu o escuto em meus ouvidos. Estou tão perto de me libertar, tão perto de mostrar a ele a minha magia. Os fones de ouvido tremem — um movimento tão diminuto que só eu posso ver. Em seguida, perco a ousadia e olho para as minhas enguias, quebrando a concentração.

— A mamãe e eu brigamos ontem — eu murmuro. — Eu... eu a empurrei e ela caiu sobre o espelho. Foi por isso que ele caiu sobre a cômoda. Foi por isso que eu me tranquei no quarto. E ela disse a você que eu não estava me sentindo bem para me acobertar, para não me causar problemas. Eu sinto muito.

A pele de papai fica vermelha. — Você *empurrou* sua mãe? — Seu olhar fica profundo de desapontamento e apreensão, um olhar que faz a minha confiança encolher ao tamanho de uma formiga. — Por que essas explosões de violência?

— Explosões? Esta é a primeira.

— Não é. Eu ouvi você gritando com a sua mãe no quarto do hospital. Foi por causa do Jeb novamente? Você saiu de fininho ontem à noite para se encontrar com ele? É por isso que está de sapatos na cama? — A cor no rosto dele não é mais vermelha. Aproxima-se do roxo.

Eu me levanto. — Não! Não tem nada a ver com o Jeb. — Não posso deixar que ele volte a desconfiar do Jeb, não agora que eles finalmente acertaram os ponteiros. — Tomei uns sedativos depois que briguei com a mamãe. Acho que eles fizeram efeito antes de eu conseguir tirar a roupa. — Uma mentira deslavada.

Como ele fica me observando, em dúvida, eu acrescento: — Eu odeio que a gente tenha brigado e que eu quase a tenha ferido. —

Ainda mais, eu odeio ter que defendê-la quando ela deveria estar se defendendo para nós dois.

Os dedos de papai tamborilam a sacola — inconscientemente seguindo o ritmo de seu tique nervoso nos cílios. — Por que vocês brigaram? Deve ter sido algo importante para você empurrar a sua mãe para cima do espelho.

— Bem, eu não a empurrei, *exatamente*... — Eu quero dizer mais, mas me dá um branco total.

Um olhar de discernimento cruza o rosto do papai. — Espere. Foi por causa do carro, não foi?

— Hein?

— O Mercedes que estava na porta da garagem quando eu cheguei em casa.

— Ah... — Eu não sei o que dizer. Mamãe deve ter comentado algo com ele, e eu tenho que continuar com a história dela.

— Sua mãe disse que você não lhe deu as chaves do carro quando ela pediu.

Olho para o canto atrás de minha porta, onde o colete, a camisa e o chapéu de Morfeu estavam jogados ontem à noite. Eles sumiram, junto com suas chaves, e mamãe acaba de me dar um álibi de bandeja. — Ela disse a você que tentou tirar as chaves de mim e eu não quis soltá-las?

O olhar de papai endurece. — Não.

— Elas escorregaram da minha mão e ela se desequilibrou.

— Quer dizer que foi assim que ela caiu sobre o espelho?

Eu balanço a cabeça, concordando e desprezando a mim mesma com cada movimento dela.

Com o queixo cerrado, papai olha nos meus olhos. — Olha, eu concordo com a sua mãe. É generoso da parte daquele estudante de intercâmbio oferecer o carro dele até consertarem o pneu do Gizmo, mas você não pode dirigi-lo. Se você fizer um arranhãozinho, ele pode nos processar e pedir mais dinheiro do que a sua faculdade inteira vai custar.

A. G. Howard

— Tudo bem — eu sussurro, aliviada por ter tirado da frente a explicação para o carro. Mas este é o único alívio que sinto, porque papai agora olha para mim como se eu fosse uma banana de dinamite que precisasse ser desarmada. — Papai, já entendi.

— Acho que você não entendeu, não — ele diz, balançando a cabeça. — Acho que você pensa que sua mãe teve uma reação emocional exagerada por causa do carro.

— Como ela tem com tudo — eu resmungo.

— Bem, desta vez ela tinha uma razão. Quando nós estávamos namorando, eu sofri um acidente. — Ele olha para os dedos dos pés, que se mexem por dentro das meias de lã. — Era um carro esportivo... não tão bom quanto o que está na porta da garagem, mas parecido. Eu entrei numa curva muito rápido e bati numa árvore. O carro ficou destruído. Eu fiquei em coma durante meses.

A minha respiração fica rasa. Não posso arriscar inalar profundamente e perder uma palavra sequer. Isso é algo sagrado, uma parte da história deles que esconderam de mim.

— Eu sei que você gostaria que eu falasse mais sobre minha mãe e meu pai — papai continua, mas a mudança de assunto me desnorteia.

— Não, papai. Eu entendo por que você não gosta.

— É por causa do acidente, Allie.

Eu fico olhando para ele, sem ação, tentando ligar os pontos. — Eles estavam no carro com você? — Ele nunca me disse que foi assim que eles morreram...

Ele cruza os tornozelos, amassando a sacola do vestido. — Na verdade, não. É por causa do acidente que eu não me *lembro* deles. Se não fosse por sua mãe, eu não lembraria de nada sobre a minha infância. Ela montou um álbum para que eu conhecesse o rosto dos meus pais, pois eles tinham falecido antes que eu a conhecesse. Eu não conseguia lembrar que não tenho irmãos, nem primos ou parentes que estivessem interessados em me conhecer. Eu nem lembrava que tinha conhecido a sua mãe. O estrago foi feio mesmo. Ainda é. A minha vida antes de bater o carro, antes da sua mãe... se perdeu. Como se eu nunca a tivesse vivido.

Sinto uma pontada no coração, como um espinho que me rasga de dentro para fora. — Papai, sinto muito. — As desculpas parecem inadequadas. Lembranças são coisas tão preciosas e tão inestimáveis. Sempre me deixa triste pensar que Jeb perdeu as lembranças do País das Maravilhas. Mas isto é muito pior. — Você nunca me contou.

— Você já tinha passado uma infância tão turbulenta. Eu não queria acrescentar mais nada ruim. Você precisava que pelo menos um dos pais tivesse um passado quase normal. Não é?

Encolho os ombros, mas não sei se concordo. Talvez, se tivéssemos sido sinceros desde o começo, poderíamos ter ajudado uns aos outros.

— Então você entende agora? — ele pergunta. — Entende por que ela não quer que você dirija aquele carro? É muito fácil esquecer que não é invencível quando se tem um poder desses nas mãos. Tomar decisões precipitadas que podem afetar todo o seu futuro.

As palavras dele são talhadas perfeitamente para mim. Elas podem ser as peças que faltam em meus próprios pensamentos e medos.

— Quero que você acerte as coisas com ela antes de ir para a escola — ele diz em tom decisivo. — E quero que você se esforce mais para se dar bem com ela. Ela vem se dedicando tanto a você. — Sua mandíbula cerra. — Me faça ter orgulho de você, Alyssa.

Alyssa. Ele não me chama só pelo meu primeiro nome desde o dia em que cheguei em casa com um C em Geometria. Isso é pior do que se ele tivesse gritado comigo.

— Está bem — eu murmuro.

— É melhor você se aprontar para a escola — ele diz. Ele se levanta e larga as suas chaves sobre a cama. — Você pode pegar a minha caminhonete. Vou chamar alguém para me levar ao borracheiro. O Gizmo deve ficar pronto hoje pela manhã. Ah, e eu estacionei o Mercedes na garagem ontem à noite, que é mais seguro. Traga o seu amigo para casa depois da escola para pegá-lo, está bem?

A. G. HOWARD

— Sim — eu digo, mas sem ideia de como conseguirei fazer isso.

Parece que papai vai sair. Mas, em vez disso, ele para e levanta a sacola com o vestido que está na cama. — Isso é o que eu acho que é?

No princípio, não tenho ideia do que ele quer dizer — nem sei se me lembro do que há na sacola. Então, com um movimento da cabeça, concordo.

Ele abre o zíper, tirando a máscara e um pedaço do vestido.

— Então você falava sério sobre ir ao baile de formatura hoje à noite? — Ele parece suspeitosamente perto de estar feliz novamente. Papai vem querendo que eu vá a um baile da escola desde que entrei no ensino médio. Ele deu o seu nome e o nome da mamãe na escola para serem os meus acompanhantes no instante em que soube que eu tinha aceitado ir com Jeb, mas é óbvio que ele nunca acreditou que eu iria manter a minha palavra até agora.

Ele coloca a sacola de volta na cama e olha para a tiara de flores pendurada no cabide. Seu famoso sorriso maroto *à la* Elvis aparece. — Vai usar uma coroa? Ah, Allie, você vai ficar igualzinha a uma princesa. Igual a quando você brincava e se fantasiava. — Seu sorriso pateta é de pura nostalgia, e isso me dá vontade de chorar. Ele alisa as marcas de mofo da máscara. — Bem... uma princesa que já passou maus bocados. Gosto disso.

— Obrigada. — Tento sorrir enquanto enfio o vestido de volta na sacola e fecho o zíper, odiando ter que desapontá-lo mais uma vez quando não aparecer para o baile esta noite.

Uma ruga de preocupação surge entre as suas sobrancelhas. Ele pega a minha mão e me puxa para um abraço, enfiando-me embaixo de seu queixo. Eu me aninho nele, meu papai... meu campeão. E o amor da vida de mamãe. É incrível o que ela fez por ele, montando um álbum de fotos, dando-lhe o seu passado de volta. Esta não parece uma mulher que se arrepende de ter casado. Talvez ela tenha realmente preferido o papai à coroa. Talvez houvesse mais alguma coisa nessa história. Preciso dar a ela o benefício da dúvida e escutá-la — se acaso tivermos uma nova oportunidade de discutir isso.

— Escute, borboletinha — papai sussurra perto de minha cabeça. — Você não tem estado muito normal, mas eu compreendo. É o final do ano letivo. Você tem exames, bailes, formatura e, além de tudo isso, você quase se afogou. É compreensível que se sinta um pouco fora de si. Talvez precise conversar com alguém que não seja eu ou sua mãe.

Uma sensação de calor intenso surge em meu esôfago. Eu a reprimo o suficiente para olhá-lo de modo penetrante. — Como o quê, um psiquiatra? Não, papai. Eu não estou ficando maluca.

— Não foi isso que eu quis dizer. Você poderia ir ao orientador da escola. Você parece estar um pouco hesitante, só isso. Quem sabe não se sente melhor? Avise se precisar de alguma coisa.

O alarme das 6h45 toca e eu dou um pulo.

Arrasto-me sobre a cama para desligá-lo. — Podemos conversar sobre isso depois? Eu tenho que me arrumar.

— É claro — papai diz. Ele se detém diante de minha porta. — Tem ovos mexidos na cozinha. E não se esqueça de pedir desculpas à sua mãe antes de sair. Vou tomar um banho para deixar vocês duas à sós.

Eu prometo a ele que vou consertar as coisas. Eu quero mesmo conversar com mamãe por tantas razões, mas, no instante em que papai fecha a porta, eu sei que não farei isso. Não esta manhã... quem sabe mais tarde, depois de eu cuidar do meu visitante real.

Enfio as chaves da caminhonete de papai no bolso e escancaro a porta do armário. O Rábido está lá, com as mãos esqueléticas entrelaçadas, o dedal pendurado de modo torto em um chifre e meias de pares diferentes lhe caindo das orelhas. Por um estranho momento, ele me lembra o Coelho Branco que eu sempre vi nas histórias de Carroll.

Apesar de meu alvoroço emocional, não consigo conter o sorriso que se abre em meus lábios. — Obrigada por ficar quieto. Você foi muito bem. — Eu dou um tapinha em sua cabeça careca.

Ele pisca os seus brilhantes olhos rosados para mim. — Rábido Branco fome ter.

Abrindo a minha mochila vazia, eu faço sinal para que ele entre, esperando que intraterrenos clandestinos gostem de ovos no café da manhã.

Invasão

Constatei que os intraterrenos gostam de ovos, pelo menos do tipo bem amanteigado que o papai prepara. Depois que o Rábido e eu tomamos café, guardo mais um pouco em um recipiente de plástico. Junto com um saquinho dos biscoitos da mamãe e uma garrafa de água, coloco o recipiente em minha mochila para manter meu visitante real ocupado na viagem até a escola.

Para uma criatura tão pequena, ele tem um apetite gigante, e um conhecimento enorme das entranhas do País das Maravilhas. Durante a viagem, ele se senta num lugar onde não pode ser visto, no chão do lado do passageiro, com a cabeça para fora do zíper da mochila preta. Ele responde a cada pergunta que faço, enquanto deglute mais ovos.

De acordo com a lei do País das Maravilhas, existem três maneiras pelas quais uma herdeira de sangue de uma rainha intraterrena pode renunciar ao trono depois de ser coroada: morte, exílio ou perder para sua consanguínea em um torneio mágico. Eu entreguei o meu trono para Grenadine, mas isso não conta como uma abdicação oficial. Ela só pode me substituir temporariamente, pois não pertence à nossa linhagem. Agora que o reino está em apuros, cabe a mim voltar, retomar a coroa e derrotar a Vermelha. É como Morfeu disse quando estávamos no carro: eu sou a única que pode libertar e exercer a magia que agora faz parte do meu sangue.

Então estou presa para sempre, outro fato que Morfeu deixou de mencionar antes de colocar aquela coisa em minha cabeça no ano passado.

E, mais uma vez, agora que estou fazendo as pazes com minha herança e responsabilidades intraterrenas — e como elas se enredam com o meu lado mortal —, não estou certa se *abdicaria* da minha coroa para qualquer um, mesmo que pudesse. Quem a recebesse teria que querer o que é melhor tanto para o País das Maravilhas quanto para o reino humano.

Se ao menos eu pudesse me dividir ao meio e ser duas pessoas: o lado humano poderia ficar aqui com o Jeb e a minha família e o lado intraterreno poderia reinar no País das Maravilhas, conservando a paz com punho de aço.

São 7h20 quando entro no estacionamento norte, 45 minutos antes do primeiro sinal. Estaciono a caminhonete de papai ao lado das lixeiras onde Morfeu esperou por mim depois das aulas ontem.

O estacionamento está deserto, exceto por dois veículos conhecidos meus. Um pertence ao diretor e o outro é o carro novo do Sr. Mason, com o seu irritante e ineficaz sistema de alarme.

Embora Morfeu tenha ficado fora de minha mente como disse que faria, ainda posso senti-lo lá no fundo, observando o meu modo de lidar com as coisas. Como quando éramos crianças. Por mais irritado que ele estivesse quando saiu, estou confiante que ele quer que eu tenha êxito. Não somente isso, ele *quer* que eu o encontre. Ele não faz nada sem uma razão. Deve ser importante para eu descobrir, sozinha, aonde ele foi.

Eu só preciso descobrir o que ele quis dizer com "oculto entre as lembranças perdidas".

A. G. HOWARD

Antes de entrar, tento ligar para Jeb mais uma vez. Não é do feitio dele ficar quieto desse jeito. Começo a me perguntar se ele recebeu a minha mensagem de texto de ontem à noite. Mas, se não recebeu, por que não ligou para ver como eu e mamãe estamos? Ele não se importa? Pelo menos Ivy está fora da cidade, então não preciso me torturar preocupando-me com ela.

O telefone de Jeb cai de novo na caixa postal. Desta vez eu deixo uma mensagem: *Estou na escola. Me manda uma mensagem. Preciso falar com você.*

Fico olhando para o telefone. Alguma coisa ainda me preocupa: a enfermeira Terri.

O Centro Médico da Universidade de Pleasance não mantém uma lista on-line de seus funcionários. Intuitivamente, faço uma pesquisa por uniformes de enfermeira, junto com o nome do hospital. Aparece um anúncio postado na página de notícias de uma semana atrás:

Durante o feriado em memória dos soldados, em tributo aos veteranos mortos na guerra, o Centro Médico da Universidade de Pleasance reintegrará uniformes antigos de enfermeiras e médicos. Qualquer funcionário que tenha perdido entes queridos nas guerras e deseje participar deve contatar Louisa Colton, do departamento de recursos humanos, para informações sobre tamanhos e estilos. Os aluguéis serão custeados pelo Conselho de Serviços da Família Católica e fornecidos pela Butique de Fantasias de Banshee.

Fecho o link. Isso explica a fantasia da enfermeira Terri na segunda-feira, e possivelmente os seus olhos desolados e tristes. Talvez eu tenha tirado conclusões precipitadas sobre ela. Ela foi tão gentil e atenciosa. Mas e quanto ao palhaço e aos meus trabalhos roubados do carro do Sr. Mason? Poderia haver algum outro intraterreno por perto que eu não tenha visto?

Depois de guardar o Rábido e o meu telefone dentro da mochila e fechar o zíper, dirijo-me à entrada dos fundos. As janelas das sa-

las de aula refletem um brilho amarelo, emudecidas pelas persianas fechadas e por aquela luz nebulosa que vem após o nascer do sol. O prédio parece o mesmo de sempre, embora tudo esteja diferente por dentro, pelo menos para mim. Morfeu se encarregou disso.

Em me esquivo pela cobertura deserta e inalo o aroma de fermento e especiarias que vem da cantina. Gritos de zumbis e um tema musical irritante saem de minha mochila. Eu cometi o erro de mostrar ao Rábido como se joga videogame no meu telefone. Com os músculos tensos, abro o zíper e tiro o telefone, colocando--o no silencioso antes de entregá-lo de volta a ele.

Agachada, entro no ginásio escuro e uso a lanterna do chaveiro de papai para iluminar o caminho até o vestiário feminino, pisando com cuidado para que as minhas botas não deixem marcas sobre a nossa mascote — o carneiro azul e laranja gigante pintado no meio do piso de madeira.

Quando eu viro na divisória de entrada para o vestiário, o fedor de meias velhas e azulejos mofados me incomoda. Aciono o interruptor, dando vida a um brilho fluorescente acima de mim e deparando-me com o painel de espelhos de corpo inteiro.

Abro a mochila. O Rábido pula para fora, a boca estofada de biscoitos. Ele aperta botões no meu telefone, numa derradeira tentativa de matar os zumbis do jogo. Suavemente, tiro o celular de suas mãos esqueléticas e o enfio na mochila.

— Está pronto? — eu pergunto, embora seja uma pergunta retórica. A caminho da escola, eu lhe dei ordens diretas para ir imediatamente ao reino Vermelho e ficar ao lado de Grenadine até eu voltar para ajudá-la.

O Rábido pega o seu casaco. O dedal cai no piso de cimento. Ele o recolhe e começa a procurar a sua chave.

— Tudo bem. Eu tenho esta aqui. — Eu levanto a minha na própria corrente e olho para o espelho mais próximo, imaginando a trilha do relógio de sol do Tâmisa, em Londres. Uma imagem da estátua de sol do garoto que esconde a toca do coelho dos olhos humanos aparece no espelho, projetada pela minha memória.

A. G. Howard

Aguardo que o vidro se fragmente. Assim que as rachaduras aparecem, o meu coração começa a acelerar. Estou exatamente onde estava um ano atrás, parada junto à entrada para a loucura. Só que desta vez eu sei exatamente o que me espera do outro lado.

Vencendo minha hesitação, enfio a chave na junção de rugas com o formato de uma fechadura. O portal se abre, ondulando-se, e uma brisa fresca farfalha por meus cabelos, com aroma de relva e flores.

Pego a mão enrugada do Rábido. Estamos quase atravessando, quando eu me detenho. O chão em volta do relógio de sol aparenta estar em movimento, como se não fosse grama, mas um mar escuro e bravio, com ondas batendo contra o pedestal do relógio e por baixo dele.

— O que é isso? — eu murmuro.

O Rábido se inclina para dentro, os ossos chacoalhando. — Pinças de fogo. Beliscam elas, Majestade.

Aproximo mais o corpo e percebo que é um mar de formigas de fogo — tremeluzindo em preto profundo e vermelho — invadindo a toca do coelho. Formigas suficientes para cobrir o chão pelo que parece ser a extensão de um campo de futebol — milhares e milhares delas.

Eu me pergunto se alguém da excursão ao relógio de sol está vendo isso.

Não tenho tempo para examinar e descobrir; preciso levar o Rábido até a toca do coelho. Não há lugar seguro para pisar. Não importa que as formigas falem comigo todos os dias; elas não hesitarão em atacar com as suas pinças se estiverem bravas ou determinadas, especialmente se eu estiver em seu caminho. E estas são formigas de fogo. A mais agressiva e dolorida de sua espécie.

Se eu não precisasse ficar calada no vestiário, eu gritaria, alertando-as. Elas não conseguirão derrotar o exército de flores zumbis da Vermelha. Contudo, é óbvio que estão a caminho para tentar.

Vozes inesperadas vindas do ginásio atrapalham a minha concentração. Eu solto o espelho, fechando o portal. Em seguida, transfiro o Rábido para dentro da mochila e jogo-a rapidamente dentro de um armário.

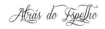

— Fique escondido aí até eu ver o que está acontecendo lá fora — eu digo, entregando-lhe um saco de biscoitos. — Quando eu voltar, vamos pensar em uma maneira de fazer as pazes com as formigas.

A porta do armário não tranca com a mochila atravancando, então eu a encosto, deixando uma fresta. Depois de apagar a luz, por trás da divisória dou uma espiada no ginásio.

Instalações com múltiplas lâmpadas acesas pendem do teto. A claridade me faz piscar, e sou tomada de surpresa pelo movimento na quadra. Um punhado de alunos entra com árvores brancas brilhantes e luminárias de crochê. Mais alunos entram com tubos de plástico gigantes de panos de prato rendados, papel crepom e outras decorações de festa.

Sinto o estômago afundar. É o conselho de alunos e o comitê do baile de formatura arrumando o salão para o baile à fantasia de fadas desta noite. Eu não poderia ter escolhido um momento pior?

Os rapazes mais fortes dobram as arquibancadas de madeira e as arrastam para junto da parede a fim de deixar o resto do piso livre para o baile. A maioria das meninas trabalha com calma nos cantos do ginásio, montando a área de petiscos e o palco provisório onde a banda vai tocar, onde os avisos serão feitos e o rei e a rainha do baile serão escolhidos.

Deixo escapar um gemido quando mais alunos entram no ginásio. Qualquer possibilidade de fazer o Rábido entrar no espelho antes de as aulas começarem está perdida. Alguém poderia nos surpreender justamente no momento em que entramos no espelho. Penso em me esconder em um dos chuveiros até que todos vão embora, mas um movimento em meio à multidão me detém.

— Ei, você! — grita Taelor, erguendo o braço.

Ela é a última pessoa com quem eu quero falar. Eu afundo atrás da divisória, suspirando de alívio ao perceber que ela não estava falando comigo. Ela está acenando novamente para um rapaz do segundo ano, com cabelo castanho e rosto de criança que está no canto diagonalmente oposto onde me escondo. Ele está ao lado de

A. G. Howard

uma árvore que colocou no piso e, antes que ele possa levantar os olhos, já está rodeado por Taelor, Twyla e Kimber.

— Temos que deixar espaço para o banco de parque onde os casais vão posar para fotos — Taelor diz, ralhando. — A árvore vai para o outro lado do ginásio, perto daquela mesa de banquete comprida onde será servida a comida.

O rapaz fica olhando para ela, embasbacado, ou pasmo com a sua beleza, ou chocado por uma veterana ter falado com ele.

Ela suspira e começa a arrastar a árvore no próprio vaso, completamente alheia às marcas que o vaso e as suas botas de caubói pretas estão deixando no piso de alto brilho.

Espere. *Botas de caubói*? Isso é novidade.

Até o vestido dela parece cuidadosamente escolhido para impressionar um entomologista: com minissaia prateada e mangas bufantes que parecem asas. Talvez ela esteja esperando que Morfeu a confunda com uma mariposa e a espete em seu quadro de cortiça.

Quase rio de desdém. Eu tinha ouvido rumores dizendo que ela havia terminado com o seu antigo namorado depois que M a convidou para ir ao baile com ele. Eu nem pensei em perguntar para ele se era verdade, mas soa como algo que ele faria — dar corda só de brincadeira. Ela está prestes a ficar desapontada.

— Ui. — Ela resmunga quando está a alguns metros de mim. Eu afundo ainda mais nas sombras do vestiário, mas sem perdê-la de vista. Os seus braços, bronzeados e torneados de praticar incessantemente tênis e voleibol, brilham sob as luzes conforme ela arrasta a árvore no vaso. — Essa coisa é pesada.

Corando, o rapaz acorda de seu transe e dá um pulo para ajudá-la, ganhando um sorriso estonteante, mas sarcástico.

— Obrigada, Super-Homem — ela diz em tom provocador, e larga o seu lado do vaso.

Quase posso ver a barba brotando no queixo dele, a sua puberdade acelerando enquanto ele a segue de perto.

Eu me agacho atrás da parede quando eles passam.

— Al?

A voz de Jenara me faz aparecer. Ela carrega uma cesta cheia de luminárias pendurada no braço, e passa um barbante em algumas para formar guirlandas que os outros alunos vão pendurar na árvore.

— Eu achei que fosse você espiando aí detrás — ela diz. — O que aconteceu? Eu não vi o seu nome na lista de voluntários.

— Eu não me alistei exatamente — digo, e estou falando de tantos outros níveis.

Jen dá um sorriso torto. — É, nem eu. Faz parte da minha punição por desfigurar os cartazes do baile. Como se cartazes tivessem cara. — Ela zomba, e depois fica séria quando eu não respondo. — Você não trouxe o vestido ontem à noite. — Os seus olhos meticulosamente delineados se estreitam em preocupação. — A sua mãe está...? — A pergunta se perde, emudece por baixo do barulho de fundo feito pelos alunos.

— Não, ela está bem. — Relutante, deixo a proteção das sombras e entro no ginásio, confiando que o Rábido permaneça escondido. — É que aconteceu uma coisa quando voltamos do pronto-socorro...

— Olha só! — Jen interrompe quando eu fico sob as luzes. — Que *look* natural é esse?

Só então eu lembro de que não coloquei maquiagem. É a primeira vez desde que eu entrei na escola que apareço sem estar usando a minha armadura.

Contra todos os meus instintos de correr, pego uma luminária da cesta, um pouco de barbante e começo a fazer a minha própria guirlanda, com saudade do tempo em que eu enfileirava corpos de mariposas com Morfeu no País das Maravilhas — no tempo em que eu não precisava usar armadura. — Poxa, Jen. Você faz com que eu me sinta um *troll*.

Ela solta o seu cordão de luminárias dentro da cesta e aperta o meu braço com carinho. — Ora, eu não quis dizer nada disso. Você tem um rosto perfeito e uma linda ossatura. É só que não é... *você*. E esse cabelo... — Ela brinca com a mecha vermelha que pende para fora de minha trança malfeita. — Você dormiu com o cabelo assim? — Antes que eu possa responder, ela respira fundo. — Ah, meu Deus.

A cesta escorrega do seu braço e entorna, fazendo as lumárias rolarem pelo chão. Ignorando a bagunça, ela agarra os meus ombros.

Seus lábios tremem num meio sorriso. — Já sei. Você finalmente *conseguiu*!

Sua explosão ecoa mais alto do que todo o burburinho à nossa volta. Vários alunos viram-se para nós. Twyla e Deirdre param de pendurar um cartaz azul-marinho com letras de papel-alumínio em um cavalete ao lado do cantinho das fotos. Elas sussurram e apontam; em seguida, Twyla dirige-se para a entrada do ginásio, onde Taelor, ocupadíssima vasculhando as caixas de brinquedos doados, nem nos notou.

— Que sutileza, Jen — eu digo, fazendo careta.

Ela olha para trás e abaixa a voz para um sussurro. — Desculpe. É que... é demais!

— Do que você está falando?

— Você passou a noite com o Jeb. Certo? Foi por isso que ele não atendeu o telefone depois que foi para o estúdio. Foi por isso que ele não voltou para casa ontem à noite. Ah! Eu sabia que quando ele visse você naquele vestido...

— O Jeb não foi para casa ontem à noite? — É a minha vez de interromper. Um calor me sobe às bochechas quando percebo que falei muito alto. Um número maior de alunos está nos observando agora. A Taelor já se ligou também. Ela e Twyla abrem caminho entre a multidão. Pela expressão pomposa no rosto de Taelor, deduzo que ela ouviu o que eu disse.

Ela é a menor das minhas preocupações. Coloco as minhas lumárias no chão junto com as que estão aos pés de Jen.

— Eu não estava com ele — eu sussurro para ela. — Acha que ele passou a noite no estúdio?

Ela fica desapontada. — Eu... só deduzi.

— Você não sabe ao certo? A sua mãe não virou uma fera?

— Ela trabalhou à noite na loja de conveniência e capotou na cama assim que chegou. Eu só notei que ele não tinha vindo quando entrei no quarto dele hoje de manhã. A cama estava arrumada. Você sabe que ele nunca arruma a cama.

O meu primeiro pensamento é Ivy. E se ela mentiu que estava indo embora da cidade? Eu sei que Jeb nunca me trairia. Mas não é a minha mente que está por trás desses pensamentos, são os meus instintos intraterrenos. Eles *sabem* que há algo errado.

Talvez eu só esteja com ciúme de Jeb pintar Ivy. Ela surgiu na hora mais inconveniente, quando Morfeu começou a assombrar os meus sonhos com notícias da derrocada do País das Maravilhas. Ela tem que ser uma pessoa real — eu pesquisei —, mas nunca a vi pessoalmente. Então, um intraterreno pode tê-la sequestrado e pode estar usando a impressão dela, como Morfeu fez com Finley. Talvez seja a mesma pessoa que está nas sombras em meu mosaico, e a mesma pessoa que tem me provocado usando o palhaço.

Meu sangue gela. Eu agarro o braço de Jen. — Nós precisamos encontrá-lo...

Ela concorda, e começamos a caminhar para a entrada, mas os voluntários nos rodeiam, olhando para nós e para Taelor. Não há caminho direto para a porta do ginásio. O ódio vai aumentando dentro de mim. *Saiam da frente*, eu quero gritar, mas tudo some no momento em que vejo Taelor.

Ela está segurando um brinquedo — o palhaço que me perseguiu, completo, com o violoncelo em miniatura e o estranho chapéu quadrado.

A parede parece encolher.

— Que legal, Alyssa — Taelor diz, penetrando em meu espaço pessoal. — Nós pedimos brinquedos novos e você traz esta porcaria de segunda mão. O que tem dentro dele, pedras? — Ela larga o palhaço aos meus pés. Ele bate no chão, fazendo um ruído metálico. A roupa xadrez vermelha, preta e branca está suja e manchada.

— Onde você o pegou? — falo com a voz trêmula. Não consigo tirar os olhos do brinquedo com medo de que ele se mova. Aquele olhar fixo, como contas negras, me encarando, zombando.

— Não se faça de idiota. O seu nome está num pedaço de fita nas costas dele. — Taelor revira os olhos quando eu não respondo. — Se você quer ser pobre, problema seu. Isso não vale um ingresso para o baile de hoje. O cartaz diz "brinquedos novos". Não coisas que nem um brechó aceita. Aliás, o que houve com você? Dormiu no vestiário? Está pior do que seu costumeiro estilo Mortiça.

Levo um segundo para captar a referência de Taelor às minhas roupas amarrotadas e à falta de maquiagem. Mas não consigo responder com o palhaço ainda me encarando.

Jen se coloca entre nós. — Pelo menos o estilo da Al não é ditado pela paquera da semana. — Ela aponta para as botas de caubói de Taelor.

Alguns risinhos irrompem entre os nossos espectadores. Taelor olha para eles. — Vocês não têm o que fazer? Eu podia jurar que naquela lista está um monte de tarefas. Não sabem mais ler?

Enquanto os alunos se dispersam, Taelor troca um sorrisinho com Twyla, e vira-se para mim. — Então o Jeb passou a noite fora, é? Talvez ele esteja cansado de ser traído por você.

O palhaço aos meus pés agora olha para os meus olhos e para a minha língua.

Jen não me espera responder. — Al não o traiu, Tae-*ter*. O inglês dos insetos estava querendo chamar a sua atenção. Então, cai fora.

— O seu irmão pode ser ingênuo o bastante para acreditar nesse monte de besteiras. Mas eu não sou.

— Ah, é mesmo? Então por que ainda está tentando impressionar o *Mort*? — Jen retruca.

— Porque ele é muito sexy e o carro dele vale mais do que a sua casa — rebate Taelor.

Jen cerra os dentes. — Sua...

— Pare. — Eu tiro o meu olhar do palhaço para encarar Taelor. — Por que não procura outra pessoa para importunar? — Eu quero

fazer um discurso sobre ter algum respeito próprio, sobre não valorizar um cara pelo seu valor líquido, mas pela maneira como ele trata você. Mas eu tenho que encontrar o Jeb porque alguma coisa está muito errada. — Preciso ir.

Eu empurro Taelor para o lado.

Ela também me empurra. — Tarde demais para isso.

Os alunos, que antes haviam se dispersado, agora voltam a se agrupar, embora mantendo uma distância segura.

— Você não era voluntária — Taelor retruca. — Então o que estava fazendo escondida no vestiário? Procurando um modo de sabotar o baile novamente?

— Do que você está falando? — Os meus olhos ficam quentes e secos e o meu coração me puxa para Jeb. — Eu não tenho tempo para as suas fantasias sobre o baile.

— Fantasias? — O rosto dela fica vermelho, tornando-a ainda mais bonita se não fosse a raiva em seus olhos. — Fantasias não devem ser felizes? Não tem nada feliz em ser coroada rainha do baile quando o seu rei a deixou para ficar com outra garota. Aposto que você adorou saber que eu subi sozinha no palco. — A sua mandíbula se aperta ainda mais. — A única vez em que eu consegui que meu pai me acompanhasse a algum lugar e ele me vê parecendo uma completa perdedora.

Eu mudo os pés de posição, com um calor desconfortável surgindo no meu pescoço. — O Jeb sabe que não se comportou bem, e ele se arrependeu. Ele tentou se desculpar.

Ela bufa. — Não preciso da compaixão dele.

— Esquece, Taelor — Jenara intervém. — Foi só a porcaria de um baile.

— Para você, talvez. Mas quando a sua família... — Os lábios de Taelor se apertam com força, como se reformulassem suas palavras. — Eu só quero criar mais uma lembrança boa antes de sair deste lugar para sempre. Então fique fora desta vez! Não estrague a minha vida novamente!

A. G. HOWARD

Suas palavras ficam suspensas no ar. Quando ela vê os olhares atônitos de todo mundo, cobre o seu rosto vermelho e vai correndo para a porta do vestiário. Por um segundo, a sua máscara de perfeição caiu. Eu já estou acostumada com todo mundo me analisando na escola, mas para ela isso é algo novo.

Meu coração dispara ao lembrar que o Rábido está esperando dentro do vestiário, vulnerável. Fico dividida entre ele e a procura por Jeb, mas escolho o que está mais perto e dirijo-me para o vestiário e para Taelor.

— Ah, não, não senhora. — Twyla me agarra por trás.

Jenara intervém. Inicia-se uma briga de empurrões entre elas. Alguns alunos começam a sair, enquanto outros tomam partido e gritam, encorajando.

As coisas começam a ficar feias. A minha cabeça está latejando quando eu dou uma corrida para alcançar Taelor. Eu a pego pelo cotovelo e a faço girar bem perto da divisória.

Seus olhos estão molhados. Ela está vulnerável, igual à criança com quem eu costumava brincar no ensino básico. Esforço-me para encontrar as palavras certas para mantê-la fora do banheiro quando um grito estridente me fere os ouvidos.

Olho para trás, procurando Jen. A atenção de todos, incluindo a dela e a de Twyla, está em algo atrás de mim.

— O que é aquilo? — um aluno grita, apontando.

Temendo o pior — que o Rábido estivesse lá parado em toda a sua decrepitude —, eu sigo os olhares.

— Formigas! — alguém grita conforme uma onda preta e vermelha atravessa a soleira e dirige-se a nós.

A minha garganta se fecha. Não pode ser. Eu fechei o portal do espelho.

Aos encontrões, nossos colegas saem em disparada, deixando somente Taelor e eu. Nós recuamos simultaneamente. A invasão faz um redemoinho em torno de nós, prendendo-nos.

— Al! — Jen grita da porta.

— Vá para fora! — eu grito.

— Vou buscar ajuda! — ela grita, desaparecendo pela cobertura.

As formigas estão cantando, mas não consigo ouvi-las por causa dos uivos de Taelor. Ela bate os pés, matando e mutilando várias.

Eu cubro as orelhas para não ouvir os seus gritos de agonia.

Elas revidam nos cercando ainda mais.

— Recuem! — eu grito para elas. — Ela estava assustada... ela não vai mais fazer isso.

— Com quem está falando? — Taelor grita, levantando a perna e pisando em mais algumas.

— Não. — Eu coloco a mão em sua coxa, depois pego uma guirlanda de luminárias. Arrastando os globos sobre o exército atacante, consigo afastar os insetos para o lado, sem feri-los. Quando já abri caminho, pego o braço de Taelor e subo na mesa de comida, forçando-a a vir comigo.

Ela se solta de mim assim que termina de subir. — Foi você quem as colocou lá. É por isso que você estava no vestiário.

— O quê?

— Você sempre foi doida por insetos! É um trote. Você ia libertar todas hoje à noite, não ia?

— Não! Eu... — Minha língua não consegue completar a negação, pois qual explicação eu daria? A verdade?

— Olhe — Taelor diz, rosnando. — Desculpe por ter contado a todo mundo o seu segredo dos Liddells! Por quanto tempo você vai guardar rancor de mim?

— Cala a boca! — eu grito, largando o cordão de luminárias na mesa entre nós. — Eu preciso ouvi-las!

Ela fica olhando para mim, pasma. Eu também olho para ela enquanto escuto as formigas.

Corra... corra... corra! A toca do coelho se desmanchou!

Elas não estavam correndo *na nossa direção*, elas estavam *fugindo* de alguma coisa, até Taelor começar a atacá-las. Um suave

A. G. Howard

som de algo arranhando atrai a minha atenção de volta ao vestiário. Cinco dedos espichados surgem na porta de entrada. São sombras, mas ao mesmo tempo não são — todos pretos e úmidos, como se fossem feitos de algum líquido espesso.

Gotículas escorrem pela parede e formam poças no chão, escuras e reluzentes feito petróleo. Unhas do tamanho de garras irrompem da ponta de cada dedo, espalhando-se para dar origem a mais dedos úmidos. Em segundos, um monte de mãos se agarra à soleira, cobrindo-a inteira. Elas agarram e puxam, como se não conseguissem passar, como se um enorme peso as estivesse segurando do outro lado.

Meu corpo inteiro fica paralisado. Eu nem *quero* saber ao que aqueles apêndices gotejantes estão ligados.

— Está vendo aquilo? — eu sussurro mais para mim mesma. Espero que Taelor não me compreenda. Desta vez eu prefiro estar alucinando.

A atenção dela não se desvia das formigas abaixo de nós, nosso oásis encolhendo conforme elas se aproximam.

— Ver o quê? — ela grunhe. — Os milhões de criaturas que você soltou? Sim, estou vendo. Precisamos de uma lata de Raid gigante! — Ela chuta uma fileira de formigas que estão quase chegando ao alto da mesa. O cordão de luminárias se enrosca em seu tornozelo e ela tropeça. Ao tentar se equilibrar, um globo rola para baixo do seu pé e ela cambaleia.

— Taelor! — Eu estendo a mão, mas a perco por poucos centímetros. Ela cai de costas sobre a mesa, e a sua cabeça bate na beirada, com um baque seco. Seus olhos ficam perdidos antes de se fecharem.

— Não, não, não. — Eu me ajoelho, mantendo as sombrias mãos em minha visão periférica. Esfrego as suas bochechas suavemente. — Taelor, está me ouvindo?

Como que satisfeitas por ela ter sido derrotada, as formigas batem em retirada para a porta do ginásio.

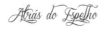

Salve o nosso reino, Alyssa.

Mande os intrusos embora.

Elas escoam para a cobertura e eu desço da mesa. Sem seus sussurros, o ginásio fica em silêncio.

Volto o rosto para encarar as mãos sombrias, e o ar fica parado em minha garganta, engasgado. O palhaço está próximo à entrada do vestiário. Ele tem um refém: o Rábido Branco. O arco do violoncelo do palhaço está equilibrado entre seu queixo carnudo e seu pescoço cadavérico.

Muito acima deles, um líquido escuro pinga da soleira. O fluido escorre pela cara do palhaço, escurecendo seus olhos e dentes.

— Majestade, desculpe eu... — meu real conselheiro choraminga, com a cara medonha cheia de remorso.

Sua chave está pendurada de um lado, o saco de biscoitos, do outro. Algumas migalhas salpicam o chão em volta dos seus pés. Ele deve ter aberto o portal e tentado subornar as formigas para poder entrar no País das Maravilhas como eu queria. Em vez disso, o País das Maravilhas veio até nós.

Estou começando a pensar que o País das Maravilhas esteve aqui o tempo todo, espionando, desde o meu acidente. Foi aí que o palhaço possesso apareceu. A Vermelha pode tê-lo encontrado no cemitério e o enviado para me pegar.

Não posso deixar essa coisa endiabrada prender o Rábido.

— Solte-o! — eu grito.

Com um riso misterioso e assustador como um violoncelo desafinado, o palhaço aperta o pescoço do Rábido com mais força.

As sombras oleosas cravam as garras na soleira, esculpindo marcas na parede de cimento pintado. Seja o que for que as prende do outro lado, não deixa que elas atravessem. Elas emitem uma série de guinchos e gemidos distorcidos, mais perturbadores do que os que eu ouvia no terceiro andar do sanatório, onde os pacientes ficam gritando em suas celas de paredes acolchoadas.

A. G. Howard

O barulho revolve cada terminal nervoso do meu corpo e ecoa através de meus ossos. Eu me jogo no chão, cobrindo a cabeça até que ela silencie novamente.

Exaurida, eu mal tenho energia para levantar os olhos. Uma figura negra gigante se empurra pela porta, afastando o palhaço e o Rábido. Ela explode numa revoada de mantos que mudam constantemente de forma, como anéis de fumaça viva. Eles berram ao voar até as vigas lá em cima e se chocar com as lâmpadas, enchendo-as de um fluido preto até elas se romperem. As luzes expiram em efeito dominó.

Eu solto um ganido e rolo o corpo inconsciente de Taelor de seu poleiro para o chão, depois a arrasto para debaixo da mesa para nos proteger dos estilhaços de vidro. Quando a última lâmpada explode, a sala mergulha na penumbra, restando somente o brilho da cobertura que entra pela porta do ginásio.

Mais guinchos martelam meus ouvidos. Uma das sombras se esgueira pelo chão na direção da porta do ginásio, deixando um rastro engordurado e negro atrás de si. Ela desengata os prendedores das portas para fechá-las, deixando-nos na mais completa escuridão.

O palhaço sibila. O terror lança ferroadas em toda a minha espinha, e eu puxo Taelor para mais perto, segurando-me a ela como se ela me desse segurança. A sua respiração é quente contra o meu pescoço e a sua pulsação parece forte. É melhor que ela esteja desacordada. Eu nunca poderia explicar o que está acontecendo à nossa volta.

— Rábido, o que são essas coisas? — eu grito, precisando ouvir uma voz familiar na escuridão, precisando saber que ele ainda está lá.

— Os momirratos davam... — A sua calma resposta não combina com o ruído alto dos seus ossos tremendo. — *Grilvos*.

Fogo Interior

Estavam mimsicais as pintalouvas,
E os momirratos davam grilvos.[2]

É do poema "Jaguadarte". *Momirratos* são criaturas sombrias e fantasmagóricas. Eles estão longe de casa, perdidos, procurando o caminho de volta. *Grilvo* é o som que eles fazem, um guincho que perturba a mente.

Só me lembro disso. Não posso deixar que eles escapem para outra parte da escola para aterrorizar os humanos. Tenho que prendê-los aqui até encontrar uma maneira de derrotá-los.

Os seus uivos e lamentos fazem meus pensamentos se dispersarem. Lufadas de ar frio investem contra o meu rosto, plenas de cheiro de ameaça e suor melado. Aperto Taelor contra o meu corpo, permitindo que seu perfume caro lave o fedor em minhas narinas. Eu não pensei que fosse protegê-la tanto assim. Mas ela

[2] Versos do poema "Jaguadarte", do livro *Alice Através do Espelho*, em versão de Augusto de Campos. (N. T.)

não tem nenhuma outra defesa a não ser eu. A responsabilidade é avassaladora.

A risada do palhaço irrompe novamente, exigindo a minha atenção.

O Rábido grita: — Majestade! — O seu apelo ecoa das profundezas do vestiário, e então percebo que ele se foi, levado para algum lugar fora do meu alcance.

— Não! — eu grito.

Não posso ficar aqui sem fazer nada. Indo contra a minha decisão de ficar protegendo a Taelor, eu a apoio nas pernas da mesa e rastejo ao redor às cegas, tateando o chão e rezando para não tocar em alguma coisa que me agarre. A minha mão passa por uma poça oleosa e eu limpo a gosma em minha calça, em seguida voltando à busca. Por fim, uma luminária rola sob meus dedos.

Eu arrasto o prêmio para baixo da mesa. Depois de encontrar o interruptor, eu o ligo. Uma luz âmbar é filtrada pelas toalhinhas de crochê, criando um efeito luminoso. Ela seria linda, não fosse pela cena medonha que revela.

Uma borra grossa e grudenta escorre pelas paredes e se amontoa em pequenas poças pelo chão. Formas de fantasmas deslizam pelo ar, subindo e mergulhando — como demônios num cemitério. Cada vez que tocam o chão, deixam uma mancha negra. É como se eu estivesse trancada dentro de um filme de Halloween. Faltam apenas as lápides em ruínas.

As minhas entranhas se retorcem de medo. — Morfeu. Volte, por favor. — Eu murmuro o pedido, na esperança de que ele me escute. Na esperança de que ele não esteja bravo demais para ouvir.

Por baixo dos urros dos momirratos, o silêncio de Morfeu soa ainda mais alto.

— Morfeu! Preciso da sua ajuda! — O meu grito ecoa pelas paredes. Os fantasmas sibilam em resposta, e um arremessa-se para debaixo da mesa, dividindo-se ao meio para formar um par de luvas flutuantes cheias de mãos desencarnadas. Elas agarram os tornozelos de Taelor para arrastá-la para longe de mim.

A. G. Howard

— Parem! — Eu largo a luminária e a abraço por trás, os dedos enfiados sob seus braços e em volta do peito. Ela se torna o objeto de um cabo de guerra sobrenatural. Usando meu peso, puxo com força, e as suas botas saem dos pés. As minhas costas batem contra os pés da mesa. As mãos enluvadas giram no ar na direção oposta, e então se reúnem em sua forma disforme original.

Volto a procurar a luminária e descubro que os outros momirratos a tiraram de mim. O que atacou Taelor devia ser uma isca para que eles pudessem me roubar a luz. Eles gotejam dentro dos buracos do tecido rendado, enchendo o globo até que a luz se extingue.

O vazio escuro é pesado como uma colcha molhada. Eu seguro a mão inerte de Taelor. Talvez Morfeu tenha realmente dado as costas para mim. Nunca pensei que ele me deixaria presa sem ter como sair. Mesmo que ele esteja furioso e queira me ver sofrer, ele certamente vai aparecer. Ele precisa da minha ajuda para salvar o País das Maravilhas.

Como que em resposta aos meus pensamentos, uma luz brilhante aparece na entrada do vestiário, pequena e cintilante feito o pavio de um pequenino fogo de artifício emergindo em pleno ar. Ela se esquiva dos momirratos que mergulham de um lado para o outro e vem se aninhar no joelho de Taelor.

O brilho cessa, tomando forma: cinco centímetros de altura, curvas femininas, verde-limão e nua, exceto por algumas escamas brilhantes em lugares estratégicos. Bulbosos olhos cor de cobre me estudam. É como estar em um concurso com uma libélula para ver quem pisca primeiro.

— Gossamer — eu digo, surpresa e aliviada em vê-la. Ela era a fada mais linda e querida de Morfeu, antes de traí-lo. Ou ela está aqui por conta própria ou eles fizeram as pazes.

— Rainha Alyssa. — Ela faz uma mesura e as suas asas peludas tremem. Ela olha para trás, onde estão as assombrações. — São tempos obscuros — ela diz em sua voz tilintante.

— São — eu respondo, tentando manter a voz estável para parecer majestosa. Fracasso de modo retumbante. — Foi Morfeu quem a enviou?

— Certamente — ela responde. — Ele ouviu o seu chamado.

Eu respiro profundamente, reconfortada por ele não ter me abandonado completamente. — E então, o que eu faço? Como eu os derroto?

— Você não precisa derrotá-los. Simplesmente os conduza para casa.

— Para o País das Maravilhas?

— Para as suas bases. Os sonhos infantis são a infraestrutura do País das Maravilhas. Você é versada no conto de Lewis Carroll e seu poema: *Receba este conto de fadas e guarde-o, com a mão delicada, como a um sonho de criança, que à teia da memória se entretece... assim nasceu o mundo do País das Maravilhas.*

Nós duas nos curvamos para escapar de um momirrato que passa voando.

— Ah, sim — eu murmuro. — Está um pouco diferente do que eu me lembro. — Não que eu esteja surpresa.

— Em qualquer uma das versões, a verdade está lá, se você procurar por ela. Existem duas metades para cada sonho infantil. As pintalouvas são a metade frívola e travessa e são usadas pela Irmã Dois dentro do cemitério para distrair e entreter os espíritos furiosos; mas os momirratos são a metade horrenda, como um pesadelo. Eles guardam a toca do coelho, impedem tudo o que pertence ao País das Maravilhas de escapar, ou capturam à força o que já saiu. Eles ficam enfiados no solo, e alguma coisa violou seu lugar de repouso.

Eu me lembro do sonho com Morfeu no País das Maravilhas enquanto eu estava me afogando, de como a lama parecia respirar e borbulhar sob os meus pés. Será que era um grupo de momirratos? Depois, penso nas formigas, em como elas são mestras em remover mais sujeira do que qualquer outro organismo, incluindo minhocas. Elas devem ter desfeito a fundação do País das Maravilhas, despertado o mecanismo de defesa para impedir que o exército de flores violasse a toca.

As asas de Gossamer farfalham em uma névoa obscura enquanto ela paira no ar diante de mim. Sua pele verde cintila. — Os

A. G. Howard

momirratos são como crianças perdidas, pois eles nascem de crianças. Eles são criaturas medrosas e irritadiças, a menos que estejam enfiados em seu lugar de repouso. Quando incomodados, eles só desejam fazer o seu trabalho para que possam voltar à segurança. Eles anseiam pela segurança que suas metades mais luminosas, as pintalouvas, antigamente forneciam. É por isso que eles são atraídos para a luz e para você. A magia de sua coroa os proíbe de tocá-la, mas eles acham que você os enviou até aqui. Como eles não encontraram nada que pertence ao País das Maravilhas, estão confusos. Eles esperam que você os conduza de volta à segurança, que ilumine o seu caminho.

Eu olho fixamente para o redemoinho de seres sem forma logo atrás do corpo luminescente de Gossamer. Eles se balançam perto de nós, como se tentassem decidir se Gossamer pertence ao País das Maravilhas ou a este lugar. A luz que ela emana deve estar hipnotizando-os, confundindo-os.

— Então é por isso que eles quebraram as lâmpadas lá de cima e roubaram a minha luminária? Eles tentavam se aproximar da luz?

Gossamer assente. — Você deve mostrar-lhes o caminho para a toca do coelho.

— Por que você não mostra? Deixe que eles sigam o seu brilho.

Ela vira o nariz para a sugestão. — Eu não tenho essa habilidade. A luz que você escolher deve ser poderosa o bastante para iluminar as pegadas deles para que retornem ao seu lugar, e ao mesmo tempo apagar os seus rastros, para que eles não possam segui-los de volta.

Solto um gemido. Mais uma charada. — Eles nem sequer *têm* pés.

Gossamer aterrissa em minha coxa, no lugar onde eu limpei a mão, ainda oleoso. Ela fica de quatro, percorrendo a forma da mancha com a mão do tamanho de uma joaninha. — As pegadas são únicas para cada criatura.

Olho para as manchas oleosas que elas deixaram no chão e nas paredes.

— Use o que meu mestre lhe ensinou — ela diz. A afeição em sua voz indica que Morfeu a perdoou, o que me dá esperança

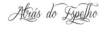

de também ser perdoada por ele. — Mande-os para casa. — Ela ganha o ar.

As formas de fantasmas se aproximam quando ela alça voo. Cubro a cabeça com os braços. Saber que eles são proibidos de me tocar não aplaca o meu medo. — Espere! Não me deixe. Diga a Morfeu que eu sinto muito se o magoei. Diga a ele que preciso dele aqui. Por favor, é importante!

— Eu *devo* partir. Antes que os fantasmas me forcem a fazê-lo. E Morfeu está providenciando a segurança do Rábido. Não acha que isso é importante?

Envergonhada, deixo que o silêncio responda por mim. Eu estava a um passo de me ajoelhar e implorar para que ele voltasse... como ele disse que eu faria.

— Ele quer que você o encontre quando isso acabar. — Gossamer voa rapidamente para o vestiário, deixando-me sozinha para cuidar de Taelor e dos fantasmas, os dois lados de mim, agora inexoravelmente interligados. Eu me iludi ao achar que poderia mantê-los separados.

Soa o sinal das 8h05 e alguém tenta abrir a maçaneta das portas do ginásio. Do outro lado, os gritos ficam mais altos.

— Está emperrada — brada o diretor.

— Vou chamar o zelador — um professor responde em seguida.

As minhas têmporas latejam — os pensamentos vão de um lado para o outro, como bolas de pingue-pongue em minha cabeça — enquanto eu tento formular um plano.

Os fantasmas uivam e gritam, agitados pelas vozes humanas. Eles se agitam e fazem o meu cabelo esvoaçar, sugando o meu ar em suspiros. Investem contra o vestido esvoaçante de Taelor, deixando as mangas em farrapos. Eu os espanto, gritando. Eles se acovardam, mas eu sei que o recuo é temporário. Quanto mais tempo ficarem presos aqui, menos crianças são assustadas e mais os monstros se tornam voláteis.

Tenho que mandá-los de volta antes que algum funcionário da escola abra a porta e tenha um ataque cardíaco fulminante.

A. G. HOWARD

Penso em pegar um cordão de luminárias para tentar "iluminar seu caminho", mas eles só farão romper as lâmpadas. Como vou conduzir essas criaturas para casa se elas ficam minando os meus esforços para ajudá-las?

Neste momento, sinto o meu instinto intraterreno despertar, como uma palpitação por trás dos olhos, revelando a lógica por trás do ilógico: só uma coisa pode fazer frente às sombras vivas, e esta coisa é a *luz* viva.

As chamas podem respirar. Elas também possuem a habilidade de consumir certos tipos de óleo, como querosene. Se as manchas oleosas deixadas pelos fantasmas forem inflamáveis, esta pode ser a resposta para a charada de Gossamer.

Neste reino, iluminar pegadas e ao mesmo tempo apagá-las seria impossível e sem sentido, mas não no País das Maravilhas. E agora, que o País das Maravilhas transpôs nossas fronteiras, isso é razoável e faz todo o sentido aqui.

A minha ideia é louca e perigosa. Eu poderia terminar queimando a escola inteira. Mas não tenho outra opção; sem mencionar que a ideia de ter tanto poder nas pontas dos dedos é tentadora demais para resistir.

O meu corpo vibra de expectativa e ansiedade por encarar o desafio de cabeça. Para provar a Morfeu que consigo cuidar disso, que ele estava certo ao depositar a sua confiança em mim.

Saio de baixo da mesa e fico parada na escuridão, cobrindo as orelhas para me proteger dos berros lancinantes dos momirratos. Com os olhos fechados, concentro-me nas guirlandas de luminárias nas árvores e nas que ainda se encontram espalhadas pelo chão. Não posso vê-las, mas sei que estão lá, e imagino as pequenas lâmpadas ganhando vida, respirando e queimando feito velas de verdade. A minha pulsação fica lenta e estável, e na paz e escuridão resultantes dou vida àquilo que é inanimado.

Quando abro os olhos, as luminárias emanam uma luz de um brilho alaranjado. Os fantasmas pairam sobre elas, mas não as atacam, como se aguardassem instruções.

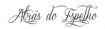

Agora o fogo tem de fazer contato com as manchas oleosas. Persuado as chamas a crescerem dentro das luminárias até se transformarem em bolas de fogo. Os cordões entre as lanternas pegam fogo, como o dragão de um carro alegórico no Ano-Novo chinês — aceso em tons de laranja, amarelo e vermelho.

A partir dessa imagem, mentalizo que os cordões flamejantes podem se movimentar. Eles se esgueiram das árvores — cujos galhos pintados de tinta branca pegam fogo em sua esteira — e deslizam pelo chão, indo juntar-se aos outros. Espalham-se até que não haja mais nenhuma poça ou cordão a incendiar.

Em segundos, as "pegadas" pegam fogo e os momirratos entram em fila.

— Vão para casa! — eu grito para eles. — Não há nada aqui para capturar!

Eles seguem as trilhas flamejantes para dentro do vestiário. As marcas oleosas se queimam conforme eles passam, apagando todas as linhas de gordura. Quando o último fantasma contorna a divisória do vestiário e ouço o som de vidro quebrado vindo de lá, uma sensação de realização me invade.

Eu consegui. Conduzi os últimos defensores do País das Maravilhas para casa e ao mesmo tempo salvei os meus colegas e professores.

Agora só falta limpar tudo.

O ginásio está em chamas. Eu deveria estar com medo. Em vez disso, sinto orgulho. Esta é a minha criação, nascida da minha magia.

O fogo das árvores se espalha para as toalhas de mesa e para o papel crepom — uma reação em cadeia brilhantemente espetacular e terrível, e eu desejo ardentemente fazer parte disso... devorar e destruir, e então deleito-me nos despojos.

Eu poderia fazer isso. Eu poderia ficar aqui em meio às chamas, deixar que elas me lambessem a pele, e rir, desafiando a morte — porque elas pertencem a mim. Eu poderia observar o mundo ruir e dançar, triunfante, sob a neve de cinzas que se seguiria.

Tudo o que preciso fazer é libertar o poder. Escapar dos grilhões da minha humanidade, deixar que a loucura me guie. Se eu esquecer de tudo, exceto do País das Maravilhas, posso me tornar um *lindo pandemônio.*

As chamas crescem... provocando... tentando...

A sala se enche de fumaça cinza, em forma de sílfides, adorável em sua graça mortal. Ela leva ao fogo, e forma o que parecem ser asas — negras e magníficas. A silhueta de um homem preenche a imagem, dois braços se estendem para mim.

Morfeu ou uma miragem?

A minha mente viaja para a nossa dança pelo céu estrelado do País das Maravilhas e a maravilhosa sensação de liberdade. Como seria dançar com ele em meio a um inferno ardente, cercados por um poder descomunal que respira e cresce sob a nossa vontade?

Toca o sinal de escola — três vezes consecutivas —, o toque para alarme de incêndio. Ele não me afeta. Deixe que os humanos corram das chamas. Eu me dirigirei para dentro delas.

Saboreando o calor que aumenta a cada passo, aproximo-me das asas sombrias e das mãos que me chamam, detendo-me quando um ruído leve perpassa minha euforia.

Taelor está tossindo.

Isso me faz hesitar. Ouvir. Lembrar.

Ele não saiu com os outros. *Ela está em perigo.*

Livro-me das gavinhas intraterrenas que envolvem a minha mente, desligo os meus desejos tirânicos. As asas nebulosas e a silhueta desaparecem. Não estou certa de que elas estavam realmente aqui. Apesar do calor, eu me arrepio, aterrorizada pela facilidade com que quase abandono a minha humanidade.

Não consigo ver Taelor, pois as chamas cresceram entre nós, mas a escuto tossir. Ou ela está acordando ou seus pulmões estão instintivamente expelindo os poluentes. Seja o que for, ela precisa da minha ajuda. Dou uma golfada de ar queimado. Os meus olhos ardem e a minha visão fica embaçada.

Para poder levar Taelor a um lugar seguro, tenho de extinguir as chamas para as quais dei à luz. Eu pauso por uma fração de segundo, congelada por uma bizarra angústia maternal.

Se eu pudesse fazer chover, eu poderia acabar com as chamas rapidamente. Encharcá-las antes que elas sintam alguma dor. Lembro-me do banheiro feminino cheio de mofo onde me encontrei com Morfeu, no andar abaixo do ginásio. Aqueles canos furados estão bem embaixo dos meus pés.

Imagino os dutos enferrujados ganhando vida, esticando-se e curvando-se, como uma salamandra despertando da hibernação dentro de um tronco podre. O metal flexionado bate com força por baixo do piso e irradia pelas solas das minhas botas. A água se empoça à minha volta, penetrando pelas frestas da madeira. Pingos metálicos ecoam quando os canos estouram. Jatos de água irrompem de cada fenda no assoalho, jorrando para cima e depois caindo e apagando as chamas.

Quando o inferno se encolhe e o ginásio fica mais escuro a cada segundo, abro caminho por entre a água, com as roupas molhadas e frias grudando em minha pele. Escorrego e vou parar ao lado da mesa.

Taelor grunhe e esfrega os olhos. Eu a ajudo a levantar-se e a apoio contra a beirada da mesa. Ela tosse novamente. Não sairei do lado dela. Ela mal consegue ficar de pé sozinha.

As portas principais se abrem com um baque seco. Um punhado de bombeiros entra com as suas lanternas faiscando. Eles param na porta, estupefatos com a visão do ginásio.

Os fachos trêmulos de suas lanternas expõem o meu surto de violência: madeira, papel e tinta queimados; poças cobertas de fuligem em cada canto do piso. E em algum lugar por baixo disso tudo se encontra a mascote da escola, deformada e irreconhecível, cheia de bolhas e preta.

— O que aconteceu? — pergunta Taelor, com os olhos injetados de sangue tentando absorver as ruínas ao nosso redor. Ela está com água escura até os tornozelos. As suas botas encontram-se em um monte de destroços fumegantes bem ao nosso lado, e o cheiro de couro queimado me faz engasgar.

Em vez de tentar responder, eu desmorono na mesa ao seu lado.

Estou como as chamas. Exaurida. Queimada. E ainda nem começei a lutar, porque a batalha contra o País das Maravilhas e contra mim mesma que acabo de vencer não é nada comparável com as acusações que estou prestes a enfrentar, e as respostas que eu não tenho.

***

O vento sopra através da minha trança em frangalhos e eu estou de pé entre a caminhonete de papai e o Gizmo. Engulo o que resta de minha água e enfio a garrafa na lixeira atrás de mim. O meu olhar aprecia o céu do meio da manhã e depois recai sobre os caminhões dos encanadores estacionados ao lado da estrada dos fundos da escola.

O zumbido suave dos insetos zune em meus ouvidos:

Muito bem, Alyssa... só mais uma guerra para salvar a todos nós.

Cada músculo meu se tensiona ao ouvir esse alerta. É verdade. Não estou nada perto da segurança ainda, nem as pessoas que eu amo. A minha prioridade agora é Jeb. Já perdi tempo demais aqui.

Os caminhões dos bombeiros e carros de polícia saíram há cinco minutos. As suas luzes faiscantes ainda queimam por trás dos meus cílios. Ou talvez sejam as chamas. Talvez aquele inferno nunca saia da minha memória. Uma lembrança indelével do momento em que perdi contato com a minha humanidade e arruinei a minha carreira na escola e o meu relacionamento com o meu pai em uma tacada só.

Papai tinha acabado de pegar o Gizmo na borracharia quando recebeu o telefonema do diretor da escola. Ele nunca poderia imaginar o que o aguardava do outro lado da linha.

— Se você chegar em casa primeiro — ele diz —, espere por mim para entrar. Quero que seja eu a dar a notícia para a sua mãe

que você foi suspensa. Está bem? — A contenção cautelosa de sua voz incomoda, como se ele tivesse medo de gritar comigo. Ele acha que sou instável demais para lidar com emoções reais.

Ele parece arrasado, apoiado na caminhonete em seu uniforme de trabalho, curvado. Ele está convencido — assim como todos, exceto Jenara — de que eu capturei uma tonelada de formigas para atacar todo o corpo discente. Depois, eu acidentalmente incendiei o ginásio enquanto tentava controlar a minha travessura que deu errado.

Papai não tem tanta certeza de que foi um acidente, embora ele não tenha dito isso à polícia nem a mim. Mas posso ver em seus olhos. Ele acha que eu quebrei o espelho do vestiário, assim como quebrei o que estava em meu quarto. Ele não engole a teoria de que o espelho ficou quente devido às chamas, e, quando a água fria o atingiu, o vidro se estilhaçou, como o que "aconteceu" com as lâmpadas estouradas.

Pelo menos eu não precisei tentar explicar a água. De acordo com os bombeiros, o calor entortou as tábuas e elas exerceram pressão sobre os canos enferrujados e os quebraram. Foi um golpe de sorte.

Sorte. *Certo.*

Eu tenho tudo, menos sorte.

Não neguei as acusações sobre as formigas porque, até certa altura, sou responsável. Papai já deixou de sugerir que eu converse com o orientador da escola; já marcou uma consulta com um psiquiatra. Ele vê o espelho quebrado como o começo da mesma espiral descendente que mamãe percorreu. Desta vez, eu sou a vítima negligente.

— Alyssa. — Papai insiste que eu responda à pergunta.

— Entendi — respondo. — Se eu chegar em casa antes, a senha é "mamãe". — É brincadeira, mas ele não ri, provavelmente porque nunca se deparou com um certo intraterreno convencido que sempre se refere a mamãe com sotaque britânico. Eu tusso em meio ao silêncio desconcertante, com a garganta seca devido à inalação de fumaça.

A. G. Howard

— Você devia dar graças a Deus pela escola achar que foi um acidente — papai diz, provando que, mesmo que ele não tenha entendido a brincadeira, sentiu o meu sarcasmo. — E que eles levaram em consideração o seu bom comportamento em todos esses anos. Uma suspensão de um dia por quase incendiar o ginásio todo? Acidente ou não, eles podiam ter dado queixa, e aí você prestaria o exame final no reformatório, e não em casa.

Mordo o interior da bochecha. É claro que estou contente por não ter sido fichada como delinquente. Eu até poderei comparecer à formatura no sábado e receber o meu diploma com meus colegas, com uma condição: que eu não apareça no baile desta noite.

O pai de Taelor ofereceu o Submundo para realizar a festa agora que o ginásio está em ruínas. Na reviravolta mais impressionante de todas, Taelor preferiu não dar queixa contra mim. Ela deve lembrar, em algum nível, que eu tentei ajudá-la. Ela só pediu que emitissem uma ordem de restrição temporária me proibindo de chegar a quinze metros dela ou do centro de entretenimento de sua família.

Estou exilada de meu próprio baile de formatura. No ano passado, eu teria dado uma festa para celebrar esse fato. Este ano? Estou verdadeiramente frustrada. Mesmo sabendo, em meu coração, que eu não poderia comparecer.

Há uma batalha que leva o meu nome e não posso procrastiná-la nem um minuto mais. Se eu não me apressar para descer pela toca do coelho, a Rainha Vermelha e seu exército podem atravessar o portal — se já não estiverem aqui —, o que faria o que aconteceu no ginásio parecer uma apresentação do *Disney on Ice*.

— Tome aqui. — Papai nem olha para mim ao me dar as chaves do Gizmo. — E veja se limpa o rosto antes de falar com ela. A sua maquiagem está um horror.

Deve haver fuligem no meu rosto, considerando que eu nem estava usando maquiagem. — Pode me ajudar a limpá-lo? — Digo qualquer coisa para que ele olhe para mim.

Ele continua desviando o olhar. — Use o espelho do seu carro. — O desprezo dói mais do que uma palavra de repreensão ou do que um olhar de desapontamento que ele pudesse me dar.

Papai vira as costas e abre a caminhonete, dando-me uma última instrução. — Você não vai sair de casa hoje e não receberá visitas. Vai terminar o seu último exame. E ainda terá de pedir desculpas a sua mãe. Vá direto para casa. Entendeu?

Eu concordo. Não é uma mentira de verdade. Afinal, ele não especificou *qual* casa.

Eu usei bem o tempo em que fiquei sentada na sala da enfermaria enquanto papai se reunia com o diretor e o orientador. Consegui o endereço do estúdio da Ivy com o Sr. Piero e o copiei para o meu celular.

Assim que sair do estacionamento, vou atrás de Jeb, vou encontrar os meus mosaicos e Morfeu — para implorar de joelhos, se for necessário, por sua ajuda — e encarar a Vermelha no País das Maravilhas.

Então, sim, papai, estou indo para casa.

Só que não a casa que você pensa.

17

Artista Faminto

Depois de responder a uma mensagem de texto preocupada de Jenara, na qual prometi encontrar o seu irmão, espero que papai saia com o carro do estacionamento primeiro, para que ele não me siga. Nem posso me permitir imaginar como ele ficará furioso ou preocupado quando eu não aparecer em casa. Se eu imaginar, nunca terei coragem para fazer o que precisa ser feito.

Tentando parecer ocupada, desfaço a minha trança e esfrego os dedos no cabelo para alisar as ondas. Inclino-me para olhar no espelho retrovisor e limpar as manchas do rosto. Um olhar e o meu estômago se revira.

Não se trata de fuligem. As minhas marcas intraterrenas nos olhos retornaram — uma versão mais feminina das de Morfeu, sem as joias. Deve ter acontecido quando eu comecei a perder contato com o meu lado humano. Não é à toa que todos me olhavam de modo tão estranho na diretoria da escola.

Arrisco outro olhar para as marcas quando percebo uma cauda listrada de laranja e cinza pendurada no espelho.

— Chessie?

O apêndice felpudo se contrai.

Papai me lança um olhar penetrante ao dar ré, e eu finjo estar procurando um lenço de papel no porta-luvas. Assim que ele ganha a rua, verifico o estacionamento para garantir que estou sozinha e então dou um tapinha na cauda de Chessie. Ela se enrosca em meu dedo e dissolve-se numa bruma alaranjada.

Quando o felino intraterreno se materializa, seguro-o na palma da mão. Ele se aninha ali — peludo, sinuoso e quente.

— Deixe-me adivinhar. Morfeu quer que eu o encontre — eu digo.

Os seus olhos tremeluzentes me estudam por um instante e em seguida ele voa para a janela ao lado do carona. Dando baforadas no vidro para embaçá-lo, ele desenha as letras *l-e-m-b-r-a-n-ç-a* com a ponta de uma garra.

Enfio a chave na ignição. — Eu sei. Ele está aguardando entre as lembranças perdidas. Olhe, eu não tenho tempo para descobrir o que isso significa agora. — O motor ronca para a vida. — Jeb precisa de mim.

Chessie balança a cabeça e depois dá outra baforada no vidro da frente, em minha linha de visão. Desta vez ele desenha a imagem de um trem e um par de asas.

Eu suspiro. — Sim, você salvou a mim e a Morfeu daquele trem. Eu me lembro. Obrigada. Agora, volte e diga a ele que ele vai ter que esperar um pouco mais. — Eu limpo a condensação do para-brisa com um lenço de papel.

Chessie revoa à minha volta. Os tufos brancos e peludos sobre os seus olhos se franzem.

Eu o afasto e pego os meus óculos escuros do painel, colocando-os. — Não vou mudar de ideia. Vou fazer isso primeiro. Você pode vir, mas só se prometer não me distrair.

O pequenino intraterreno acomoda-se no painel de braços cruzados. O seu costumeiro sorriso cheio de dentes se curva numa careta e os seus longos bigodes pendem. Quando eu entro na rua, passa uma caminhonete. O motorista fixa os olhos em Chessie com tanta atenção que quase erra a curva.

— Você vai ter que parecer mais... imperceptível — digo ao meu passageiro.

Soltando um pequeno suspiro que parece o espirro de um gatinho, ele se agacha sobre as quatro patas com a cauda enrolada, repousa as asas sobre as costas e solta a cabeça de modo que esta fica pendurada — a imitação perfeita de um daqueles bonecos que balançam a cabeça.

Eu daria risada se não estivesse tão preocupada com Jeb.

Demoro vinte minutos para encontrar o estúdio. Ele fica no fim de uma reclusa estrada de terra dez quilômetros ao sul do mesmo conjunto habitacional pelo qual Morfeu e eu passamos ontem.

Estaciono em um terreno poeirento que também é uma passagem de carros. Assim que desligo o motor, Chessie reposiciona a cabeça e voa para o seu lugar no espelho retrovisor, sibilando.

Eu tiro os óculos escuros, assustada o bastante para eu mesma sibilar. Cerca de meia dúzia de algarobeiras moribundas rodeiam um chalé malcuidado de teto reto. Os seus troncos e galhos são deformados. Alguns parecem ter crescido para dentro das paredes do chalé, como se estivessem atacando o lugar. Não é uma visão acolhedora.

Tábuas de madeira gasta formam a frente e as paredes laterais. A única parte do chalé que parece nova é a porta, que está pintada em vermelho profundo com dobradiças de latão brilhante e uma aldrava de formato bem esquisito. A porta inteira parece estar deslocada em meio àquele pano de fundo arruinado.

Praticamente não há janelas — pelo menos na frente. Como pode haver luz para pintar em um chalé sem janelas? Estou começando a pensar que estou na casa errada quando vejo a moto de Jeb parada ao lado do que deve ter sido uma gaiola de coelhos. Hoje é uma pilha de madeira e arame velhos.

Ver a moto dele ali confirma o meu maior temor: ele passou a noite aqui. Ou ele está sozinho e desprotegido, ou não está sozinho — o que seria bem pior.

Medo e culpa me envolvem o coração. Eu deveria ter dito a ele a verdade desde o começo. Se ele soubesse desde o verão passado, estaria preparado.

O meu celular toca, me dando um susto. É papai. Desligo o som, mas envio uma mensagem:

Logo estarei em casa. Procure não se preocupar. Só preciso ficar sozinha para pensar em algumas coisas.

Ele ficará furioso e começará a procurar por mim imediatamente, mas pelo menos quem sabe ele não fique tão preocupado.

Largo o telefone dentro da mochila e volto o olhar para o chalé. Eu não deveria me sentir intimidada por um prédio acabado depois do que acabo de enfrentar na escola. Mas existe a possibilidade de a Vermelha estar aqui — um dos poucos intraterrenos a quem Morfeu teme. Pensar que Jeb a está enfrentando sozinho me dá arrepios.

O vento joga poeira contra o para-brisa. Chessie sibila novamente — um lembrete de que pelo menos eu não estou sozinha.

— Eu preciso entrar — digo a ele.

Ele pega sua cauda e rodopia, enroscando-se nela para esconder o corpo e a cara.

— Bom, você tem uma ideia melhor? — pergunto.

Ele espia lá fora, embaça o vidro e escreve *Encontrar M* com a ponta da cauda.

Estreito os olhos. — Vamos encontrar Morfeu depois que cuidarmos disso. Agora, você vem comigo?

Chessie franze a cara, o seu pelo fica eriçado feito o de um gato assustado. Ele balança a cabeça.

— Muito bem. Então fique aqui sozinho.

No instante em que abro a porta e saio, as asas esvoaçantes de Chessie tocam o meu ombro. Ele aterrissa ali e se enfia debaixo do meu cabelo.

Fico aliviada. Ele pode ser pequeno, mas é mágico, invisível e gosta de consertar as coisas. Melhor do que entrar sozinha.

Eu seguro a sua cauda para me sentir mais segura enquanto me dirijo para a porta. Montículos de terra e pedras são esmagados sob

A. G. HOWARD

os meus pés. Os insetos sussurram ao meu redor. Não consigo dizer se eles estão me estimulando ou me alertando; há muitas vozes para eu conseguir definir.

Depois de pisar na varanda caindo aos pedaços, paro e olho para a aldrava de latão. Ela tem o formato de tesouras de poda.

Minha pele toda fica arrepiada. Olho para as cicatrizes em minhas mãos. Quem colocou isso aqui sabia que eu viria... e está me pregando peças. Eu cerro os dentes. Não importa. Não saio daqui sem Jeb, por mais ameaçador que seja o seu raptor.

A maçaneta gira com facilidade e eu empurro a porta, mas permaneço na varanda, olhando para dentro. O lugar parece abandonado e me ocorre que há um resultado que poderia ser pior do que encontrar Jeb aqui: não encontrá-lo.

Meto a cabeça para dentro. A primeira coisa que sinto é o cheiro de tinta e um odor metálico pungente. Depois, outra coisa... enjoativa de tão doce e frutada... familiar o bastante para fazer a minha boca aguar, mas não consigo descobrir o que é.

Raios de sol entram pelo teto nos lugares onde há claraboias, dando ao lugar um certo efeito estufa. Teias de aranha pontilhadas de corpos de insetos pendem do vidro, grudadas no chão em alguns pontos, brilhando como véus de casamento ornados de joias grotescas. Há uma grande sala — sem contar o sótão à esquerda e um banheiro à direita, onde há um baú alto com cinquenta ou mais pequeninas gavetas logo ao lado da porta aberta. As paredes, cobertas por telas, são mais baixas do que parecem vistas de fora. Não há mobília, a não ser pelos andaimes portáteis apoiados na parede, de modo que o reflexo do sol cria uma névoa sobre o chão empoeirado.

O resultado é iluminado e etéreo... quase divino. Agora posso ver por que Ivy escolheu este estúdio. Nas pontas dos pés, desvio de alguns artigos artísticos, deixando a porta entreaberta atrás de mim. Chessie se retesa sob meu cabelo.

Há pinturas por toda parte — três em cavaletes cobertos com panos, outras nas paredes de telas. Eu me viro para ver todas, o chão escorregando a meus pés.

A minha respiração acelera quando o motivo das pinturas fica claro: tesouras de poda e as mãos ensanguentadas de uma criança; um polvo sendo engolido por um marisco; um barco a remo flutuando sobre um romântico rio de estrelas; duas silhuetas descendo um morro de areia montadas em pranchas; rosas que sangram em uma caixa com uma cabeça dentro. Lembranças que Jeb e eu criamos no País das Maravilhas. Lembranças que não pertencem mais a ele. Mesmo assim, eu reconheceria aquele estilo mórbido em qualquer lugar. Ele pintou retratos perfeitos de nossa jornada. Ele deve ter trabalhado sem parar a noite inteira.

De alguma maneira, ele se recorda de tudo.

Eu recuo e bato o calcanhar em uma tela enrolada. Eu a abro, revelando uma pintura de Jeb entrando no carro do Sr. Mason no estacionamento do hospital, com uma enfermeira ao lado dele vestida de branco.

Eu balanço no lugar, sentindo-me tonta.

Então a enfermeira Terri participou *mesmo* do roubo dos meus mosaicos — e Jeb a ajudou?

Lembro-me das palavras de Morfeu: *Você sinceramente pensa que eu sou o único com a habilidade de entrar num carro com o alarme ligado sem ninguém perceber?* Ele estava certo. Até alguns humanos têm essa habilidade, quando entendem bastante de carros.

Mas pode haver uma explicação inocente. O carro do Sr. Mason é novo e Jeb nunca o viu. A enfermeira poderia ter mentido e dito a ele que era o carro dela... que ela tinha se trancado para fora. Depois de abrir o carro, ele foi embora. Então, ela roubou os meus trabalhos — talvez sob as ordens de outro intraterreno. Isso poderia explicar como eu nunca vi outra forma por baixo de seu encanto.

Deve ter sido isso que aconteceu, porque Jeb nunca me trairia.

Morfeu estava certo sobre outra coisa também. Eu os coloco em patamares diferentes. Na mesma situação, eu nunca daria ao meu obscuro algoz o benefício da dúvida.

— Jeb! — eu grito, procurando suprimir o choro. — Você está aqui?

A. G. Howard

Nenhuma resposta, só o eco do meu desespero.

Chessie sai de baixo de meu cabelo.

— Ele está no sótão... tem de estar. — Eu digo em voz alta para confortar a mim mesma, embora não surta resultado. Subo as escadas. Os degraus rangem sob meu peso.

Eu me detenho quando consigo visualizar o nível superior. O aroma doce de frutas é mais forte aqui. Há uma taça virada no chão, e gotas do que parece ser vinho tinto pingando dela.

Jeb não teria bebido. Ele quase nunca bebe, principalmente quando está pintando.

Tudo, incluindo as paredes de madeira árida, está coberto de teias grossas e opacas cheias de saliências. Há um minibar e uma luminária de piso no outro canto. Uma cama boxe está ao lado do corrimão. Procuro afastar da mente a imagem repentina de meu pesadelo no hospital com o corpo de Jeb enrolado em teias, num casulo. Este colchão pode ser velho e empoeirado, mas não há nada em cima dele.

Na verdade, parece que ninguém vem aqui há anos. Começo a descer, mas avisto algo: a camiseta polo preta e a gravata japonesa que Jeb usaria na sessão de fotos ontem esticadas perto do armário mais próximo da escada. Segurando o ar, retorno aos dois degraus mais altos e estendo a mão para pegá-las. Conforme eu arrasto a camiseta para perto de mim, os meus três mosaicos roubados aparecem, escondidos sob a camiseta.

Cubro a boca com uma mão. O som reverbera no cômodo vazio e faz com que Chessie venha ficar ao meu lado.

Como aconteceu na escola, não consigo compreender muita coisa, a não ser o que aparenta ser um País das Maravilhas devastado e uma rainha raivosa. Pergunto-me como mamãe foi capaz de ler alguma coisa neles.

Chessie esvoaça ao meu redor, como se tentasse me dizer alguma coisa.

Morfeu disse que o dom do felino intraterreno é encontrar a melhor maneira de resolver charadas e, depois, consertá-las. Talvez isso se aplique à arte mágica também.

— Você sabe ler esses mosaicos? — eu pergunto a Chessie. — Você estava aninhado no ombro de mamãe em meu espelho para ajudá-la a lê-los, certo?

Como se me esperasse ligar os pontos, ele se dissolve em centelhas alaranjadas e fumaça cinza. Ele paira feito uma nuvem sobre as contas de vidro e age como um filtro, trazendo clareza às linhas dos mosaicos. Depois que ele se posiciona, é como assistir a um filme monocromático: no primeiro, há uma grande aranha que persegue uma flor; no próximo mosaico, uma rainha vermelha é deixada sozinha em meio a uma tempestade de magia e caos; e, no último, há uma rainha solitária cuja metade superior do corpo está embrulhada em algo branco parecido com uma teia.

Indícios perturbadores que não consigo compreender como um todo.

Abalada, desço da escada, deixando os mosaicos onde os encontrei.

No chão, seguro a camiseta de Jeb contra o sol. Há alguma coisa escura endurecida na frente. O cheiro me lembra sangue. Eu reprimo um gemido.

— Precisamos encontrá-lo. — Limpo as lágrimas do rosto e jogo a camiseta para o lado.

Chessie paira em volta de um dos cavaletes cobertos. Talvez as outras pinturas nos digam onde Jeb está agora.

Faço um sinal com a cabeça, dando ao meu companheiro intraterreno permissão para fazer o que estou assustada demais para fazer eu mesma.

Segurando uma ponta do tecido nas patas, ele alvoroça as asas e o puxa. Em vez de uma tela esticada sobre uma moldura, há uma vidraça com faixas de tinta vermelha tão fluida que secou e ficou salpicada. Eu estudo o percurso das linhas, a imagem. Inconfundível, trata-se de mais um dos trabalhos de Jeb.

O mesmo cheiro de cobre que estava na camiseta de Jeb me invade. Seguindo um palpite, raspo um pouco da tinta vermelha e a toco com a língua. O gosto metálico e salgado me causa náuseas.

A. G. HOWARD

Sangue.

A minha mente viaja para um lugar negro e terrível, mas eu a chamo de volta e me controlo. Jeb precisa que eu seja forte. Não consigo imaginá-lo drenando suas veias para usar o seu sangue como tinta, como fez no verão passado no País das Maravilhas. Mas ele sobreviveu a isso uma vez. Sobreviverá novamente. Ele está bem. Tem de estar.

Olho a pintura mais de perto. É mais do que o conhecido estilo de Jeb. É uma versão abstrata de um de meus mosaicos — um dos que estão escondidos em algum lugar sob uma ponte em Londres. Chessie me ajuda a retirar o pano do segundo quadro. Também é uma versão vítrea de meu trabalho. O último cavalete sustenta uma vidraça limpa ao lado de três frascos de plástico vazios. Os mesmos que a enfermeira Terri usou para colher amostras de sangue no hospital.

Meu sangue.

Morfeu se lembrou de que, ainda que a Vermelha tivesse acesso ao meu sangue, ela não teria imaginação para dar vida a suas visões. Como eu sou parte humana e também artista, a criação é o meu poder.

Jeb também é artista. E ele é totalmente humano. Morfeu estava certo quanto ao meu sangue ser usado como arma contra mim. E Jeb, inadvertidamente, empunhou a espada na forma de um pincel.

Mais uma vez, ele foi pego no meio de minha crise de identidade.

Os meus olhos se enchem de lágrimas, mas não posso me dar ao luxo de perder tempo chorando.

Chessie pisca para mim, esperando, e eu lhe dou permissão para me ajudar a decifrar as obras.

Ele usa o seu véu mágico novamente para animar as pinturas no vidro: o que era uma rainha imóvel tendo um ataque de fúria no País das Maravilhas torna-se três rainhas lutando, como descrevera a minha mãe. Elas se movem pelo vidro, usando magia e inteligência para ganhar vantagem umas sobre as outras e conquistar a coroa. Outra mulher espia detrás de uma touceira com oito trepadeiras espichadas.

Chessie raspa as patas nos resíduos deixados na primeira vidraça e os espalha sobre a próxima pintura no vidro, como se transferisse a sua magia. Desta vez, restam somente duas rainhas para disputar a coroa, enquanto a terceira é comida viva por uma criatura horrenda. A mulher misteriosa que assistia a tudo detrás dos arbustos recua. Quando ela sai, as trepadeiras a acompanham. Elas parecem estar surgindo da metade inferior de seu corpo. Ela não está se escondendo atrás de uma planta — os apêndices são parte dela. E a metade superior é humanoide demais para ser uma flor zumbi, então não pode ser a Vermelha.

Chessie se materializa e pousa em meu ombro. Estou aturdida demais para pensar em agradecer-lhe pela ajuda. Nossa descoberta não foi muito satisfatória porque não consigo entender o que esses mosaicos significam. Eu só sei que eles são a prova de que a Vermelha usou o meu sangue para levar vantagem em nossa batalha. Ou, pior, que Jeb caiu em suas garras e agora desapareceu.

Meu coração dói — uma dor que me tira o ar. Incapaz de me sustentar sobre as minhas pernas trêmulas, eu caio sentada no chão, com os joelhos curvados sobre o peito. É como se meu esterno estivesse sendo sugado. Todo esse tempo eu estava tentando proteger Jeb de meu passado, escondendo-o. E agora ele foi engolido pelo meu futuro.

Eu sei que preciso pensar além deste mundo, no que isso significa para o País das Maravilhas. A Vermelha está um passo à minha frente. Ela viu cinco dos meus seis mosaicos. Só me resta esperar que ela não tenha sido capaz de interpretá-los, porque eles mostram os resultados de uma guerra que está só começando a se delinear. Ela quer alterar o final a seu favor, e eu preciso encontrar o último mosaico para poder tomar a dianteira.

Mas ela está com Jeb.

Eu levo o seu medalhão aos lábios para sentir o gosto do metal, escondendo o rosto por trás de uma cortina de cabelo. Os nossos planos para Londres, a nossa vida juntos. A sua oportunidade de ser um artista mundialmente famoso... tudo isso não pode ter ido embora.

Se tiver, eu não saberei como prosseguir.

A porta bate, fazendo-me dar um pulo. Jogo o cabelo para trás e olho para cima.

Eu quase grito quando vejo Jeb lá parado. Fico de pé num segundo. Ele está usando o seu jeans preto de ontem, e só. Até descalço ele está. A luz do sol faz brilhar levemente os pelos de seu peito entre os peitorais. A sua pele cor de oliva brilha de suor, e há manchas de tinta colorida em seu dorso, cobrindo várias de suas cicatrizes. Não há nenhum indício de encantamento nele, mas ele é a coisa mais encantadora que eu já vi.

Estou prestes a correr para abraçá-lo, mas o meu sexto sentido intraterreno me detém. Alguma coisa não está certa. Ele não me reconheceu.

Um empoeirado coelho branco se revira em seus braços, embrulhado na camiseta de manga comprida que Jeb usava sob a sua camisa polo. A julgar pela grama grudada no cabelo de Jeb, ele devia estar lá fora caçando o animal. Ele está tão atento a sua presa que não percebe mais nada.

— Jeb?

— Preciso de mais tinta — ele diz, mas as palavras não são dirigidas a mim. — Ela não deixou o bastante. — Sua voz é rouca, como se lhe doesse falar. Ele esfrega as orelhas do coelho, aparentemente alheio ao modo como este luta para se libertar... a como ele sai da camiseta onde estava embrulhado e começa a arranhá-lo, deixando marcas de sangue em seu peito e braço. — Eu preciso de mais. Para provar que sou um artista.

Está tudo errado. O modo como ele fala, o modo como se movimenta.

Eu me aproximo com cautela. Ele está em algum tipo de transe.

Percebo a cor nada natural de seus lábios: roxo-escuro.

Procuro por Chessie. Ele paira perto das claraboias, observando Jeb com olhos enormes e curiosos.

Jeb segura o coelho diante do rosto, com uma mão em volta do pescoço dele. — Serei rápido. Você não vai sentir nada.

Eu reajo sem pensar. — Jeb, pare!

O meu grito assusta o coelho. As suas garras traseiras tomam impulso e deixam um vergão no queixo de Jeb. Xingando, ele larga o animal e este pula para perto de mim. Eu saio do caminho quando Jeb passa atrás dele, batendo no chão com os seus pés descalços. Ele derrapa nos cavaletes e os derruba. Os painéis de vidro caem e explodem em mil cacos reluzentes.

É uma cena estranhamente familiar. Jeb está tão determinado, tão focado. Eu já estive no lugar dele, caçando um rato em cima de uma mesa arrumada para o chá, motivada por um apetite insaciável. Existem tantos tipos de fome. A minha era por comida e experiências que eu nunca tinha vivido. A de Jeb é por sua arte, e para provar que ele é o melhor.

Ele consegue recuperar o equilíbrio, perseguindo o coelho enquanto este pula de um lado para o outro da sala, tão determinado que nem percebe que está prestes a correr sobre o vidro e cortar os pés.

— Jebediah Holt! — Eu nunca o chamei pelo seu nome inteiro antes. Parece seco e artificial em minha língua, como se eu tivesse lambido algodão. Ele entorta a cabeça e desacelera o suficiente para que eu me arremesse sobre ele. Os seus ombros batem na parede. Eu me choco contra o seu peito, e nós dois grunhimos com o impacto.

— Al? — Ele pega o meu rosto com carinho, tentando voltar, mas ainda muito distante. — Eu estou tão...

— Faminto — eu tento, sentindo o mesmo aroma doce e frutado que senti ao entrar. Era isso que pingava da taça no sótão. Jeb tem bebido suco de Tumtum. A Vermelha o usou para canalizar o seu desejo de se reafirmar e transformá-lo em um frenesi guloso de paixão artística. Foi por isso que ele pintou a noite inteira sem parar e não telefonou, não enviou mensagens, nem foi para casa.

Só uma coisa pode curá-lo dos efeitos do suco: comer um punhado de frutinhas de Tumtum inteiras. — Chessie — eu digo, procurando não tremer a voz —, frutas Tumtum. Procure no minibar.

A. G. Howard

Chessie chispa para o sótão, mas volta em alguns instantes de mãos vazias.

O coelho passa por nós saltitando com graça por entre o vidro sem se cortar. Eu caio com o traseiro no chão quando Jeb me empurra e começa a andar sobre os cacos. Não consigo me levantar rápido o bastante para impedi-lo.

Eu me concentro no vidro no chão, magnetizando-o para que ele forme torrões, como a cauda escamosa de um crocodilo. Eles saem da frente toda vez que os pés de Jeb se aproximam. Com o caminho livre, Jeb chega perto do coelho.

A presa pula na direção da porta. Eu me levanto e chego lá antes, a tempo de abri-la e deixar o animal assustado escapar. Bato a porta e colo as minhas costas sobre a maçaneta, impedindo que Jeb vá atrás do seu ex-candidato a doador de sangue.

— Saia da frente. — A voz de Jeb é seca. Os seus olhos se cravam nos meus, mas ele parece não focar direito. É como se ele olhasse através de mim. A sua mandíbula treme e ele cerra os dentes.

— Chessie! — eu berro. — Frutinhas!

Chessie vai voando para o banheiro e desaparece dentro de uma gaveta entreaberta. A madeira estala enquanto ele vasculha o seu conteúdo, e passa dela para a próxima. Só restam mais quarenta e oito.

Jeb agarra os meus braços, cravando as unhas na minha pele delicada através das mangas, os músculos se esforçando para impedir que ele me tire da porta. Ele sempre conseguiu me levantar como se eu não pesasse nada, mas desta vez eu imagino que a maçaneta atrás de mim é um punho e os seus dedos se fechando, assim como a maçaneta que se transformou na mão de um homem idoso na minha lembrança da Loja de Excentricidades Humanas. Garras de metal frio agarram e se curvam em torno da cintura de minha calça jeans, mantendo-me no lugar.

Jeb faz mais força, frustrado.

Desesperada para trazê-lo de volta, eu o puxo para baixo e o beijo, suave e sedutoramente.

Volte para mim, os meus lábios dizem.

Ele mantém a boca fechada e continua tentando me tirar da frente. Ouço um ruído de tecido rasgado quando os dedos de metal na minha cintura começam a perder força. Agarro os ombros nus de Jeb, arrastando o seu corpo para perto de mim de modo que não haja espaço entre nós. O seu dorso pressiona o meu e eu o beijo na garganta. Mesmo através das camadas de camisetas, o calor anormal da pele dele me queima.

Ele se retesa e eu sinto a mudança. Não é rendição; é um redirecionamento. As suas mãos se arrastam pelas minhas costelas, parando sob os meus braços. Eu perco toda a concentração sobre a maçaneta, e os dedos me soltam, voltando à porta. Os meus pés saem do chão quando Jeb me imprensa contra a porta.

Não há um pingo de carinho em sua expressão. Sua ânsia raivosa agora está focada em mim.

Mais gavetas estalam no banheiro.

— Chessie... depressa. — Só consigo murmurar o apelo. Estar sob o escrutínio dos olhos de Jeb — de um verde brilhante como eu nunca os vi — faz os meus ossos derreterem.

Chessie debanda do baú de gavetas e escoa feito fumaça pelas fendas das claraboias. Ele deve estar saindo para usar os espelhos do meu carro. Ele terá de entrar na toca do coelho para encontrar algumas frutas.

Mas eu não tenho certeza se me importo que ele encontre ou não. Finalmente sou o centro da atenção exclusiva de Jeb, e gosto disso.

Um ruído surdo escapa de sua garganta quando ele inicia um beijo. Nossas línguas se tocam, depois brigam. Resta Tumtum o bastante em sua boca para incendiar meu abdômen. Ele tem gosto de desafio e ferocidade, de coisas que são perversas e doces. Ele é o sabor do País das Maravilhas mesclado com todas as coisas que Jeb é. Eu o estimulo a aprofundar o beijo. Ele envolve as minhas pernas em sua cintura, movendo-se por instinto — sem romance, sem cuidado, só a luxúria motivada por uma droga mágica e potente.

A. G. HOWARD

Perco-me em sensações. Esta é a paixão crua que ele só reserva a suas pinturas. Ele não está reprimindo seus desejos, nem precisa me proteger; não está preocupado se sou frágil ou quebradiça. Ele tem fome, e me desafia a equiparar a sua ânsia.

Ele enfia os dedos em meu cabelo e seu piercing arranha o meu queixo com força suficiente para deixar vergões. Seus beijos queimam como ferro em brasa, me marcando, e eu o marco também.

Ele pega os meus pulsos, coloca-os contra a parede e os mantém lá. Abandona os meus lábios, nós dois arfando conforme a sua boca desliza pelo meu pescoço, os dentes nus contra a minha jugular. Uma pontada de dor me faz puxar uma mão e empurrar o seu rosto. Há sangue em seu lábio inferior. Eu toco meu pescoço no ponto onde ele me feriu a pele, chocada.

Jeb passa a língua sobre o meu sangue em sua boca. Seu rosto muda. Ele nunca foi rude o bastante para deixar marcas em minha pele; ferir-me deve tê-lo trazido de volta a si. Ainda me pressionando contra a parede com o corpo, as suas mãos se movem pelo meu pescoço.

Eu espero um consolo ou desculpas. Em vez disso, ele aperta a minha garganta com força, cortando o meu ar. Eu luto com os seus pulsos, mas ele é forte demais. O ar para em meus pulmões; não consigo expeli-lo, nem inspirar.

Eu enfio as unhas em sua pele e aperto as pernas em torno de sua cintura, tentando atrair sua atenção.

— Tinta — ele resmunga, lambendo o sangue do lábio mais uma vez. O olhar distante voltou a seus olhos, tintos de intenções assassinas. Um terror gelado me trespassa o corpo.

Na cabeça dele, eu sou o coelho.

É isso que as flores de mamãe previam. A minha morte nas mãos dele. Ele nunca se perdoará.

Tenho que detê-lo.

Tento forçar um som em minha garganta para tirá-lo de seu transe, mas ele me aperta com muita força. Seus polegares se fecham

ainda mais em volta de minha traqueia, os dedos pressionados contra as minhas vértebras. Os ossos doem sob a tensão.

Entro em pânico... não consigo me concentrar... não consigo invocar os meus poderes... não consigo focar.

Um manto negro cobre lentamente a minha visão.

— Tenho de terminar o que comecei — Jeb diz mecanicamente. Como um maníaco. — Serei rápido. Você não vai sentir nada.

A. G. HOWARD

18

Peregrinação e Negociação

O torno formado pelas mãos de Jeb aperta ainda mais o meu pescoço.

Meu corpo fica mole no momento em que uma rajada de vento passa por nós.

— Acabou a brincadeira. — O comando brusco de Morfeu me faz abrir os olhos. Meu coração chuta meu esterno, batendo forte diante da chance de permanecer vivo. Eu nunca pensei que pudesse ficar tão feliz por ouvir aquele sotaque britânico.

Ele interrompe o aperto de Jeb e o arrasta para longe de mim. Eu caio de joelhos no chão, levando as mãos ao pescoço, tossindo e arquejando. A cada dolorosa inalação, solto um gemido, saboreando a ardência que corre desde a minha traqueia ferida até os meus pulmões ansiosos.

Eu quero implorar a Morfeu para que não machuque Jeb, mas estou muita fraca. Tudo em mim lateja, do pescoço às pernas. Faço força para sentar e me apoiar na parede, enfiando o rosto onde meus braços abraçam meus joelhos, tentando parar de tremer.

O som de grunhidos e rosnados me força a olhar para cima.

Morfeu está ajoelhado sobre Jeb, que está deitado de costas. Ele o mantém preso com um joelho em seu peito, e enfia frutas Tumtum em sua boca. Surpresa e alívio me invadem. Ele ajuda Jeb em vez de feri-lo.

É como assistir a um filme de James Bond. Morfeu — usando um blazer preto estilo capa de chuva que chega até as coxas, calças cinza de tweed, colete cinza-escuro, gravata vermelha estreita e camisa social preta com listras — poderia se passar por um agente secreto místico que capturou o seu vilão. As ondas azuis de seu cabelo tocam os ombros, saindo de uma boina cinza de tweed, e suas asas caídas sobre as costas vão até o chão, batendo esporadicamente para manter o equilíbrio devido à resistência de Jeb.

De todas as reviravoltas que eu já vivenciei nos últimos dias, esta é, de longe, a mais bizarra: o meu sombrio tentador transformando-se em meu cavaleiro, e meu cavaleiro tornando-se o meu perseguidor. Eu sei que essa troca de papéis é temporária, mas nunca conseguirei esquecer o modo como aquela luz faminta incendiou os olhos de Jeb com um tom de verde tão vivo... nem como me senti quando ele se libertou de suas inibições e exigiu que eu desse o que tinha de melhor. Não quero esquecer, porque éramos rivais, e ao mesmo tempo parceiros.

Até ele tentar me matar.

As frutas fazem efeito, e Jeb para de resistir, pouco a pouco, até ficar imóvel.

— Depois de você tirar um cochilo — Morfeu lhe diz em voz brutal e entrecortada —, vamos discutir essas marcas que ficaram no queixo de Alyssa. — Ele dá um tapinha na bochecha de Jeb com uma luva de couro preto que tira do bolso, mas não consegue esconder o ódio que tensiona as suas mandíbulas.

Chessie aparece ao lado do meu rosto — uma agitação de asas, pelos e patas. Ele se aninha em meu ombro e carinhosamente fuça o meu pescoço no lugar onde Jeb me mordeu.

— Obrigada por trazer Morfeu — eu lhe digo.

A. G. HOWARD

A minha voz parece um ruído de lixa sobre o metal. A minha tosse chama Morfeu, com os seus sofisticados sapatos pretos detendo-se ao meu lado. Eu só consigo ver os seus sapatos, até ele se ajoelhar. Ele andou fumando o seu narguilé, e o aroma me envolve.

— Chessie, irmão, fique de olho no mortal, por favor — ele diz, avaliando-me enquanto enfia as luvas de couro nas mãos manchadas de frutas.

O pequenino intraterreno deixa o meu ombro e se aninha sobre o corpo inerte de Jeb.

Eu forço o pescoço para olhar nos olhos de Morfeu, e a minha pele ferida lateja. O sol que vem das claraboias cintila por trás de sua silhueta — um halo de luz amarela.

— Que bom que você não o machucou — eu balbucio, incapaz de emitir mais do que um sussurro rouco.

A expressão de Morfeu é severa. — Se fosse *qualquer outro* e não o rapaz que sangrou por você no País das Maravilhas — ele responde —, eu o teria matado com as minhas próprias mãos, sem o uso de magia.

Há uma frieza ameaçadora por trás de seu olhar, e eu me permito reconhecer o que venho negando: a seu próprio modo, Morfeu é meu cavaleiro também. Só que ele tem motivações mais obscuras do que as de Jeb — nem sempre altruístas e honradas, mas vigilantes. Isso eu tenho de admitir.

— Você tinha razão — eu digo, engolindo o meu orgulho — quando disse que o meu sangue seria usado como arma contra mim. Que eu coloco vocês em patamares diferentes. Eu deveria, pelo menos, ter tentado confiar em você. Desculpe. Vou tentar mudar isso.

— Por favor, tente. — Embora suas palavras sejam ríspidas, a expressão em seu pálido rosto de porcelana não é nem um pouco. Ela me faz recordar de meu companheiro de brincadeiras do passado, ávido para ganhar a minha confiança e adoração. Fazendo de tudo para conseguir isso. Ele não tem de dizer que estou perdoada, nem que ele está tocado com o meu pedido de desculpa. Essas

duas emoções se refletem no piscar colorido das joias que pontuam as marcas de seu rosto.

Eu conto a ele tudo o que sei — o que vi nas pinturas que Jeb fez usando o meu sangue e vidro, meus mosaicos no sótão. E conto também que desconfio que a Vermelha esteja no reino humano, brincando comigo.

Ele discorda. — Não parece ser do feitio dela. Ela não é dada a sutilezas.

— Mas a tesoura de poda na porta — eu insisto. — Ela estava lá para me assustar.

Ele parece sinceramente confuso. — Eu não vim pela porta. Entrei por uma fenda na claraboia. Você está certa do que viu?

— Vá e veja você mesmo se não acredita em mim.

— Eu acredito em você, mas não faz sentido. Ela gostaria de ver você à sua mercê, despreparada. Ela estava usando o seu namorado não só pela imaginação dele, mas pela ligação que ele tem com você. Ele era uma isca. Ela atraiu você até aqui, então deve ter planejado estar aqui para rendê-la. Mas alguma coisa a assustou, e, por mais que eu queira pensar que foi você, sei que não foi.

Meu coração palpita ao pensar em quem ou o que pode ter assustado alguém tão poderoso como a Vermelha. — Acha que foi a mulher misteriosa nos meus mosaicos? A que está escondida nas sombras? A que tem tentáculos...

— Talvez a resposta esteja em seu último mosaico. Precisamos encontrá-lo. Mas primeiro vamos cuidar dessas cicatrizes de batalha. — Ele pega o meu queixo e passa o polegar pelos vergões deixados pelo piercing de Jeb. — Você conseguiu fazer com que eu voltasse sem implorar. Suponho que esteja orgulhosa de si mesma.

Sua carinhosa provocação faz o meu coração desacelerar, acalmando-me. — Você voltou por *minha* causa? Achei que estivesse com saudade do seu carro.

Os lábios de Morfeu se curvam — quase um sorriso. Ele levanta o meu queixo para olhar melhor o meu pescoço. O movimento estica os meus músculos doloridos e eu gemo.

A. G. Howard

— Desculpe, amor. — Ele recua e me solta, batendo de leve na pele em torno da mordida de Jeb. As suas luvas são frias e tranquilizantes. — Mas creio que você vai sobreviver. — A atenção dele se volta para o meu rosto, com o respeito faiscando em seu olhar negro. — Parece que você teve um dia de magia bem movimentado.

Eu esfrego as marcas em meus olhos. — Você já sabia disso. Mandou Gossamer e Chessie virem cuidar de mim.

— Eu poderia continuar de fora até você me encontrar. Mas, como sempre, você acaba arruinando os meus planos.

— Bem, se isso faz você se sentir melhor — eu digo, com a mão no pescoço no lugar onde ainda posso sentir o ardor deixado pelos dedos de Jeb —, descobri onde você estava, então eu o teria encontrado.

Morfeu inclina a cabeça. — É mesmo?

Com um sinal da cabeça, afirmo que sim, e aponto para as pinturas de Jeb sobre as paredes. — Quando vi as lembranças perdidas de Jeb, elas me lembraram o que Chessie desenhou nas janelas do carro quando vínhamos para cá: um trem e você. E a palavra *lembrança*. Depois que mamãe foi para Londres através do espelho, você perguntou a ela se ela foi de trem para reviver antigas lembranças. Você estava esperando no desfiladeiro de Ironbridge, certo? Foi por isso que enviou Chessie. Você esperava que eu fosse lá procurar os meus mosaicos, e sabia que eu precisaria da ajuda dele para decifrá-los.

— Impressionante.

— Era por isso que queria me atrair até lá? Por causa dos mosaicos?

— Em parte. Mas eu queria, antes de tudo, que você pegasse o trem.

Eu franzo a testa. — Então o trem é real?

Morfeu tira a boina. Seu sedoso cabelo azul parece mover-se à procura de ar, como se ficasse emocionado por estar livre. — Qual é a sua definição de *real*?

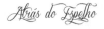

Eu olho para a sala, detendo o olhar sobre o corpo adormecido de Jeb. — Está mudando sempre.

Girando a boina na ponta do dedo, Morfeu concorda. — Como deveria estar. Existe uma passagem subterrânea que fica perto da ponte, e que foi esvaziada e fechada anos atrás pelos humanos. Os intraterrenos possuem um trem que passa por ela, especializado em cargas muito preciosas. Ele tem vagões de passageiros para os que têm interesse pessoal nas mercadorias. Eu comprei passagens para nós.

— Quer dizer que você também planejava ir? Você tem medo de andar de carro. Um trem é melhor?

Ele dá de ombros, meio encabulado. — O trem não se *movimenta*, exatamente.

— Mas você disse que ele corre por essa passagem.

Ele agita a mão num gesto desdenhoso. — Você teria que pegá--lo para compreender. Há uma coisa lá que você precisa ver. Uma lembrança na carga que não lhe pertence, mas mesmo assim você a moldou. Uma lembrança que está perdida há anos e precisa ser encontrada antes que você enfrente a Vermelha.

A resposta dele aguça a minha curiosidade. — Não estou entendendo. A carga do trem é feita de *lembranças*?

— Lembranças perdidas.

— Mas como...?

— Vamos dizer que o conceito humano de um trem de carga é tão enganoso quanto o conceito do que é um chapéu. — Ele me oferece sua boina.

Intrigada, eu a pego. É o primeiro chapéu que eu vejo ele usar que não tem nenhuma decoração. Eu a seguro contra o sol. Não parece a textura de tweed. É mais sedosa e parece respirar e se mover ao meu toque. Confusa, meu olhar encontra o de Morfeu.

Com uma piscadela, ele pega a boina de volta e a coloca na cabeça. Em um gesto sutil, passa a mão sobre o topo da boina. O tweed se transforma em mariposas vivas. Elas emergem de sua cabeça, esvoaçam ao nosso redor, e, em seguida, a um assobio de

A. G. Howard

Morfeu, reúnem-se e voltam correndo para o seu lugar, como peças de um quebra-cabeça, formando novamente o chapéu.

Eu sorrio e ele faísca de orgulho.

— Que tipo de chapéu é esse? — eu pergunto, incapaz de resistir. Ele fica adorável quando está exibindo o seu guarda-roupa — como um cachorrinho fazendo seus truques. Contudo, continuo cautelosa, sabendo que, num piscar de olhos, ele pode voltar a ser um lobo.

— Minha Boina da Peregrinação — ele responde.

— Hã?

Ele abre um sorriso largo, exibindo dentes alvos. — Peregrinação. Uma excursão... uma jornada.

— Então por que você não a chama simplesmente de sua boina de viagem?

— Aí ela não seria um bom assunto para começar uma conversa, seria?

Levanto uma sobrancelha. — Humm, o fato de ela ser feita de mariposas vivas já rende algum assunto.

Morfeu ri. Pela primeira vez, nosso relacionamento fica confortável, amistoso. Tão diferente de seus costumeiros flertes e ameaças.

— Sobre o trem — eu digo, quebrando o momento genuinamente bom.

Ele abre a boca para responder, mas um gemido o interrompe. Jeb está se levantando. Morfeu começa a ficar de pé para ver como ele está.

— Espere. — Eu agarro a sua gravata. Mesmo através de sua camisa, posso sentir a curva forte do seu pescoço por baixo dos meus dedos. Ela me faz lembrar de sua aparência em meu quarto: sem camisa e perfeito — as asas abertas bem no alto, como algum ser celestial —, poder elegante e luz pulsante. Sem pudor, sem vergonha e confiante. Tudo o que eu anseio ser.

A minha pulsação acelera junto à mordida em meu pescoço. — Tem uma coisa que eu quero que você faça antes que Jeb acorde e entenda o que aconteceu.

Morfeu se ajoelha novamente. — O quê? Quer que eu beije seus dodóis? — O ronronar sombrio de sua voz é mais provocador do que sedutor.

Eu reviro os olhos. — Quero que você me cure.

Ele faz uma careta e todo o clima de brincadeira desaparece. — Ah, não. Não. Jebediah terá que encarar o que fez a você.

— Ele nunca teria me atacado daquele jeito se não estivesse sob o efeito do suco. Por que quer esfregar isso na cara dele? — Faço um ruído de frustração. — Foi você quem me forçou a mantê-lo alheio a tudo. O que mudou?

— Você precisa reconhecer os perigos de ele explorar um mundo que está além de sua compreensão. O suco de Tumtum torna as pessoas vorazes, mas ele virou um assassino. Ele é um risco. Se envolvê-lo nessa guerra, será a sua ruína. Isso eu garanto.

Fico de boca aberta. Não acredito que eu estava abrindo o meu coração para ele momentos atrás. — Não. Você quer que Jeb duvide dele mesmo. Você quer que ele acredite que está se transformando no pai. Você vai manipulá-lo, porque é isso que você faz. Você usa as fraquezas das pessoas contra elas.

Ele me estuda, com os longos cílios negros sem piscar, em afirmação silenciosa.

— Não vou deixar que isso aconteça — eu digo. — Agora, *cure-me*.

Morfeu resmunga e tenta se afastar, mas eu me recuso a soltar a sua gravata.

Ele ergue as asas, lançando enormes sombras azuis sobre nós. Se ele as usar, pode libertar-se e se recusar a fazer o que eu peço. E aí, mais uma vez, eu poderia me sair melhor em uma batalha de vontades, agora que os meus poderes estão ficando mais fortes. Uma pontada de excitação se desfralda em meu peito só de pensar nisso.

Encaramos um ao outro. Para minha surpresa, ele relaxa as asas.

— Quanto vale para você? — ele pergunta.

Eu solto a gravata e franzo a testa. É uma pergunta difícil.

A. G. HOWARD

— A paz de espírito de Jebediah — ele reitera. — Quanto vale?

— Tudo — eu digo, sabendo que é um erro no instante em que eu admito.

Com a expressão pensativa, Morfeu se senta com as pernas cruzadas e coloca o chapéu no colo, persuadindo as mariposas que o formam a separar-se e pairar por cima de suas coxas. Depois de tirar uma luva, ele levanta a mão e fios de luz azul surgem das pontas de seus dedos, ligando-se aos insetos. Ele agita os dedos e, guiadas por seus arreios mágicos, as mariposas voam em círculos, como um carrossel em miniatura.

Sua expressão torna-se sonhadora, triste como a luz. — Um dia e uma noite — ele diz sem levantar os olhos, preocupado com o seu brinquedo.

Eu engulo em seco. — O quê?

— Este é o preço. — Ele ainda não olha para mim. A magia de seus dedos acelera e as mariposas a seguem. — Se eu ajudá-la a proteger a frágil psique de seu troféu, você me dará um dia e uma noite assim que esta batalha com a Vermelha tiver passado. Vinte e quatro horas comigo no País das Maravilhas.

Eu o estudo. *Ele não pode estar falando sério.*

Como se incitado pelo meu silêncio, ele retira a sua magia e as mariposas voltam a juntar-se, formando o chapéu. Ele o coloca e fixa o seu olhar no meu. Suas joias piscam entre a paixão e o desafio — uma combinação evocativa e intimidadora. — Devo avisar que farei bom uso desse tempo. Serei gentil, mas não serei um cavalheiro. Você será o centro do meu mundo. Eu lhe mostrarei os encantos do País das Maravilhas, e, quando estiver embriagada com a beleza e o caos pelos quais o seu coração tanto anseia, eu a acolherei sob as minhas asas e farei com que esqueça que o reino humano um dia existiu. Você nunca mais desejará deixar o País das Maravilhas, nem a mim.

Um ruído surdo começa na base do meu crânio, outra ressurreição de meu lado intraterreno, quase tão poderosa quanto a que senti no ginásio quando fiquei entre as chamas. Mas o meu lado

humano me cutuca — um alerta. Morfeu é a criatura mais mágica e cativante que eu já conheci. E, sem contar os sonhos, eu nunca passei mais do que algumas horas a sós com ele de cada vez. Como poderia eu resistir à obscuridade que ele incita dentro de mim por um dia e uma noite inteiros?

Olho por baixo de sua asa esquerda para verificar como está Jeb. Seus pés se contraem e ele rola, ficando de barriga para o chão, resmungando. Ele estará totalmente consciente em alguns minutos.

O olhar de Morfeu cai sobre as marcas de mãos em meu pescoço. — Dê-me uma resposta ou acordarei o seu namorado e deixarei que ele se deleite com a sua mais recente obra-prima.

— Está bem — eu murmuro. Pode ser que eu nem sobreviva à batalha com a Vermelha, em primeiro lugar, então esse dia com Morfeu pode nunca existir. Quem sabe se serei eu a última rainha nos mosaicos? Talvez eu seja aquela cujo dorso está coberto de teias, ou a que é engolida por alguma monstruosidade inominável.

É algo em que eu tenho de considerar. Se eu não sobreviver, não quero que Jeb se atormente com a ideia de que me machucou, que de alguma maneira ele herdou a violência do pai. Esse é um presente que eu posso dar a ele.

— Jure — diz Morfeu. — Com palavras sérias.

Com o rosto quente, levo a palma da mão ao coração. — Eu juro, pela magia da minha vida, dar a você um dia e uma noite depois que derrotarmos a Vermelha.

— Feito. — Com a expressão imutável, Morfeu remove a outra luva.

Quando ele começa a tirar o casaco, eu me ajoelho e puxo as suas lapelas, apressando-o. Juntos, escorregamos as mangas pelos seus ombros. Apesar dos meus esforços para ser impessoal, sinto-me intimidada ao despi-lo com Jeb deitado inconsciente no chão. Se ele acordasse e visse isso...

Duas fendas abrem-se na parte de trás do blazer para libertar as asas de Morfeu. Uma delas roça a minha mão, causando um frêmito nos brotos de minhas próprias asas. Fico inquieta. Ele observa

A. G. HOWARD

a minha reação atentamente. Meu estômago dá um nó quando eu pego o seu pulso e abro a sua abotoadura, empurrando a manga até o seu ombro para revelar a marca de nascença em seu antebraço. Sua pela é macia e quente.

Eu solto o braço dele e desamarro a minha bota para expor a marca intraterrena no meu tornozelo.

Morfeu afasta-se e me estuda. — De todas as vezes que você me despiu em minhas fantasias, eu não me lembro de ter me sentido tão... irrealizado.

— Por favor, Morfeu — eu imploro ao ouvir Jeb se mexendo ao fundo.

— Ah, mas aquelas palavras agradáveis — Morfeu diz com um sorriso provocativo — estão sempre na fantasia.

Eu o encaro com olhar penetrante. — Você é inacreditável.

— E *aquele* sentimento está reservado para o final.

— Cala a boca. — Eu puxo o seu antebraço para sobrepô-lo à minha marca de nascença.

Ele se liberta antes de fazermos contato. — Um momento, por favor. Permita-me desfrutar de sua devoção. — Ele está se referindo à minha tatuagem no tornozelo.

Eu fico ruborizada. — Eu já disse uma centena de vezes. É só um par de asas.

— Bobagem. — Morfeu ri. — Eu conheço uma mariposa quando vejo uma.

Eu solto um gemido de frustração, e ele se rende, deixando-me pressionar nossas marcas uma contra a outra. Uma centelha corre entre elas, expandindo-se para um incêndio em minhas veias. O seu olhar se fixa no meu, e as profundezas sem fim cintilam — feito nuvens negras avivadas pelos relâmpagos. Durante esse instante, sinto-me totalmente nua. Ele olha dentro do meu coração; eu olho no dele. E as semelhanças me aterrorizam.

Eu desvio o olhar, quebrando a nossa conexão mental. Meu pescoço lateja, minha garganta se acalma e meus membros ficam lânguidos. Eu relaxo contra a parede.

Atrás do Espelho

A pele pálida de Morfeu cora, e ele afasta o braço do meu tornozelo. Há uma coisa nova por trás dos seus olhos — resolução —, e eu sei que acabo de vender a minha alma.

Agachado ao meu lado, ele passa os dedos pelo meu cabelo dos dois lados do rosto, com a expressão mudando para reverência. — Você esteve magnífica hoje, florzinha. O meu único arrependimento é o mesmo que o seu: não termos dançado entre as chamas.

Fico atônita. Ele *estava* na escola hoje de manhã, atraindo-me para dentro do fogo, provocando-me para que eu cedesse à obscuridade. Antes que eu possa reagir, Chessie se interpõe entre nós no mesmo instante em que Morfeu é empurrado para o lado.

— Sai de perto dela! — Jeb se lança em cima dele, vindo do outro lado da sala, surpreendentemente forte para alguém que estava inconsciente há instantes. Morfeu cai no chão e rola, as asas amortecem a queda. O seu chapéu bate na parede, dispersando as mariposas mais uma vez. Algumas voam até as claraboias, outras na direção do armário, e as restantes vão para o sótão.

Jeb está cambaleante, esforça-se para manter o equilíbrio. Com os olhos arregalados, ele observa Chessie esvoaçando pelo teto junto com as mariposas. — Isso não é normal.

— Mas que observação genial. — Morfeu se levanta e sacode as asas.

— O que é... essa coisa? — Jeb pergunta, agora olhando para Morfeu.

— Não se lembra? — eu respondo. Aponto para as pinturas à nossa volta. Jeb se vira para vê-las, e fica branco. — Argh! — Ele segura as têmporas, desabando e se encolhendo em posição fetal no chão.

Horrorizada, eu me ajoelho, puxando a sua cabeça para o meu colo. Ele geme.

— Jeb, abra os olhos, por favor.

Ele pressiona as têmporas com muita força, o rosto franzido de dor.

— O que há de errado com ele? — eu grito para Morfeu.

Morfeu se limpa sem pressa, como se os gritos de Jeb fossem uma inconveniência corriqueira. — Ele não pintou as lembranças dele. Ele pintou as suas, que estavam no seu sangue. Algum resíduo de sangue nos pincéis deve ter se misturado com a tinta comum.

Jeb geme e se encolhe, virando uma bola. Ele convulsiona: o seu peito e os músculos do braço se contraem.

O meu corpo se contrai e dói em compaixão. É como se houvesse arame farpado enrolado em minhas juntas e tendões, que se aperta cada vez mais com os movimentos de Jeb. — O que está acontecendo com ele? — eu pergunto soluçando.

Morfeu olha para as mariposas se chocando contra os vidros, despreocupado. Ele estreita os olhos ao encarar a luz do sol. — Ver as suas lembranças fez o subconsciente dele perceber que possui buracos. Deve ser uma sensação excruciante ter um queijo suíço no lugar do cérebro. Agora, se me permite, preciso consertar o meu chapéu.

Faço força para conter o ódio que cresce dentro de mim. — Quem se importa com esse chapéu idiota? Pelo menos uma vez pense em alguém além de você mesmo!

A minha explosão atrai a atenção de Morfeu. Ele olha para mim com curiosidade, quase desapego.

— Ajude o Jeb. Por mim — eu imploro, sentindo uma fagulha de culpa por ter explorado as suas afeições. Afinal, foi ele quem me ensinou a usar as fraquezas das pessoas.

Surge uma abertura em seu ar de indiferença. Ele vem até nós, ajoelha-se e coloca as mãos nas têmporas de Jeb. Uma luz azul pulsa através de Jeb, da cabeça até os pés, e ele relaxa.

Pigarreando, Morfeu fica de pé e afasta-se. — Fiz com que ele adormecesse. Seus sonhos o manterão sem dor por enquanto. Mas o único modo de salvá-lo da loucura é reunificá-lo às suas memórias. Isso significa dar um passeio de trem. E eu não vou pegar trem algum sem a minha Boina da Peregrinação.

Com o auxílio de Chessie, ele convence as mariposas a descerem das claraboias, reconstruindo o seu chapéu, pedaço por pedaço. Mas ainda faltam insetos, pois há vários buracos na boina. Ele e Chessie dirigem-se ao banheiro para procurar mais.

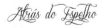

Eu cerro os punhos até minhas unhas deixarem marcas em minha pele, controlando o desejo de gritar com ele devido a sua vaidade, mas não adiantará nada. Morfeu é Morfeu. Pelo menos ele fez com que Jeb ficasse mais confortável.

Eu afasto uma mecha de cabelo castanho que cobre os olhos de Jeb e depois inclino a cabeça para beijar sua testa. — Desculpe. Eu devia ter contado tudo. Nunca mais vou esconder a verdade de você.

Eu faço a promessa, mesmo que ela signifique que terei de contar a ele sobre o trato que fiz com Morfeu, e os fatos que me levaram a fazê-lo. Jeb vai acabar sabendo que me atacou, então eu fiz o trato para nada. Mas não posso mais mentir para ele.

Estico uma perna e, com o tornozelo, alcanço a camisa de Jeb. Depois de arrastá-la para perto, eu a afofo, formando uma almofada. Ele murmura o meu nome de modo subconsciente enquanto eu acomodo a sua cabeça sobre o travesseiro improvisado. Pego um dos tecidos que cobriam os quadros e o cubro até os ombros, para mantê-lo aquecido.

— Nós vamos dar um jeito em você — eu digo, afagando o seu cabelo.

Fico de pé e amarro os cadarços da minha bota, com a impaciência crescendo em meu sangue. Jeb precisa de suas memórias, e eu ainda tenho de decifrar o último mosaico para poder enfrentar a Vermelha. A primeira coisa a fazer é encontrar um espelho grande o bastante para que eu possa entrar nele.

Mas Morfeu é teimoso demais para sair sem o seu chapéu. Enquanto ele está ocupado vasculhando gavetas no banheiro, eu vou até a escada. Eu vi pelo menos duas ou três mariposas voarem para o sótão.

Duas mariposas volteiam, saindo e entrando na luz do sol, quando eu chego ao alto da escada. Elas se aninham em cima do colchão. Recolhendo-as, eu as liberto perto da escada, mandando-as para Chessie.

— Ainda falta uma — Morfeu diz lá de baixo.

— Está aqui — eu respondo. — Está presa em uma teia.

O inseto chora, sacudindo o corpo contra o emaranhado de fios pegajosos, indefeso e assustado. Sussurrando palavras de conforto, eu a liberto com cuidado para não ferir as suas asas. Assim que eu solto a mariposa, percebo alguma coisa no outro canto da sala, onde a teia fica mais espessa. Aproximo-me com os olhos procurando se ajustar às sombras.

A náusea toma conta de mim quando reconheço o contorno de um corpo — um corpo em um casulo.

— Morfeu... — eu mal consigo murmurar.

Como se reagisse à minha voz, o cadáver se movimenta por baixo das grossas fibras brancas. O ar em meus pulmões fica congelado. Levanto o pé para dar um passo para trás e neste momento uma mão rasga a teia e agarra o meu pulso com um aperto frio como gelo.

19

Doce Veneno

Um grito brota da minha garganta.

A adrenalina explode dentro de mim, e eu afasto os dedos gelados do meu pulso. Morfeu voa para o meu lado. Nós trocamos olhares e depois examinamos o casulo de teia perto da parede. Juntos, nós o rasgamos e libertamos a forma de sua concha.

Uma mulher desmorona nos braços de Morfeu. Ela tem perfume frutado e delicado — feito peras. Sua pele cintila como o resplendor do luar sobre um lago gelado, e asas gigantes de plumas brancas pendem de seus ombros.

Ela é um cisne de gelo e também uma rainha. Eu a reconheceria em qualquer lugar.

— Marfim — eu sussurro. Não posso imaginar por que ela está aqui, presa desse jeito.

Morfeu fica pálido. Ele a levanta e a carrega até o colchão, tirando a luminária do caminho com o pé. Ele a deita com cuidado. Por baixo da teia colada ao vestido, é possível ver pedaços de renda amarelada. Cabelos prateados na altura da cintura envolvem seu pescoço longo e elegante.

Sentado na beira da cama, Morfeu desprende uma camada fina e aderente de algo parecido com gaze de seu nariz e boca. Ela arqueja, ofegante. Os seus cílios e sobrancelhas brancos contraem-se, brilhando feito cristais.

Eu fico de joelhos diante dos pés de Morfeu, segurando a mão dela enquanto ela tosse e acorda aos poucos.

— Não tente andar, Majestade — Morfeu insiste, mas eu sinto tensão junto com a preocupação em sua voz. — Alyssa, pode dar-lhe algo para beber? Você deve ter água, ou alguma outra coisa, no seu carro.

— Não. — Ela franze a cara para Morfeu e depois foca em mim. As marcas pretas em suas têmporas brilham sob a luz do sol, nervuradas como as asas de uma libélula. — Rainha Alyssa, me perdoe. — Seus olhos azuis pálidos estão quase sem cor.

Eu aperto seus dedos e a conforto. — Por quê?

— Por colocar em perigo o seu cavaleiro mortal. Eu nunca poderia prever que as coisas fugiriam tanto ao controle. Nós o encontraremos... vamos trazê-lo de volta.

Ela está claramente confusa. Não há como saber há quanto tempo está encapsulada nesta teia. Dou uma espiada lá embaixo. Jeb está deitado no chão. Chessie paira em volta dele, montando guarda. — Ele não se perdeu. Ele está lá embaixo, dormindo.

— A Irmã Dois não o levou? — ela pergunta.

— *A Irmã Dois*? — Morfeu parece tão chocado quanto eu. Em seguida, ele grunhe. — A aldrava na porta. A mulher misteriosa nos mosaicos de Alyssa. A que se esconde nas sombras...

— É claro — eu sussurro, repassando a cena em minha mente. As oito trepadeiras ligadas ao seu torso não eram tentáculos. Eram pernas de aranha. A aldrava não tinha a ver com as cicatrizes em minhas mãos. Era um tributo à sua mão mutante.

— Mas por que a Irmã Dois se envolveria? — eu raciocino em voz alta. — Por que ela estaria no mesmo chalé onde a Vermelha se escondia? Ela despreza a Vermelha por ter escapado de seus cuidados no cemitério o ano passado.

A. G. HOWARD

— A Vermelha nunca esteve aqui — responde a Marfim.

Morfeu pigarreia, e os olhares deles se encontram em algum tipo de compreensão tácita.

— Então foi a *Irmã Dois* quem manteve Jeb prisioneiro? — eu pergunto. — Foi *ela* quem lhe deu suco de Tumtum, forçando-o a pintar a noite toda? Por que ela faria isso?

A Marfim tenta responder, mas tosse novamente.

Morfeu cutuca o meu ombro. — A água, Alyssa.

A Marfim engole com dificuldade e aperta os dedos nos meus enquanto eu me levanto. — Não será necessário. As perguntas dela merecem ser respondidas.

Morfeu faz cara feia. — Não acho que este seja o momento.

— Seria quando então, Morfeu? — Marfim retruca. — Ela está mais envolvida do que nós agora. A Irmã Dois deixou aquela aldrava como um alerta para vocês dois. Ela sabe da traição da irmã, anos atrás. — Os olhos da Marfim se fixam em mim. — E da traição de Alison.

Eu procuro dar algum sentido às suas palavras crípticas. — Você se refere a como minha mãe tentou se tornar rainha? Por que a Irmã Dois se importaria com isso?

— Diabos! — Morfeu salta da cama e se agacha ao meu lado no chão. Ele apoia os cotovelos no colchão e aninha a cabeça nas mãos, massageando as têmporas com as pontas dos dedos. — Então as gêmeas estão brigadas... isso deixa o cemitério parcialmente guardado. Se a Vermelha entrar lá, conseguirá o seu exército de espíritos. Em seguida, virá para cá. Isso não deveria acontecer.

Os lábios e bochechas da Marfim mudam, de brancos para rosa-pálidos. — Você deveria ter ficado no País das Maravilhas... enfrentado a Vermelha, como ela queria.

— Você sabe que eu não podia. — O seu queixo treme quase imperceptivelmente. — Então quem contou o segredo à Irmã Dois? Somente nós três sabíamos.

A Marfim faz uma careta. — Não, éramos quatro. A Vermelha sabia. A Irmã Um tem o hábito tolo de confessar segredos aos seus

espíritos mortos enquanto cuida deles, e isso não estava dentro dos limites de nossos votos de não contar a nenhuma alma viva.

— Perfeito — Morfeu diz, rosnando.

— A Vermelha tentou invadir o cemitério esta manhã — a Marfim continua. — As irmãs a capturaram e preparavam-se para exorcizar o espírito dela da flor, para poderem trancá-la em um brinquedo para toda a eternidade. Mas a Vermelha contou à Irmã Dois o segredo sobre Alison para distraí-la. A Irmã Dois teve um acesso de fúria contra a sua irmã gêmea e a Vermelha escapou. A Irmã Dois veio até aqui para encontrar algo que substitua o que a família de Alyssa roubou dela, de uma maneira ou de outra. Essas foram as suas palavras finais enquanto ela me envolvia nessa teia.

Eu balanço a cabeça. — Eu não compreendo. Ela ainda está brava por causa do sorriso de Chessie, ou pelo modo como eu acidentalmente deixei a Vermelha escapar no ano passado? Mas o que isso tem a ver com a minha mãe?

— Aquilo para o que a Irmã Dois busca compensação não foi acidente — responde a Marfim. — E o preço será alto. Ela pretende levar o seu cavaleiro mortal como indenização.

Eu ainda não compreendo exatamente o que está acontecendo, mas o medo que vai apertando o meu coração vence qualquer curiosidade. — Jeb estava lá fora quando eu entrei — eu digo, tentando esquecer o medo. — Isso deve tê-lo salvado. Ela achou que ele tinha ido embora.

— Sim — Morfeu diz. — O rapaz escapou porque foi caçar um coelho branco. Que ironia poética, não?

Nós duas voltamos o olhar para ele.

— Só estou tentando elevar os ânimos. — A sua expressão fica amarga.

— Não há nada de leve nas ameaças da Irmã Dois — a Marfim retruca. — O cavaleiro mortal de Alyssa está correndo muito perigo agora.

— *Agora?* — eu digo bufando. — Nós estamos fugindo da Vermelha há uma semana. Ela está nos perseguindo. Na escola, no hospital. E ela se fantasiou de colecionadora de arte, foi assim que ela fez Jeb vir até aqui.

Nenhum dos dois se manifesta.

Eu olho para um e para outro. Há alguma coisa que eles não estão me contando, e estou cansada de revelações ambíguas. — É o meu mundo que vocês invadiram, a minha vida que está sendo arrasada, e as pessoas de quem eu gosto estão no meio disso tudo. Tenho o direito de saber o que está acontecendo.

— Ela tem — insiste a Marfim.

— Ela sabe tudo que precisa saber — Morfeu diz.

— Que blasfêmia, Morfeu. — A Marfim diz exatamente o que estou pensando. — Essas vidas humanas com que brincamos. Há um preço alto a pagar. — Ela se deita de lado, com o rosto coberto pela renda e pelo cetim, e não vemos a sua expressão. — Será que um dia aprenderei? Tantas e tantas vezes... você me oferta vislumbres de amor e de companheirismo, e eu sou fraca demais para recusar.

Morfeu pega o queixo dela e o vira para si. — Isso não é totalmente verdadeiro. Desta vez é você quem está ofertando vislumbres de amor. — Com o dedo, ele seca as lágrimas incrustadas de gelo derramadas por ela.

Mais um momento particular se passa entre eles, um olhar que eu não consigo decifrar, como se ele estivesse transmitindo uma mensagem para a mente dela. Estou tão acostumada a receber suas mensagens silenciosas que é inquietante estar do lado de fora.

— O que está havendo entre vocês dois? — A suspeita faz as minhas cordas vocais tremerem.

— Você deveria estar trabalhando essa sua falta de confiança — ele me recorda.

Eu o encaro até os meus olhos coçarem de não piscar.

A Marfim me bate de leve na mão. — Você compreendeu mal. Eu ofereci a Morfeu um vislumbre de seu futuro. Algo que vi em uma visão.

Atrás do Espelho

— Já chega, Marfim — ele diz, com um quê ameaçador na voz que faz meus pelos da nuca se eriçarem.

Ela pisca duas vezes. — Em agradecimento pela minha ajuda, Morfeu me ofereceu o presente da companhia, mas não a dele. Um jovem de seu mundo, que precisa de meu amor tanto quanto eu preciso do dele.

— Finley. — Eu havia quase esquecido do peão que Morfeu roubou do mundo real. — Ele está bem?

Ela faz que sim. — Ele está seguro em meu palácio, guardado pelos meus cavaleiros. Contudo, ele chegou com uma condição. Eu devia um favor a Morfeu, então é por isso que estou aqui. Nada jamais é de graça com ele. Nada.

— É exatamente por isso que temos esses problemas de confiança — eu respondo para ela, mas lanço um olhar para Morfeu.

Ele percorre com o dedo um buraco do colchão, me ignorando.

A Marfim lhe estende a mão e ele a ajuda a sentar-se. Ela pega os meus cotovelos, convidando-me a sentar ao seu lado na cama.

Alisando as pontas de meu cabelo, a voz da Marfim torna-se mais suave. — Há *uma* coisa na qual você pode acreditar em Morfeu. Ele é leal a você. É o desejo que ele tem de ficar com você que o leva a fazer esses esquemas desesperados.

Morfeu levanta-se, agitando as asas e esvoaçando as roupas. Seus ombros pendem quando ele se volta para nós. — Não há nada de desesperado em convocar a ajuda de Alyssa. É o *lugar* dela. Ela ainda ostenta a coroa de rubis. O País das Maravilhas é a casa dela tanto quanto é a nossa, por mais que ela o negue. Eu tinha de fazê-la ver isso.

Eu salto do colchão. — Mentindo?

Morfeu responde com silêncio, sem nem olhar para mim e admitir.

O sangue invade as minhas bochechas. Estou mais furiosa comigo por acreditar nele do que qualquer outra coisa. Vou até a balaustrada do sótão e olho enfaticamente para a Marfim, com uma teoria horrenda tomando forma em minha cabeça. — A verdadeira Ivy Raven. Ela nunca viu os quadros de Jeb, viu?

A Marfim responde que não.

— Você não precisava do corpo dela para o feitiço. Só precisava de um nome legítimo, caso nós verificássemos quem ela era. Foi você quem apareceu para se encontrar com Jeb na galeria. — Eu ranjo os dentes. Nenhum deles nega. — Ele ficou tão extasiado com a sua "roupa incrível". E você só estava usando sua roupa comum. Você o manteve aqui toda a noite passada. Por quê?

A Marfim olha para a renda e as teias que cobrem o chão sob seus pés, os cílios longos lhe acobertando os olhos em uma cortina clara. — Só aqueles de sangue real podem ver através do filtro de Chessie e decifrar as visões. Morfeu precisava que eu lesse seus mosaicos. E, como a sua mãe escondeu os outros, tivemos de providenciar réplicas. Estávamos ficando sem tempo.

Sinto um aperto no estômago. — Por que tanta pressa? Você já disse que a Vermelha não está aqui.

Os músculos de Morfeu tensionam com essa afirmação, mas ele permanece num silêncio enlouquecedor.

A Marfim responde: — Morfeu precisava saber se o País das Maravilhas poderia ser salvo se ele ignorasse as ameaças da Vermelha. Ela havia lhe dado um ultimato: render-se a ela e morrer, ou assistir ao seu adorado mundo intraterreno desmoronar aos seus pés.

Penso na fita da Rainha Grenadine que falou comigo no quarto: *a Rainha Vermelha vive e procura destruir aquilo que a traiu.* — Então ela estava atrás de Morfeu, e não de mim. Ela acha que quem a traiu foi ele.

Estoico, Morfeu chuta a garrafa que antes continha o suco de Tumtum. Ela rola pelo chão e vai parar ao lado dos meus mosaicos roubados. — Eu escapei de seu *Deathspeak* sem levá-la ao trono. Na cabeça dela, eu abjurei o nosso trato e lhe devo a minha vida.

Olhando para a forma desajeitada e sonolenta de Jeb lá embaixo, cerro os pulsos com força. — Você prometeu dizer a verdade sobre os meus mosaicos. Você mentiu.

Morfeu grunhe. — Você nunca especificou *qual* verdade. Então, eu lhe contei a verdade sobre a origem deles... o seu poder. E eu nunca disse que a Vermelha estava com eles. Foi você quem mencionou o nome dela.

As minhas pernas tremem. Eu escorrego para o chão, a espinha raspando no corrimão. — Então a Vermelha o repreendeu — um valentão num *playground* — e você saiu correndo. Trouxe a sua briga para o meu mundo.

— *Seu mundo* — Morfeu diz, bufando. Ele me encara, suas requintadas feições endurecidas numa carranca desafiadora. — Eu lhe mostrei a verdade em seus sonhos, a devastação que ela causava. Mas, como isso não interferia absolutamente nada no seu estagnado viveiro humano que você chama de lar, você me ignorou. Simplesmente esqueceu. Convenceu a si mesma a não acreditar. Eu sabia que você não se importaria com o meu bem-estar. Mas eu tinha esperanças... eu tinha esperanças de que você lutasse pelo País das Maravilhas.

Eu quero dizer que teria lutado por ele porque lhe devo isso. Porque eu me recordo do que ele fez por mim. Porque uma parte de mim se importa com aquele amigo de infância, e mesmo com o homem egoísta, carismático e frustrante que ele se tornou. Mas, para começar, eu não teria ido ao País das Maravilhas para que ele pudesse me resgatar se ele não tivesse me atraído até lá sob falsos pretextos no ano passado. E eu me pergunto se teria realmente enfrentado a criatura que mais me aterroriza para salvar alguém que foi tão negligente com a minha própria vida.

— Não ouse afirmar que isso é minha culpa — eu digo, talvez tanto para mim quanto para Morfeu. — Foi por sua causa, pelo que *você* fez.

— Eu fiz a única coisa que podia para causar uma reação em você. Os mosaicos roubados, os frascos de sangue, a enfermeira encantada e o palhaço assombrado...

— A-há! — Eu aponto para ele. — Você não pode negar essa mentira. Você disse que nunca tinha enviado nenhum brinquedo.

A. G. Howard

— Herman Chapelão não é um brinquedo. Ele é um ator dramático de primeira, devido ao seu rosto mutante. E eu não o enviei. Ele foi ter com você de livre-arbítrio, como um favor para mim.

Eu enterro a cabeça entre as mãos. Isso explica o chapéu pesado e esquisito do palhaço; era o conformador de metal que faz parte do crânio do chapeleiro. — Suponho que o Rábido também ajudava você. — Essa possibilidade me magoa mais do que qualquer outra.

— Não — Morfeu responde. — A lealdade dele a você é sincera. O seu papel no plano foi puramente acidental.

— E quanto ao pesadelo? — eu pergunto, olhando para cima.

Morfeu balança a cabeça. — Foi o seu próprio subconsciente que manifestou este bocado, com uma ajudinha dos alucinógenos que colocamos no seu sedativo.

— Por quê? — eu digo grunhindo.

— Eu tinha de fazer você acreditar que a Vermelha punha o seu namorado em perigo para que você voltasse comigo para salvar o País das Maravilhas. A única maneira de ter a sua atenção era pondo o seu brinquedinho mortal em risco. Estava funcionando brilhantemente, até que, mais uma vez, o humano embaralhou tudo.

— Seu cretino! — Os seus músculos se embobinam e eu quero investir contra ele. Espero que ele interponha uma asa entre nós para me barrar. Em vez disso, ele dá um passo à frente com as asas erguidas e abertas. Ele estende os braços, desafiando-me a atacá-lo, incitando-me. A Marfim me pega pela cintura e me puxa para voltar a ficar ao seu lado.

Eu me debato para sair do seu abraço. Ela me segura com uma força surpreendente para alguém tão delicado como uma escultura de gelo.

— Você chegou voando aqui hoje, fingindo ser o herói — eu digo para Morfeu, fervendo de raiva —, mas era por culpa sua que Jeb estava naquele estado. E agora ele está em perigo de verdade.

— Era só para ele fazer algumas pinturas no vidro — Morfeu responde com a voz calma demais. — O suco deveria torná-lo mais

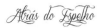

focado até terminar. Eu nunca poderia prever que ele fosse surtar, ou que você encontraria o caminho até aqui e que ele colocaria as mãos em você... — Há uma ligeira mudança em suas feições, algo ameaçador. — Eu nunca imaginei que, se a Marfim o deixasse por alguns segundos, ele sairia pela tangente e pintaria as suas lembranças — aquelas que ele havia perdido. Ele está preso em um inferno produzido pelas próprias mãos. — O olhar de Morfeu se estreita. — Mas não. Produzido mais pelas suas mãos, não é? Você teve um ano para contar tudo a ele. Se ele soubesse, não teria sido alvo tão fácil para mim, e talvez não estivesse na mira da Irmã Dois agora.

Eu me liberto da Marfim, mas não consigo sair da cama. Morfeu tem razão. A vulnerabilidade de Jeb é culpa minha.

— Como consegue fazer isso? — eu pergunto. — Como consegue sempre pôr a culpa nos outros? Manipular até aqueles que sabem que não devem acreditar em você.

Morfeu encolhe os ombros. — É o meu poder. A minha magia. *A persuasão.*

— Não. O seu poder é o veneno. — O meu orgulho volta a se erguer. — Só para o seu conhecimento, existe uma coisa que você nunca vai me persuadir a fazer.

Ele me estuda, convencido. — E o que é?

— Amá-lo.

As joias de Morfeu tornam-se um pálido azul, a cor da angústia, e eu me deleito ao perceber que o desnorteei.

— Nunca diga nunca — ele murmura.

Eu sustento o seu olhar, os olhos penetrando como se houvesse veneno em minhas íris.

Ele desvia o olhar primeiro, vai até a escada e mergulha, com as graciosas asas negras totalmente abertas. Ele aterrissa suavemente no centro do piso. Acena para suas mariposas, reconstruindo o seu chapéu, e ajoelha-se para içar Jeb e colocá-lo em seu ombro, abaixo da asa esquerda.

Eu dou um pulo e vou até a balaustrada. — Ponha-o no chão! — eu berro.

— Ele não está seguro aqui — Morfeu responde, recolhendo as botas e a camiseta de Jeb com a mão livre. — Precisamos encontrar um espelho e fazê-lo pegar o trem. Prefere arrastá-lo até o carro sozinha?

Eu engulo uma refutação. Por mais arrogante que ele seja, está certo: preciso da ajuda dele para encontrar o trem.

— As chaves — ele exige.

Franzindo o cenho, jogo as chaves para ele. Chessie chega zunindo e as colhe no ar.

A Marfim fica de pé — é toda rendas e elegância. Ela vai atrás de mim, as asas abaixadas feito uma capa de plumas.

Morfeu olha para ela por sobre o meu ombro. — Volte pela toca do coelho e proteja o seu castelo. Alerte a Irmã Um de que a sua gêmea atravessou para o reino humano. Ela precisará vigiar com muita atenção o lado escuro do cemitério. Alyssa e eu iremos logo em seguida. Não temos tempo a perder.

— Muito bem — eu digo. — Agora que você conseguiu atrair um dos intraterrenos mais horrendos e venenosos para um mundo de humanos indefesos, não temos muito tempo, não é?

Morfeu reposiciona Jeb no ombro. — Não estamos em desvantagem total, Alyssa. A Irmã Dois possui uma fraqueza, como todos nós. Ela tem um ponto cego. Quando acurrala a sua presa, ela não vê mais nada à sua volta. Então, como somos dois, podemos trabalhar em equipe para derrotá-la e enviá-la de volta ao País das Maravilhas.

— Está bem — eu respondo. — E então você será o grande herói mais uma vez. Por limpar a sujeira que você mesmo causou.

Morfeu não responde. Ele sai pela porta. Chessie dá uma olhada para nós e vai atrás.

— Você pode ter sido um pouco dura com ele — a Marfim diz.

Cerrando os punhos ao lado do corpo, eu a encaro. — Jeb é o alvo de uma mulher que é uma viúva-negra grande o suficiente para comer um cavalo, e agora ele está catatônico e não consegue se defender. Sem falar em todos os humanos que quase

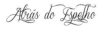

pegaram fogo hoje, tudo por causa do plano idiota engendrado por Morfeu.

— Ele não esperava que a Irmã Dois se envolvesse. E ele não teve nada a ver com os eventos na sua escola. Os insetos ouviram falar da aliança da Rainha Vermelha com as flores. Eles temiam que ela fosse marchar com o seu exército sobre o seu mundo depois de destruir completamente o País das Maravilhas, onde se alimentariam de insetos e também de humanos. Eles libertaram os fantasmas numa tentativa de proteger o seu lar dos invasores do País das Maravilhas.

— Detalhes técnicos — eu respondo. O seu raciocínio calmo só me deixa ainda mais nervosa. — Isso não a incomoda? Como ele sempre se sai bem? Ele não podia usar de magia por causa do encanto, então ele pediu a você, ao Chapelão e à enfermeira que fizessem todo o trabalho sujo. O que significa que, toda vez que ele me disse que não estava fazendo aquelas coisas, ele mentiu na minha cara, sem sentir-se culpado, no verdadeiro estilo do País das Maravilhas.

— Ele não está livre de culpa. Ele está em tormento. Não fazia parte do plano original usar o seu cavaleiro mortal.

— Sei. Tenho certeza de que o plano era sacrificar a sua própria vida por todas as vidas do País das Maravilhas, porque ele é um mártir à moda antiga.

Ela franze a testa, com os lábios rosados tremeluzindo feito pétalas de flores à luz do sol. — Era *esse mesmo* o plano dele.

Tenho vontade de rir, mas a sinceridade dentro dos seus olhos gelados me impede. Uma coisa eu aprendi sobre a Marfim: ela é sempre sincera quando confrontada. — Está bem, convença-me.

— Uma semana antes de Morfeu voltar a visitar os seus sonhos, ele veio até o meu castelo e me contou sobre o ultimato da Vermelha. Ele me pediu que usasse a magia da minha coroa para olhar para o futuro, para ter certeza de que, se ele fizesse o que ela pediu e se entregasse à Vermelha, ela ficaria saciada e você e o País das Maravilhas estariam salvos para sempre. O que eu vi... mudou tudo para ele.

Ela estende a palma da mão e aparece uma bolha. É do tamanho de uma bola de tênis, só que luminosa e transparente. — Jure que nunca contará a ninguém o que estou prestes a lhe mostrar.

Eu fico muda, olhando fixamente para dentro da bolha e vendo uma imagem borrada começar a tomar forma.

— *Jure* — a Marfim insiste.

Eu faço o juramento. Dois juramentos pela magia da minha vida no mesmo dia. Estou me tornando profissional em negociações intraterrenas sem nem mesmo tentar.

Ainda segurando a bolha, ela se inclina ao lado de meus mosaicos e raspa um pequeno resíduo de pó cinza que ficou da nuvem criada por Chessie um pouco antes. Ela o transfere para a bolha cristalizada e a cena ganha um movimento que é incrivelmente familiar. Eu não só posso ver, mas posso ouvir, cheirar, sentir o toque e o gosto.

Eu estou usando a coroa sentada em um trono à cabeceira de uma mesa dando um banquete e tenho um malho na mão, preparada para caçar a refeição principal. O aroma de vinho de cravo, biscoitos de luar e de frutas assadas se desprende de travessas reluzentes e taças de cristal.

À minha volta encontra-se uma miscelânea de criaturas, algumas vestidas, outras nuas, todas mais bestiais do que humanoides. São os meus súditos, e o meu coração enche-se de afeto por eles — por sua estranheza, por sua loucura e por sua lealdade.

Nós conversamos, provocamos e barganhamos com o prato principal. Risos maníacos ecoam pelos corredores de mármore, suaves para os meus ouvidos.

Há um movimento no saguão de entrada do banquete. Uma criança com os meus olhos entra tropeçando — toda asas, cabelo azul e um riso inocente. Segurando a sua mão está Morfeu, portando uma coroa de rubis.

O Rei Vermelho. Meu rei.

A bolha estoura e leva com ela a minha visão, deixando nada além do som de meu arfar e restos de fumaça cinza para trás.

— Você entende — diz a Marfim —, quando Morfeu soube que um dia você pertenceria a ele e ele a você, que vocês teriam um filho, ele não quis mais morrer para salvar o País das Maravilhas. Mas ele está inseguro acerca dos seus sentimentos por ele. Ele ficou temeroso de que você se recusasse a ajudar. Então, traçou um novo plano, por mais falível que ele fosse.

Lembro-me daquele primeiro dia no banheiro da escola e das palavras ditas por Morfeu: *Fazemos o que precisa ser feito para proteger aqueles que amamos.* Eu sabia que havia um significado para aquela afirmação; só não fazia ideia de como ele era profundo.

Respirar começa a ficar difícil. — Um filho — eu digo, recordando cada detalhe do rosto perfeito da criança.

O sorriso da Marfim chega a ofuscar. — Uma criatura única. A primeira criança a nascer de dois intraterrenos que compartilharam a infância. O País das Maravilhas possui as bases no caos, na loucura e na magia. Por muito tempo, a inocência e a imaginação não tiveram lugar aqui. Como resultado, não temos tido crianças, pelo menos na definição do seu mundo. E, por causa disso, perdemos a habilidade de sonhar. Mas Morfeu vivenciou essas coisas com você, toda vez que vocês brincavam juntos em *seus* sonhos. Por intermédio de seu filho, o País das Maravilhas florescerá com nova magia e força. Nossas proles se tornarão crianças novamente; aprenderão mais uma vez a sonhar. E tudo ficará bem em nosso mundo.

— Não — eu murmuro. Mantenho o meu hipotético filho fora de minha mente. Não estou pronta para fazer esse sacrifício. Eu só consigo pensar em Jeb, na minha família e nos meus amigos, e no meu futuro no reino humano. — Isso não pode estar certo. Eu escolhi ficar aqui. — Olho para o ponto onde Jeb estava antes e me sinto tão vazia.

A Marfim pega as minhas mãos e as aperta com força. — Você também pode ter um futuro com o seu cavaleiro mortal. Pode desposá-lo. Ter uma família e filhos aqui.

A minha cabeça dá um nó. Nada disso faz sentido. — Como?

— Do mesmo modo que você tem dois lados, também tem dois futuros possíveis. Um dia, os mortais que você ama vão envelhecer e morrer. Você também vai envelhecer gradualmente, e terá que atravessar a ilusão da morte. Mas a sua coroa lhe concede a eternidade no País das Maravilhas. Você voltará à idade que tinha quando a coroa foi colocada em sua cabeça. O seu segundo futuro, seu imortal reinado intraterreno sobre a corte Vermelha, terá início. E, como você viu, Morfeu terá um papel crucial nele.

Sinto-me como se tivessem me dado um soco na cara. — Não posso ficar com alguém em quem não confio. E que também não confia em mim.

Ela coloca uma mão em meu ombro. — Vocês aprenderão a compreender um ao outro, a ler um ao outro. Morfeu raramente é sincero em suas palavras. A verdade mora em suas ações. Pode haver muitos, muitos anos entre agora e a visão que você teve. Alguma coisa vai mudar no modo como você o vê. Talvez uma série de coisas pequenas ao longo do caminho, ou possivelmente outro grande gesto do qual você nunca pensou que ele fosse capaz. Seja o que for, vai alterar o seu relacionamento para sempre. — A Marfim dá um passo atrás. — Alyssa, você recebeu a oportunidade de ter duas vidas e dois amores. Isso nada mais é do que um milagre. Aprecie esse dom pelo que ele é. Eu a encontrarei em breve, no País das Maravilhas.

As suas asas se arqueiam sobre a cabeça, altas e lindas. Ela as dobra sobre si mesma e então desaparece repentinamente em meio à luz branca e ao pó cintilante, torna-se um cisne e singra graciosamente porta afora.

Eu cerro as mandíbulas com força, minhas emoções estão confusas. Meu coração se parte ao pensar em sobreviver a Jeb e a todas as pessoas que amo: mamãe, papai, Jenara e os filhos que terei com Jeb. É uma viagem mental que eu não conseguiria abarcar nem nos meus melhores dias. E hoje, até agora, foi um dos piores.

E então, além da tristeza que encobre o meu futuro, há essa terrível confusão no meu presente.

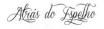

Como posso ficar de verdade com Jeb sabendo que um dia me casarei com Morfeu? Como posso dar a Morfeu o dia que prometi e ser honesta com Jeb, sabendo o que Morfeu deseja?

Deixo-me cair sentada no colchão. Morfeu barganhou por aquelas vinte e quatro horas porque ele *não quer* que eu tenha uma vida mortal. Ele não quer esperar, nem me dividir com nenhum outro homem. Ele planeja começar o nosso futuro imediatamente.

Eu aperto o medalhão de coração em meu pescoço, procurando separar a sua corrente da chave cravejada de rubis. Não permitirei que ele leve embora o meu tempo com Jeb. Eu me recuso.

Algo se agita na porta de entrada. Eu me levanto e olho para baixo, vendo Morfeu na soleira da porta.

— Temos que ir — ele diz.

— Não — eu retruco, sufocada demais para dizer qualquer outra coisa. Eu quero odiá-lo por todas as suas mentiras, mas a visão proporcionada pela Marfim gravou nos olhos da minha mente os olhos de nosso filho. Morfeu tinha os seus motivos. Eles foram puros — independentemente das mentiras e embustes necessários para justificá-los. Com ele, não há nada branco e preto. Ele é um retrato caótico feito de todos os tons de cinza.

Com um floreio de suas asas negras, ele surge ao meu lado no sótão. — Como não? Não temos tempo para bobagens, Alyssa.

— Liberte-me de meu juramento agora — eu digo, forçando-me a encará-lo. — Nós dois sabemos que eu nunca terei sentimentos por você. Então por que ficar jogando este jogo? Não há nada entre nós. — Se eu consigo dizer isso na cara dele, talvez se torne verdade.

Ele se inclina para perto, de modo que as suas asas fazem sombra sobre nós dois, e as suas joias faíscam num vermelho ardente. — Vou provar que está errada. No momento em que esta guerra acabar, quando eu tiver você só para mim por vinte e quatro horas. Você nunca mais questionará o que há entre nós.

— Não. O trato está desfeito.

A. G. HOWARD

— Muito bem. Quebre o seu juramento. Perca os seus poderes. Depois não terá ninguém para culpar a não ser você mesma quando a Irmã Dois envolver Jebediah em sua rede.

O meu pesadelo pisca em minha mente: Jeb embrulhado, um cadáver.

Eu rosno e invisto contra Morfeu. Ele me pega e me encosta na parede onde as teias são mais grossas. Ele me gira como um pião até os meus braços ficarem grudados ao meu corpo, envoltos em uma coberta grudenta. Eu me debato, mas a teia da Irmã Dois é forte como barbante.

Morfeu dobra os joelhos para ficarmos com os olhos na mesma altura. — Por que você insiste em amarrar o seu coração com essas correntes? Pelo menos uma vez, fique quietinha e *ouça*. Ouça o chamado intraterreno.

Antes que eu possa perguntar o que aquilo significa, ele corre os lábios de alcaçuz pela minha testa — quase sem tocar —, o seu hálito quente se arrasta sobre as marcas em meu olho esquerdo, desce pela bochecha até a minha boca. O canto de minha boca coça quando ele passa por ela; então, sua respiração se detém e paira sobre o meu queixo.

As palmas de suas mãos descansam contra a parede nos dois lados de minha cabeça. Ele permite que a teia sirva como suas mãos, a sua respiração sirva como seus lábios, mantendo-me imóvel e beijando-me sem me tocar. Os meus olhos fechados vibram quando os seus lábios passam a um fio de cabelo dos meus cílios. Sua cantiga familiar adentra minha mente, mas há um novo verso:

"Minha florzinha presa aí no meio, usando a malícia como uma rainha; esconde a verdade, é cruel e mordaz, mas, acima de tudo, meu coração satisfaz".

Tento desligá-la, mas a canção me arrasta de volta para o País das Maravilhas, para paisagens agora arruinadas e decrépitas.

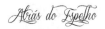

Lágrimas queimam por baixo dos meus cílios quando eu testemunho a destruição.

Uma agitação acorda dentro de mim, aquele ribombar em minha cabeça. Quanto mais eu tento resistir, mais o meu sangue queima — de raiva pelos céus e terras aflitos do País das Maravilhas, de compaixão por sua alma maltrapilha.

Morfeu finalmente me toca, trazendo os meus pensamentos de volta ao sótão. Com as mãos em meu queixo, ele me faz abrir os olhos colocando os polegares em seus cantos. Ele se afasta, e seu olhar encontra o meu, enviando uma mensagem bem para o fundo do meu coração.

Liberte suas amarras, Alyssa. Liberte sua magia.

Em reação ao seu apelo silencioso e à minha fúria para com a violência da Vermelha, as minhas asas em botão coçam e me picam até a pressão ficar insuportável.

Eu grito de surpresa e assombro enquanto elas explodem de minha pele, rasgando a minha camiseta e cortando as teias. As teias grudam à parede e ao meu peito — uma cortina de gaze espessa que serve de camiseta no lugar da que eu perdi.

Estou livre, e afasto-me da parede, com minhas asas pesadas e ao mesmo tempo leves.

Morfeu me observa. Suas joias piscam no azul mais profundo que já vi — triunfante e orgulhoso. Sua boca se curva num sorriso ardente.

— Lindo, Minha Rainha — ele diz, dando um passo para trás e ajeitando o seu chapéu. — Você fica mais poderosa quando para de resistir ao que há em seu sangue. — Ele caminha na direção dos meus mosaicos e detém-se ao lado deles, olhando para mim. — Mais uma coisa: o País das Maravilhas e eu somos a mesma coisa. Se você ama um, ama o outro. Você é o País das Maravilhas também. O que significa que somos o casal perfeito, das mais variadas maneiras que você possa imaginar. Em nosso dia juntos, terei imenso prazer em mostrar-lhe todas elas.

O meu coração bate com tanta força que nem consigo falar.

A. G. HOWARD

Morfeu pega os meus mosaicos e vai até a beirada do sótão. Ele joga as chaves do Gizmo aos meus pés. — Não demore muito. A memória de seu mortal precisa de um bom empurrão. E o País das Maravilhas está aguardando.

Ele mergulha de costas pelo beiral e me deixa lá parada, meu corpo aflito de poder: uma rainha intraterrena plena, liberta de minha gaiola de teias, mas enfeitiçada por um quase beijo do diabo.

20

Turbulência

Assim que Morfeu fecha a porta, tiro a teia de meu peito e a embrulho em um lençol para cobrir o meu sutiã. Uma corda do andaime serve de cinto para segurar as asas coladas às minhas costas sob o tecido.

Sinto-me como o Quasímodo em uma toga.

Morfeu deixou o seu casaco estilo capa de chuva no chão. Ele seria ideal, com as fendas das asas, mas eu me recuso a dar-lhe o gostinho de usar as suas roupas. Uma olhadela pela porta revela que ele está espreguiçando sobre o Gizmo, as asas esticadas sobre o capô em toda a sua negra glória. Que bom que estamos em uma rua deserta.

Ele está usando os meus óculos escuros, e as pontas de seu cabelo esvoaçam sob a brisa. Ele conversa com Chessie — tranquilo, calmo e confiante. Nem parece nervoso com o que nos aguarda: enfrentar a Vermelha e a Irmã Dois. Está ocupado demais se vangloriando.

Eu fervo de frustração. Quero ficar furiosa por ele ter me feito mentir sobre os meus sentimentos, e mais furiosa ainda por ele ter incitado minhas asas a aparecerem, pois agora terei de escondê-las até que encolham novamente para dentro de minha pele. Mas tenho de admitir que abraçar a realidade de meu poder é inebriante. Acho difícil continuar guardando rancor se ele estava somente tentando me mostrar o quanto eu sou forte.

Quando, na verdade, é o que ele sempre faz.

Mesmo assim, não posso permitir que ele pense que venceu. Se ele *for* o meu rei em algum futuro longínquo e insondável, seremos parceiros. Mas as rainhas têm o domínio sobre os reinos. Preciso provar que tenho o poder de manipular igual ao dele.

Recolho as minhas chaves e o casaco de Morfeu, e depois enfio a garrafa de vidro no meu cinto improvisado, entre a saliência de minhas asas, para escondê-la.

Quando saio do chalé e ganho a rua empoeirada, Chessie flutua à minha volta e pousa na minha cabeça. Ele enfia as patas em meu cabelo e amassa o meu couro cabeludo feito um gatinho.

Morfeu fica olhando para o meu traje quando eu lhe entrego o casaco. — Então, estamos de volta à Roma antiga? — ele provoca.

— Eu não arriscaria um sorriso se fosse você. — Eu sacudo as chaves do carro diante do rosto dele. — A sua vida está em minhas mãos, *não se esqueça.* — Eu imito o sotaque dele com fidelidade, e me deleito com isso.

— Sinto desapontá-la, amorzinho. — Ele joga o casaco no banco do passageiro. — Desta vez pretendo ir voando.

Ele se transforma numa mariposa, o chapéu explodindo em uma miríade de mariposas menores que alçam voo. Morfeu se aninha no capô do carro. Os meus óculos escuros encontram-se ao lado dele, cintilando ao sol. Eu finjo que vou pegá-los, e, antes que ele possa adivinhar a minha intenção, seguro uma de suas asas. Ele se debate, tentando soltar-se, com a outra asa batendo em minha mão.

Eu tiro a garrafa e o enfio dentro dela com cuidado, dobrando as suas asas. Não quero machucá-lo. Só quero *melhorá-lo.*

Depois que ele está lá dentro, fecho o gargalo com um lenço de papel. Não preciso me preocupar que ele possa se asfixiar. Afinal, ele passou aquela noite em uma armadilha de insetos e sobreviveu.

— Parece que vai haver um pouco de turbulência no seu voo — eu lhe digo pelo vidro.

A voz dele enche a minha cabeça com palavras raivosas de reprovação. Como eu não respondo, ele grita o nome de Chessie. Chessie chega voando ao carro e se senta no espelho lateral, lambendo a pata, entretido e nada interessado em tomar posição.

Eu ergo a garrafa para olhar Morfeu mais de perto. — Ponto para mim, *amorzinho*. Percebeu que meu lado humano derrotou você, não é? Nem precisei de magia.

Ao contrário de uma mariposa de verdade, que ficaria se debatendo contra as paredes de vidro até a exaustão, ele fica pendurado na curva do gargalo, altivo, encarando-me com os seus olhos bulbosos. Se ele tivesse boca em vez de uma probóscide, eu seria capaz de dizer se ele está reclamando ou fulgurante de orgulho. Conhecendo-o, sei que seria um dos dois. Mais provavelmente, ambos.

Meu peito se infla com um pouquinho de satisfação.

Coloco os óculos escuros. A armação está quente do sol, mas o calor não é suficiente para impedir que eu tenha calafrios ao ver Jeb deitado de lado no banco de trás, todo encolhido. Morfeu o vestiu com a sua camisa e as suas botas, e essa pequena gentileza garante ao meu rival alado uma viagem segura.

Jeb resmunga alguma coisa quando eu enfio a garrafa na curva de seus joelhos. É o melhor lugar para evitar que o vidro fique rolando. Eu beijo a cabeça de Jeb e em seguida pulo para o banco do motorista.

É difícil encontrar uma posição confortável para sentar por causa das asas. Eu acabo jogando-as para a minha direita, criando um caroço irregular debaixo do tecido. Terei que pegar as estradas vicinais para chegar à cidade, porque se alguém me vir poderá pensar que estou escondendo um cadáver.

Chessie paira sobre o painel, pisca duas vezes na minha direção e desaparece pelo espelho retrovisor, adiantando-se para ir a Londres e à toca do coelho.

Quanto ao restante de nós, faremos a nossa primeira parada na Fios de Borboleta. Ela possui espelhos de corpo inteiro em todas

as paredes, e muitas roupas, mas vou precisar de alguns ajustes criativos para encaixar as minhas asas em alguma coisa.

É só meio-dia e dez. Quando Penélope está com poucos funcionários, ela fecha a loja do meio-dia até a uma para o almoço.

Eu enfio o casaco de Morfeu na mochila e verifico o meu celular. Tenho duas mensagens de texto de Jen e três mensagens de voz de papai. Primeiro, eu respondo as de Jen:

Encontrei Jeb. Detalhes depois. Ele está bem. Vou para casa daqui a pouco...

Em seguida, ouço a última mensagem de voz de papai:

"Allie, estou preocupado. Chega de pensar, ok? Venha para casa. Vamos conversar. Vamos acertar as coisas".

A voz dele está contida. Ele está assustado, sem sombra de dúvida, mas parece que está em casa e, a julgar pela frase "estou preocupado", ainda não contou a mamãe o que aconteceu. Isso é bom, porque, se ela soubesse o que aconteceu na escola, tiraria conclusões e agiria impulsivamente. Não preciso que ela também corra perigo.

Papai disse que podíamos "acertar as coisas". Eu sei o que ele quer dizer: quando eu voltar, ficarei de castigo. Ficarei afastada do meu carro, do meu telefone, do computador e dos meus amigos até segunda-feira, quando ele vai poder me levar ao psiquiatra da mamãe. Até duvido que ele permita que eu vá à formatura junto com a minha classe no sábado.

Tem de haver alguma maneira de consertar isso tudo, mas não tenho tempo nem concentração para perder agora. Depois que eu derrotar a Vermelha e levar a Irmã Dois de volta, retornarei do País das Maravilhas e acharei uma maneira de acertar tudo.

Se eu sobreviver à guerra.

Todo o medo, a culpa e a dúvida formam um nó nas minhas cordas vocais. *Espero ver você e a mamãe em breve, papai* — eu escrevo, desejando isso de coração.

Respiro fundo e desligo o telefone.

A. G. Howard

* * *

Chegamos ao centro de compras ao meio-dia e meia. Eu uso o beco que fica atrás da Fios da Borboleta. É um lugar seguro para deixar o carro enquanto estivermos do outro lado do mundo.

O cascalho faz ruído sob os pneus do Gizmo quando eu paro perto de algumas caçambas próximas à porta dos fundos da loja, enfiando o carro entre um compressor de ar e um muro de tijolos. O Prius vermelho de Perséfone não está em sua vaga costumeira, e todas as luzes da loja estão apagadas. Se nos apressarmos, partiremos antes que ela volte do almoço.

Eu tiro os óculos de sol, pego a garrafa com Morfeu e saio do carro. Não estou ansiosa para libertá-lo, mas preciso dele para me ajudar a levar Jeb e destrancar a porta dos fundos.

Seus olhos saltados me encaram fixamente pelo vidro. Ele está todo verde, o que significa que aqueles atalhos cheios de buracos cobraram o seu preço.

Eu paro entre as caçambas e o muro de tijolos. Prendendo a respiração por causa do fedor de lixo velho, olho em volta para me certificar de que estamos sozinhos no beco. O sol quente é refletido nas grades do radiador de um carro, mas não há ninguém dentro, então eu abro a garrafa.

Morfeu se esgueira pelo gargalo e se equilibra na borda, recompondo-se. Ele se lança ao ar — um farfalhar de asas e estática azul — e se transforma diante de mim em uma silhueta sombria que bloqueia o sol, esfriando a minha pele.

— Minha Boina da Peregrinação — ele resmunga, alisando a gravata e o colete enquanto estica as pernas vacilantes.

Eu aponto para a camada de mariposas que se arrastam pelo teto do Gizmo. — Perdemos algumas por causa do vento. Sinto muito.

— Brilhante. — Fazendo uma careta, Morfeu aproxima-se e passa a mão sobre os insetos, conjurando-os a formar o chapéu. Eles conseguem formá-lo todo, menos a aba. Ele o veste mesmo assim e vira-se para mim.

Eu mordo a bochecha, procurando não rir.

Ele estreita os olhos. — Não fique muito saidinha, minha flor. Embora sua brincadeira possa ter sido irresistivelmente malvada, eu ainda estou na dianteira por um par de asas. — Ele olha sobre os meus ombros para o tecido que escorrega.

A intraterrena dentro de mim me cutuca até que eu não desejo mais esconder o que sou. Olho em volta do beco deserto e em seguida torço o cinto de um modo que ele mantenha o pano seguro na minha frente, mas o abra atrás. As minhas asas se esticam, altas e livres nas minhas costas, de um branco opaco e faiscante, com as joias nas cores do arco-íris parecidas com as pedras preciosas que Morfeu tem nas marcas dos olhos.

As asas dele se erguem, imitando as minhas, e olhamos um para o outro, silenciosamente fazendo uma trégua. *Por enquanto.*

Vamos pela porta dos fundos até o depósito. O ar-condicionado nos recebe, junto com o aroma de lavanda da última obsessão de Perséfone: aromaterapia holística na forma de velas de soja sem pavio.

Morfeu apoia Jeb na parede e fecha a porta enquanto eu acendo as luzes. Mil pequenas lâmpadas se acendem, todas presas juntas em uma parede, feito uma teia de luzes de Natal na cor âmbar.

— Estou ficando exausto de carregar a sua bagagem por aí, Alyssa — Morfeu resmunga enquanto coloca Jeb sentado. — E as roupas dele estão horríveis. Você podia deixá-lo usar o meu casaco.

Eu faço uma careta para ele, coloco a minha mochila de lado e ajoelho-me diante de Jeb. — É por sua culpa que ele tenha de ficar dormindo e que as roupas dele estejam ruins. — Eu tiro a camisa ensanguentada de Jeb e a enfio na mochila, vestindo-o com o casaco de Morfeu. Apreensiva, corro o dedo pelas marcas de cigarro ao longo do dorso de Jeb. Eu sempre desejei que ele conseguisse substituir todas essas lembranças ruins pelas boas que nós criamos juntos. Mas agora, mais do que nunca, eu percebo que cada lembrança é importante, seja ela boa ou ruim, porque são elas que compõem quem nos tornamos.

É difícil passar os braços inertes pelas mangas compridas do casaco. Vê-lo assim imóvel é perturbador. Ele tem um corpo ativo e forte, e domínio físico em tudo o que faz — dirigir a sua Honda, andar de skate, pintar, escalar, ou até mesmo me fazer sentir... *incrível*. Vê-lo assim tão vulnerável me faz recordar o perigo que ele enfrentou no País das Maravilhas no verão passado, e o que nos espera agora que eu o envolvi nisso novamente.

Tento ser rápida. Os ombros dele são mais largos do que os de Morfeu, mas as aberturas das asas cedem o suficiente para eu poder abotoar o casaco logo abaixo do esterno. Eu passo os dedos pelo cabelo em seu peito, desejando poder falar com ele.

— Se você pudesse me ouvir — eu sussurro, mais para mim mesma do que para Jeb. — Se eu pudesse fazer você compreender o quanto estou arrependida.

Morfeu bate levemente o pé na minha coxa. — Suponho que agora possa ser o momento certo para dizer a você que eu poderia providenciar que ele acordasse num estado de sonho que manteria afastada sua dor consciente.

Fico de queixo caído, olhando para ele. — O quê? Ele poderia estar acordado o tempo todo sem se sentir mal? O que há de *errado* com você?

Morfeu franze os lábios. — Humm. Ter Jebediah babando em você semiacordado ou tê-lo inconsciente e babando. Como chamam isso aqui? Acéfalo?

Eu cerro os dentes. — Morfeu! Eu juro, você é o maior...

— Tsc. — Ele enrola os punhos de sua camisa social preta. — Não diga nada que possa fazê-la se arrepender de ter dito. Com toda a honestidade, eu já estou um pouco cansado das suas reclamações. Seria bom ter uma distração.

— O sentimento é *para lá* de mútuo. — Eu faço cara feia.

Arrogante, Morfeu passa os dedos azuis brilhantes sobre a testa de Jeb. — Sonhador, acorde, mas não totalmente; os seus pensamentos são somente sombras eclipsadas pelo sol.

Jeb resmunga, mas não acorda.

— Levará alguns minutos para fazer efeito — Morfeu diz, e se afasta para examinar o santuário pessoal de Perséfone, do filme *O Corvo*, da década de 1990. Ele olha nos olhos da figura em relevo de Brandon Lee como se olhasse no espelho.

— Vou procurar algo para vestir e já vamos — eu grito para ele.

— É melhor se apressar. Quando Jebediah acordar, o seu estado de sonho será temporário. A realidade vai começar a se infiltrar em sua psique, então correremos contra o tempo.

— Está bem — eu respondo.

Morfeu volta a apreciar Brandon Lee. — Nada mau. Só faltam as asas.

Eu balanço a cabeça em desdém, e depois me dirijo até as araras cheias de roupas góticas que aguardam ser levadas para o andar principal. A coleção de Perséfone de acessórios para as vitrines dá um toque assustador: um esqueleto só com uma perna ocupa uma cadeira antiga detonada, com os braços cruzados sobre o peito como se vigiasse uma cripta; um rolo de telas para usar como fundo; um baú cheio de máscaras de bailes e de fantasias puídas; cabeças de isopor ostentando uma variedade de perucas coloridas em diferentes estilos; e alguns itens elétricos, entre eles mais cordões de luzes e uma máquina de fumaça em miniatura.

Detenho-me na arara de mercadorias com defeito. Não é a primeira escolha para uma viagem a Londres, mas, como Perséfone vai jogar a maioria delas fora depois de dar baixa nos livros, é a *melhor* escolha, pois assim não me sentirei culpada.

Encontro um minivestido de manga três quartos de veludo na cor púrpura com corpete ajustado e mangas boca de sino. Renda turquesa dá o acabamento na bainha e nos punhos. Ele fica na altura da coxa, o tamanho perfeito para servir como túnica sobre os meus jeans rasgados. Está rasgado na costura do ombro esquerdo. Eu aumento o rasgo até que a fenda possa acomodar a minha asa e depois rasgo o outro ombro na mesma altura.

Depois de dar uma rápida olhada em Jeb, entro no pequeno banheiro à esquerda, fecho a porta e coloco a mochila no chão. Solto o meu cinto e o tecido escorrega, então fico somente de sutiã, jeans e botas. O ar frio chega até mim através da abertura acima da pia. A pequenina luz fluorescente mal ilumina o cômodo e causa estragos no meu reflexo.

Eu passo os dedos pelo cabelo emaranhado, chocada ao ver como pareço selvagem.

Sou uma intraterrena completa: marcas nos olhos, cabelo rebelde e ondulado que parece se mover como se tivesse vida própria, e um brilho especial na pele.

O que mais assusta é como as minhas asas se erguem por trás de mim, resplandecentes e foscas — uma mistura de joias e gaze.

No ano passado aqui estava eu, horrorizada por me tornar quem eu achava que minha mãe era — uma mulher louca, contida numa camisa de força e ocupando uma cela acolchoada. Agora aqui estou, uma pessoa completamente diferente do que eu era: meio intraterrena, meio humana, mas ainda totalmente confusa.

Quem sou eu de verdade? Poderosa mas enfraquecida, como minha mãe? Ou sou algo mais? Uma rainha destinada a reinar sobre o País das Maravilhas com o mais enigmático e frustrante de todos os intraterrenos ao meu lado, a ter um filho que será, de alguma maneira torta, uma dádiva para aquele mundo insano?

Não posso. Não ainda. Mudo o olhar para minhas botas. Não quero mais encarar o espelho. Não quero conjeturar mais. É avassalador, até aterrorizante, saber que a minha vida mudou tanto assim. Não consigo imaginá-la mudando tão drasticamente mais uma vez.

Eu preciso ser lembrada do que é normal. Do que é seguro. E Jeb representa tudo isso. Preciso curá-lo, voltar para a vida real. Uma vida sem segredos entre nós dois.

Vestir-me com asas prova ser um desafio, mas o tecido elástico ajuda. Quando eu finalmente volto ao depósito, Jeb está de pé, encostado na parede com expressão confusa, mas não aparenta ter medo nem dor.

O meu coração dá um pequeno pulo ao vê-lo acordado e alerta, mesmo que em estado sonhador.

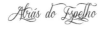

Morfeu não está, e o display de *O Corvo* parece diferente. Tento adivinhar o que mudou, mas o som de algo se arrastando no salão principal da loja me distrai. Presumo que seja para onde Morfeu se dirigiu, provavelmente para verificar os espelhos nas paredes. Eu deveria me certificar de que ele não seja visto por nenhum transeunte que passa pela frente da loja, mas estou tão animada por finalmente poder falar com Jeb que não consigo sair dali. Foi somente ontem de tarde a última vez que tivemos uma conversa lúcida, mas parece que faz uma eternidade.

— Jeb.

Ele tem uma reação instintiva ao me ver. O blazer preto lhe cai bem melhor quando ele fica de pé, abrindo na frente e exibindo mais de seu tórax. O tecido se estende até as coxas de sua calça jeans. Ele se afasta da parede, me estudando como se eu fosse um quadro. Eu tremo sob sua avaliação, sem saber ao certo como reagir depois de nosso encontro anterior. Eu sei que ele não vai me ferir, mas...

Ele se aproxima, cauteloso, como se eu fosse um animal tímido que pode se assustar facilmente. Ou talvez seja ele quem pode se assustar.

Eu fico parada. Terei de camuflar minhas asas e marcas nos olhos de alguma maneira antes de irmos para Londres, mas não quero escondê-las de Jeb. Não mais.

Eu recuo quando ele estende a mão para o meu pescoço.

— Al?

Eu derreto. Não há nada além da gentileza e do amor que eu aprendi a esperar em sua voz. Não há intuito assassino, nem olhares ensandecidos. Eu o abraço com força, do modo como queria abraçar quando ele apareceu no chalé.

Ele dá dois passos para trás, trôpego, mas a sua força prevalece. Ele me equilibra e retribui o abraço, com as mãos buscando um lugar nas minhas costas que não esteja bloqueado por minhas asas.

— Que diferente — ele sussurra, embora sem parecer perturbado ou assustado. — De todas as vezes que tive esse sonho, nós nunca estávamos no depósito.

A. G. HOWARD

Eu me afasto e o estudo, sorrindo. Morfeu não estava brincando quando disse que ele ficaria em estado onírico.

Ele retribui o sorriso, e seu piercing brilha. Mesmo sob a luz tênue, posso ver os vergões em seu queixo causados pelas garras do coelho.

— Eu sinto muito. — Percorro as linhas vermelhas com os dedos, mas não estou me referindo tanto à sua condição física. — Dói?

Ele me deixa acariciá-lo todo por um nanossegundo antes de bancar o machão. — Nada dói quando eu estou com a minha fada skatista. — O seu olhar não abandona o meu enquanto ele pega os meus quadris e me puxa para mais perto até não haver nenhum espaço entre nós. — Você sabe que eu adoro você assim. — Ele acaricia as minhas marcas nos olhos com a ponta de um dedo, a respiração quente sobre meu rosto.

A confissão é linda, mas fico me perguntando se ele sentirá o mesmo quando não estiver mais em transe.

— Estou pronto — ele diz. Há uma doce insistência em suas palavras que deixa a minha garganta seca. Ele está uma versão amaciada do artista faminto que eu enfrentei antes, e mais uma vez sou o centro de seu mundo.

— Pronto para quê? — eu pergunto.

— Para você me envolver em suas asas — ele responde com a voz rouca. — E para mostrar a você como se voa sem sair do chão.

Ele roça o nariz no meu pescoço, e a minha pele se aquece. Um frêmito de prazer me trespassa, dos pés até a ponta das asas, mas eu o afasto à distância dos braços, com as mãos envolvendo suas lapelas. Morfeu disse que este estado de sonho é temporário. Precisamos nos apressar.

— Escute, Jeb. Este sonho é diferente. Vai haver muita coisa estranha. — Eu recuo na direção da porta que dá para o piso principal, onde está Morfeu, para podermos ir.

Jeb me segue com a cabeça à frente, uma intensidade provocante nos olhos. — Aposto que aguento tudo o que você der para mim.

— *Eu não teria tanta certeza se fosse você, rapaz dos sonhos.* — O murmúrio de uma mulher chega vindo do outro lado da porta, seco e forte, como folhas arranhando túmulos.

Ouço um sopro atrás de mim, e volto-me para a porta. Só consigo ver teias.

Irmã Dois.

Eu quase engasgo, o coração batendo na base da garganta.

Filamentos de gaze fina encobrem toda a sala principal — cordões escuros pendem do teto ao chão. É como olhar dentro de uma abóbora albina antes que as membranas sejam retiradas. A teia envolve araras de roupas, o balcão do caixa e até a vitrine, bloqueando a luz do dia. O resultado é uma luz cinza, uma névoa apavorante, como se nuvens de tempestade tivessem se instalado ali. Eu estreito os olhos, incapaz de distinguir de onde veio a voz da aranha zeladora de túmulos.

— Morfeu! — eu grito.

Sem resposta.

— Com quem está gritando? — Jeb chega por trás de mim e toca a minha asa. Uma sensação de formigamento me percorre.

Eu me viro e o conduzo na direção do banheiro. — Você corre perigo. Ela não pode encontrar você. — Eu o empurro lá para dentro. Ele tropeça na minha mochila, mas consegue se equilibrar.

Os seus olhos estão cheios de perguntas quando eu bato a porta entre nós.

— Ei! Me deixe sair! Al!

Eu seguro a maçaneta com força e olho para a sala, detendo-me no esqueleto de decoração de Perséfone. Respirando fundo para me acalmar, eu o persuado a mover-se como se fosse um fantoche que não precisa de fios.

Rangendo e estalando, ele pula até mim em um pé só e se verga ao meu lado, aguardando um comando.

Nós trocamos de lugar, e seus dedos ossudos seguram a maçaneta enquanto eu olho em volta sem saber o que fazer.

A. G. Howard

— Não deixe ele sair nem ninguém entrar exceto eu — eu digo a ele por sobre o ombro, sem nem saber se o monte de ossos compreende. Ainda estou me acostumando com essa coisa de magia.

Jeb bate na porta com mais força ainda.

Eu engulo meu medo e volto para a sala principal, parando perto de uma cortina de teias.

— *Bem-vinda ao meu gabinete, disse a aranha para a mosca.* — O sussurro cheira a terra recém-cavada e deixa a minha orelha fria. Minha alma se encolhe.

Olho para cima. A Irmã Dois está pendurada de cabeça para baixo acima da minha cabeça. Ele sibila e eu recuo, a respiração rápida e instável.

Ela nem se preocupou em esconder a sua forma horrenda sob um vestido. A sua metade superior é de mulher — lábios de lavanda, rosto translúcido sanguíneo e cheio de cicatrizes, uma cortina de cabelo grisalho que chega quase ao meu nariz. A sua metade inferior — o abdômen de uma viúva-negra do tamanho de um pufe que acomodaria seis pessoas — se equilibra em um fio de teia que liga o teto às fiandeiras. Oito pernas lustrosas se enroscam nela, estranhamente graciosas, como um grotesco acrobata de circo pendurado em uma corda.

Corta, corta, corta. O som é o meu único alerta. Eu me desvio no momento em que a sua mão de tesoura corta o ar a poucos centímetros do meu rosto.

Mergulho no chão e me arrasto para trás do balcão do caixa, e fico abaixada para evitar ser envolta na teia.

— Morfeu! — O medo me gela as entranhas. — Onde você está?

— Ele não vai responder, mosquinha. — A Irmã Dois desce correndo pela parede atrás de mim, com as pontas afiadas de suas pernas fazendo um ruído de gotas de chuva. — Ele vos deixou, covarde que é. Somos nós três apenas, para acertar a dívida de vossa mãe.

Sua cabeça se inclina para o depósito, onde Jeb ainda está esmurrando a porta e gritando.

— Está mentindo — eu digo, tentando atrair a atenção dela para mim novamente. — Morfeu não me abandonaria.

— Eu o encontrei na outra sala. Ele virou mariposa e eu o segui até aqui. — Ela ergue a sua mão normal, a que está encerrada em uma luva de borracha, e a agita. — E então, ele desapareceu. Ele não está mais aqui, está? Ele conseguiu sair. Ruim para vós.

Eu me afasto do balcão, arrastando-me, com o olhar fixo em seus olhos azuis acinzentados, provocando-a para me seguir. Tenho de levá-la para o mais longe possível do depósito, tenho de mantê-la focada em mim como sua presa. É a única maneira de fazê-la esquecer Jeb.

Ela sai correndo atrás de mim. Eu tropeço no pé de uma arara. Enquanto tento me equilibrar, uma asa gruda numa teia. Estou presa. O meu coração martela contra meu esterno.

A Irmã Dois fica maior, as suas pernas articuladas e pegajosas se esticam em movimentos suaves. Ela se inclina sobre mim até ficarmos face a face.

Não deixarei que o meu pânico me domine. Se quero manter Jeb vivo, tenho de continuar sendo o centro da atenção dela.

— Por que está aqui? Que dívida a minha mãe tem com você? — eu pergunto, lembrando de como a mesma pergunta foi evitada pela Marfim e por Morfeu no estúdio. Estou pronta para as respostas.

— Ah, curiosa, é? — Recuando, ela ri, como uma porta basculante com as dobradiças enferrujadas. Fios de cabelo pendem sobre seus olhos, e ela os afasta com a mão de tesoura. O sangue pinga de um corte recém-aberto, mas ela não parece notar.

— Eu devia ter vos matado quanto tive a oportunidade, e então não teríeis nascido para roubar o sorriso nem libertar o espírito da Vermelha. Tal mãe, tal filha. Mas o roubo dela foi mais notório que o vosso. Ela levou o menino com os sonhos.

O menino com os sonhos?

Gossamer mencionou sonhos quando explicou sobre os momirratos e as pintalouvas — que eles equilibram um ao outro.

— As pintalouvas? — eu pergunto. — Você as usou no cemitério para aplacar os espíritos raivosos.

— É. Os sonhos não são uma fonte renovável, ora. E, como a nossa espécie não pode sonhar, nós roubamos os humanos, os que são jovens o bastante para ainda ter imaginação. Eles fornecem a proteção para a toca do coelho e paz para o meu jardim.

Sinto náuseas. — Você rouba *crianças* humanas? Você as sequestra?

Os olhos da Irmã Dois se estreitam. — Será desdém que eu sinto em vosso hálito, criança? Vossa mãe era tão parecida convosco, sem respeito com o modo como as coisas têm de ser. As regras existem por uma razão. Para que nosso mundo sobreviva, alguns têm de sofrer no vosso. E vice-versa, não?

Estou atônita demais para responder. Eu quero amar o País das Maravilhas com todo o meu coração, mas como posso amar um lugar que tira crianças de seus lares?

— Houve outros humanoides depois daquele menino — a Irmã Dois continua, com euforia no rosto ensanguentado. — Mas ele era diferente. Mesmo quando cresceu, os sonhos dele eram *magníficos*. Nos dez anos em que foi meu, tive tranquilidade nos pavilhões. — Ela tira a luva usando os dentes. A bainha de borracha dá um salto, expondo caudas de escorpiões em vez de dedos e pinças no lugar de unhas.

Eu controlo a ânsia de vômito.

Minha mente busca alguma maneira de mantê-la falando. — Quem era esse menino? — Embora, em algum canto recôndito e horrorizado de minha alma, eu esteja começando a pensar que já sei.

Enrolando e desenrolando os seus dedos venenosos, a Irmã Dois se curva sobre mim. — Que diferença faz um nome? Ele já se foi há muito tempo. Podeis morrer sem essa resposta, assim como vivestes sem ela. Só precisais saber que levarei vosso cavaleiro mortal para ser nosso novo sonhador. Ele tem mente de artista. Eu vi o seu trabalho. Ele dará aos meus espíritos muitos anos de paz e diversão.

— Não, por favor. Não machuque o Jeb... — Eu tento me libertar da teia, mas ela só aperta ainda mais as minhas asas. O pânico frio viaja em meu sangue, fazendo-me tremer.

— Ah. Não vos preocupe, pequena mosca, ele nunca saberá que estais sofrendo. — A mão da Irmã Dois arranha o meu rosto. Eu agarro o seu pulso e luto com ela, mas aquelas oito pernas lhe dão um melhor centro de gravidade.

— Afaste-se! — Eu rosno por entre dentes cerrados, a mente mudando para o modo intraterreno. Lembro-me de seu ponto cego e, em silêncio, chamo a minha marionete esqueleto do depósito para atacá-la por trás. — Não deixarei que leve o Jeb sem lutar. — Eu me encolho quando um ferrão aperta a minha bochecha, prestes a penetrar em minha pele. O veneno pinga de sua ponta e escorre por meu rosto.

— Eu estava contando com isso, inseto dos diabos — diz a Irmã Dois. — Gosto que a minha comida resista um pouco.

— Quer resistência? — A voz de Morfeu interrompe de algum lugar da sala, quebrando a minha concentração. Ossos chacoalham no depósito, enquanto o meu esqueleto chega coxeando. — Leve--me no lugar dela.

Meu coração se eleva... e volta a pousar quando eu percebo o que ele acaba de oferecer. Mal posso distinguir a sua silhueta através das teias, parado diante da vitrine: seu corpo, suas asas.

— Morfffffeu. — A Irmã Dois me empurra para trás, inadvertidamente soltando minha asa de sua teia. Eu limpo o veneno do rosto e recupero o equilíbrio.

As asas de Morfeu batem lenta e cuidadosamente. — Bem aqui, minha adorável desgraçada. Eu estava me sentindo preterido. Você, concentrando toda essa linda fúria no inseto errado. Afinal, eu sou tão responsável quanto Alison por roubar o garoto. Você já deve saber disso.

Sibilando, ela debanda rapidamente na direção de Morfeu.

— Alyssa — Morfeu diz sem sair de sua posição —, você tem uma viagem a fazer. Encontrará tudo o que precisa no meu casaco.

A. G. Howard

Espere... foi por isso que ele insistiu que eu colocasse o casaco em Jeb, para eu ficar com os bilhetes caso nos separássemos. Não tinha nada a ver com as manchas de sangue na camisa dele. Ele acha que vou pegar o trem sem ele.

— Não — eu insisto. — Não sem você.

— Você sacrificaria o mortal que ama pelo intraterreno que odeia? — ele pergunta, e a convicção em sua voz me fere como um golpe violento. Não sei o que é mais excruciante: o fato de já ter dito que o odeio tantas vezes para fazê-lo acreditar ou que estou começando a perceber que isso está longe de ser verdade.

Eu hesito, desejando poder resgatar os dois. É um risco; e, se a minha tentativa falhar, Jeb não terá nenhuma chance contra a Irmã Dois.

Morfeu, por outro lado, sim.

Com os olhos ardendo, corro na direção do depósito. Cometo o erro de olhar uma última vez para trás. A Irmã Dois lança uma teia que cobre a silhueta de Morfeu, e eu grito.

Ele grita: — Vá, Alyssa! — A voz dele fica contida e abafada conforme ela o gira para perto de si, como se fisgasse um peixe, e constrói um casulo em volta dele.

Eu dou as costas porque devo, porque Jeb precisa de mim e porque o País das Maravilhas está ficando sem tempo. Contudo, cada passo que eu dou dilacera ainda mais o meu coração.

Pontes de Londres

Não há tempo para esconder minhas asas.

Por segurança, Jeb e eu ficamos no banheiro e pegamos o espelho acima da pia para Londres. Ele coopera, sem nem mesmo fazer perguntas quando eu viro a chave dentro do vidro quebrado e abro o portal que dá para a ponte. Tábuas de madeira bloqueiam parcialmente a vista, como se um portão estivesse fechado do outro lado do espelho.

Eu subo na pia, estico o braço para abri-lo e em seguida mergulho. A sensação de enjoo é tão ruim quanto das primeiras vezes que viajei pelo espelho. Acho que já faz muito tempo.

Quando já estou equilibrada, olho para o lado londrino do portal — um espelho de um metro e oitenta e dois com dois painéis de madeira que dão a ilusão de um portão de entrada. Não há ninguém por perto, e eu respiro aliviada.

O sol encontra-se baixo no horizonte, lançando faixas alaranjadas sobre o céu limpo. Há uma aldeia do outro lado do rio, com ruas movimentadas, pessoas e prédios charmosos que ficam tão próximos uns dos outros que parecem peças de Lego grudadas. Árvores cobrem a colina onde estou, lançando sombras em grandes manchas azuis sobre o gramado. A alguns metros de mim, há um chalé de tijolos. Embora pareça abandonado, o jardim é vibrante e cheio de flores.

Gardênias, esporas e jacintos enchem o ar com seu doce perfume. Abelhas e borboletas pairam sobre as pétalas e folhas. Seus sussurros em uníssono alcançam meus ouvidos:

Você não é a primeira a trilhar este chão. Sua mãe esteve aqui antes.

Sim, ela esteve. Ontem, quando escondeu meus mosaicos. Estou prestes a perguntar se eles viram exatamente em que lugar da ponte ela os escondeu quando Jeb sai do espelho agachado usando a minha mochila. Ele cambaleia, mas aceita a desorientação, pensando que faz parte do sonho.

Se fosse *realmente* um sonho.

Eu reprimo o roçar das lágrimas por trás de meus olhos mais uma vez. Morfeu tem de estar bem. Não posso acreditar que ele desistiu de si mesmo para que eu pudesse levar Jeb comigo. É claro que ele quer que eu encontre o último mosaico. Ele quer que eu salve o País das Maravilhas. Talvez ele tenha um plano mais completo, algum esquema secreto. Não sei ao certo no que ele se envolveu.

Mesmo assim, foi preciso coragem. E ele também mencionou ter participado do sequestro do menino dos sonhos da Irmã Dois. Se esse menino é quem eu acho que é, isso muda tudo o que eu já pensei sobre minha mãe... sobre minha vida... e mesmo sobre Morfeu.

— Oi — Jeb diz, tocando meu queixo. Ele afasta a mão e estuda uma lágrima que eu não percebi que tinha escapado. — Mas isso não está certo. Nos meus sonhos, você nunca está triste.

— Não é nada. — Eu esfrego o rosto. — É só a chuva.

A. G. Howard

Ele olha para cima. — Não há uma nuvem no céu. — Em seguida, olha ao redor. — Que lugar é este? Eu nunca imaginei este lugar.

— Talvez este seja o meu sonho. — Eu tento acalmar a mente dele. — É. Você está participando do meu sonho.

Ele me encara com ar de dúvida. Precisamos ir para a ponte antes que ele acorde por completo, mas eu espero mais um minuto, desejando que Morfeu entre pelo portal. A Irmã Dois não pode nos encontrar. Ele teve o cuidado de não revelar o nosso destino.

Como ele não aparece, sufoco a dor aguda em meu peito e volto a fechar o portão de madeira para camuflar o espelho.

Pego a mão de Jeb e entrelaço os seus dedos nos meus. — Vamos.

— Só um segundo. — Ele pega o meu cotovelo com a mão livre. — O meu estômago está fazendo barulho. Esquisito isso para um sonho, não? — Surge um ar inquiridor por trás dos seus olhos. — O que está acontecendo, de verdade?

Ele está saindo do transe, e, quando estiver consciente, ficará esperto demais para explicações esfarrapadas. Não temos muito tempo antes que toda a dor das memórias não lembradas e inalcançáveis surja e caia sobre ele. Decido pegar o trem antes de ir em busca do mosaico.

Morfeu disse que a estação abandonada fica em algum lugar subterrâneo. Não sei ao certo onde pode ser a entrada. Eu esperava que Chessie estivesse aqui para nos conduzir.

— Tudo vai fazer sentido logo, logo — eu respondo para Jeb. — Eu vou pegar alguma coisa para a gente comer logo que chegarmos. Confie em mim, ok?

Ele concorda, mas uma sombra lhe cobre a expressão. Tenho de me apressar antes que ele se enrole numa bola novamente. A ponte está tão longe. Não sei se ele conseguirá aguentar. Se eu pudesse levá-lo voando sem ser vista pelas pessoas do outro lado do rio. Mas, mesmo se fosse de noite e não o fim da tarde, ele seria pesado demais para mim. Eu sei disso por muitas experiências passadas.

Antes de fazer qualquer coisa, preciso descobrir como encontrar a estação subterrânea.

— Ajude-me a procurar em seus bolsos — eu peço a Jeb. — Deve haver bilhetes em algum lugar. — Eles podem conter instruções, ou talvez um mapa.

Jeb franze a testa, como se tivesse acabado de perceber que o casaco que está usando não é dele, mas vasculha os bolsos laterais sem perguntar a quem ele pertence. Ele tira um punhado de cogumelos com chapéus do tamanho de uma moedinha.

— São jujubas cintilantes? — ele pergunta. Há um quê de apreensão por trás da pergunta.

Eu não respondo, com medo de dizer que são reais, e do País das Maravilhas. Eles são fluorescentes e pequenos, o que os torna parecidos com esses doces. Alguns são laranja e outros verde-limão, mas todos são sólidos e lisos em um lado e salpicados de pontinhos no outro — versões em miniatura dos cogumelos do covil de Morfeu.

Eu busco os bilhetes no bolso interno da lapela de Jeb. Sinto algo enrugado nas pontas dos dedos e puxo. Eu desdobro o pedaço de papel. É um desenho parecido com os que mamãe guardou dentro do livro *As Aventuras de Alice no País das Maravilhas*. Este tem uma lagarta sentada sobre um cogumelo e fumando um narguilé.

As baforadas de fumaça formam palavras legíveis:

Um lado faz você diminuir, o outro faz você crescer.

É da cena do livro de Lewis Carroll em que Alice reclama para a lagarta que deseja ficar maior e ela sugere que Alice coma o cogumelo para crescer, mas sai sem lhe dizer qual lado fará isso.

Eu amasso o pedaço de papel, frustrada por tudo sempre precisar ser tão difícil.

— Onde estão os bilhetes? — eu cogito com ninguém em particular. — Ele disse que tudo o que precisamos está aqui.

A. G. Howard

Uma grande borboleta-monarca se aproxima, flutuando na brisa, e pousa em meu ombro. Uma asa faz cócegas em meu pescoço, e ela sussurra: *O bilhete é do seu tamanho, bobinha. Você nunca caberia no trem do tamanho que está.*

Eu fico olhando para o inseto de olhos bulbosos.

— Não coma a jujuba — Jeb diz, fazendo com que eu me vire para ele. — Está mofada. — Ele está mastigando alguma coisa.

— Jeb! — Eu agarro o cogumelo preso entre os seus dedos. Metade do chapéu foi comida, deixando somente o lado com pintinhas. — Cuspa! — Em meu afã de chegar mais perto dele, derrubo todos os cogumelos de sua mão. Eles se espalham pelo chão.

Ele engole e olha para mim. Antes que eu possa reagir, ele começa a encolher e não para até ficar do tamanho de um pequeno besouro — a semelhança aumentada pela mochilinha em seus ombros.

É só o que precisa para tirá-lo do transe sonhador. Ele se enrola em posição fetal e começa a gritar. Mesmo pequeno daquele jeito, o som me arranha os ouvidos feito garras. Eu me agacho para pegá-lo, mas a borboleta faz um voo rasante e o arrebata com as patas. Ela paira fora do meu alcance, na altura dos olhos.

— Ei, me devolve! — Eu fico de pé em um pulo, mas não quero bater nela. A mochila cai das costas dele e bate no chão. Se Jeb cair daquela altura, pode morrer.

A monarca dança com graça em pleno ar e sussurra: *Seu menino dá uma flor bem melhor do que você.*

— Hã? — eu pergunto.

Qualquer flor inteligente sabe: estique para a luz do sol e encolha a partir das sombras.

E ela parte para a ponte com meu namorado resmungando a reboque.

Totalmente em pânico, estou prestes a alçar voo e arriscar ser vista pela aldeia inteira, quando tudo começa a fazer sentido: o bilhete é do nosso tamanho; para pegar o trem, temos de ser pequenos. É para isso que servem os cogumelos. De acordo com a charada da borboleta e a transformação de Jeb, o lado que dá para o

sol e fica pintado fará você crescer, e o lado que dá para as sombras é liso e o fará encolher.

Eu enfio os cogumelos que sobraram no bolso de minha calça jeans, exceto um. Já fiz isso antes, mas com uma garrafa que dizia: *Beba-me*. Minhas roupas e tudo o que me toca começam a encolher, assim como aconteceu com Jeb.

Eu mordisco metade do chapéu do cogumelo, tomando cuidado para não ingerir o lado pintado. O gosto, a princípio, é doce como papel mergulhado em água com açúcar; depois, uma sensação efervescente deixa minha língua dormente.

Meus músculos se contraem, meus ossos se estreitam e minha pele e cartilagens se apertam para manter tudo junto. Tudo o que me cerca começa a crescer, as flores ficando do tamanho de árvores e as árvores do tamanho de prédios. Altos frondes de grama se curvam diante de mim. Parece que estou na selva.

Assim que a metamorfose se completa, o enjoo passa e eu coloco a mochila em um ombro, e uso minhas asas do modo que venho ansiando há meses. Encolho os ombros e arqueio a espinha, meus músculos entrando no ritmo quase sem nenhum esforço. É como andar de skate, parece natural.

Meu cabelo bate no rosto. Para cima, para cima, para cima, passo pelas touceiras de grama e pelas flores altivas até que minhas botas roçam o alto das enormes árvores. A altura é estimulante, e eu estou pequena o bastante para ninguém da aldeia me ver.

Eu alcanço a borboleta. Jeb geme, e se inclina pendurado nela. Como se tivéssemos ensaiado, descemos em uma corrente de ar. Eu a sigo, entrando por uma fenda das bases de tijolos da ponte de ferro. Nós manobramos através do buraco e chegamos a um elevador de passagem deserto, onde os passageiros dos trens costumavam aguardar para ir à aldeia. Os sons abafados de carros e pessoas acima de nós chegam através dos dutos de ar. Eu pairo no ar ao lado da borboleta, mantendo Jeb à vista.

O túnel é iluminado por candelabros ambulantes que giram feito rodas-gigantes pelo teto curvado de pedra. Ao se aproximarem, percebo que são, na verdade, amontoados de vaga-lumes amarrados juntos. Cada rotação ilumina paredes de azulejos sujos e anúncios desbotados da década de 1950. Os cartazes são gigantes se comparados a mim — grandes como prédios.

O trem, por outro lado, é do tamanho certo, e agora fica óbvio o que Morfeu quis dizer ao afirmar que ele não é um meio de transporte. Em um canto escuro, um trenzinho enferrujado está enfiado em uma pilha de brinquedos — alguns blocos de madeira, um cata-vento, algumas peças de um quebra-cabeça e pinos de borracha. Os brinquedos foram esquecidos ou abandonados por crianças que esperavam seus pais no elevador, décadas atrás. Um grande cartaz está pendurado acima da pilha. As palavras ACHADOS E PERDIDOS estão riscadas e substituídas pela frase TREM DO PENSAMENTO.

Vagões fechados, vagões de carga e vagões de passageiros estão ligados a uma locomotiva e ao vagão de pessoal, em escala perfeita para o nosso tamanho atual. Por entre as sombras, consigo distinguir o título *Banda Mística da Memória* pintado em letras pretas sobre a locomotiva vermelha.

A borboleta deposita Jeb perto de um vagão de passageiros. Eu corro atrás dela, tentando lembrar como se pousa. A porta do vagão se abre. Alguma coisa parecida com um tapete ambulante usando um chapéu preto de condutor pula do vagão e arrasta Jeb para dentro. Eu arrasto as botas na poeira do chão para desacelerar, largando a mochila. Não consigo agradecer a borboleta antes que ela saia, ocupada demais em me equilibrar.

Vou deslizando e só paro no momento em que a criatura-tapete fecha a porta.

— Espere! — eu grito, chispando na direção do trem e pulando na plataforma do vagão.

Depois que bato na porta várias vezes, a criatura desgrenhada a abre.

Ele bloqueia a entrada; não consigo ver o interior do trem.

— Diga o seu nome e o assunto. — A sua voz estridente crepita quando ele fala.

O brilho âmbar do carro ilumina sua forma: seis pernas pega-josas — dois conjuntos servindo de braços —, olhos compostos, mandíbulas cruzadas que clicam quando ele fala, tórax ovalado e abdômen escondidos sob um tapete velho.

— Tapete de inseto, é isso? — eu pergunto.

As suas mandíbulas caem, como se ele desdenhasse. — Prefi-ro "besouro-tapete", *madame*. Só porque eu tropecei na madeira tulgey, fui engolido e acabei parando no portão de Qualquer Outro Lugar, isso não lhe dá o direito de falar comigo desse jeito. Acha que *você* faria melhor se fosse rejeitada? — Ele funga, ou talvez bufe; é difícil dizer com toda aquela feição se movendo. — Você certamente não age como alguém que deseja pegar este trem.

— Desculpe. Não quis ofendê-lo. — Na minha lembrança da Loja de Excentricidades Humanas, brinquedos e objetos eram cuspidos para fora das prateleiras de madeira tulgey em formas mutadas. Eu não fazia ideia de que o mesmo pudesse acontecer com coisas *vivas*.

— Você age como se eu fosse a coisa mais esquisita que já viu sair dessa madeira. — O besouro-tapete puxa um aspirador preso a um coldre em sua lateral e o liga. Ele assobia e ronca, sugando a poeira de seu casaco de tapete. — Nunca viu a formiga carpintei-ra? — Ele levanta a voz sobre o barulho enquanto se limpa. — O corpo inteiro dela é feito de ferramentas. A mão é uma serra! Ten-te apertá-la sem perder um dedo. E a lacraia-orelha? O seu corpo inteiro é uma orelha. Ela se alimenta através de um velho chifre. Pelo menos eu sou agradável como companhia para um jantar. E o tal do vespão? Ele arrebenta os seus tímpanos com um soar de trombeta cada vez que suas asas batem. Eu sou, de longe, o mais palatável dos rejeitados do espelho. E o mais limpo, certamente. — Satisfeito com sua aspiração, ele desliga o aspirador e volta a prendê-lo no coldre.

Rejeitados do espelho = insetos do espelho.

Mais uma quase consistência com os romances sobre o País das Maravilhas. Carroll mencionou borboletas-pão, moscas-cavalo e

A. G. HOWARD

libélulas-dragão. Talvez eles todos tenham sido cuspidos de prateleiras de madeira tulgey em formas estranhas e horríveis.

— Agora, última chance — o besouro-tapete diz. — Nome e assunto. E rápido. — Ele vira a página de um pequeno diário, esticando uma pata dianteira e aninhando o livro entre outras duas. — Eu tenho passageiros que já estão no manifesto aguardando sua vez. O tempo urge.

— Meu nome é Alyssa. Estou acompanhando um de seus passageiros. O rapaz humano que você acaba de arrastar para dentro. — Tento espiar em volta do corpo inflado do inseto para ver onde Jeb está, mas ele me bloqueia.

Ele fecha o diário. — Você disse Alyssa? Como a Rainha Alyssa do reino intraterreno?

— Sim... sou eu — eu respondo com cautela.

— Ora, mas por que não disse logo? Eu já a esperava. Por aqui. — O inseto se move, e duas de suas patas dianteiras me indicam o caminho.

Eu entro no trem. O carro de passageiros é resplandecente, o teto brilha com mais candelabros de vaga-lumes, embora estes não rolem. Cortinas de veludo escarlate cobrem as paredes. O piso é vermelho e preto. A seção da frente tem fileiras vazias de assentos brancos de vinil, como os de um típico trem de passageiros. O fundo é dividido em salas privadas, com as paredes externas pretas e brilhantes e portas vermelhas fechadas — três salas de cada lado com um corredor central estreito separando-as. Eu sigo o condutor pelo corredor.

— Morfeu disse que você viria em nome de um convidado mortal — explica o besouro.

O meu coração para, esperançoso. — Quer dizer que Morfeu está aqui?

— Esteve aqui — meu anfitrião responde. — Esta manhã. Não o vi desde então.

Minha esperança se esvai. — Mas ele lhe disse que eu traria um mortal? Como ele poderia saber?

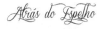

— Nããão. Eu não disse isso. Ele me contou que a senhora viria *em nome* de um. Ele me informou o nome do cavalheiro para que eu preparasse as memórias dele para transferência.

— Jebediah Holt, certo?

O besouro para perto das primeiras duas salas e se vira para mim, arranhando o tapete sob o chapéu, intrigado. — Nunca ouvi esse nome.

— É o rapaz que veio comigo. O que a borboleta largou aqui há alguns minutos. Onde está ele?

— O rapaz que entrou antes da senhora... ah, sim. Ele está nesta sala aqui.

O condutor aponta para a primeira porta à direita. Há suportes de latão em cada porta com placas removíveis para os nomes. A de Jeb diz *Sem Nome*. Eu giro a maçaneta, mas está trancada. Tento forçá-la a abrir, empurrando com um ombro alado.

— Não, não permitiremos isso. — O condutor pega meu pulso com sua perna espinhosa e eu estremeço com a sensação fria e rugosa.

Eu me afasto e fecho a cara. — Eu preciso saber se ele está bem.

— Está prestes a ficar.

— Você não deveria, pelo menos, colocar o nome dele na porta?

— As memórias dele podem encontrá-lo sozinhas, agora que ele está aqui. Elas estavam esperando por ele, afinal de contas. Mas, já que está prestes a ver lembranças que não são suas, precisávamos de um nome para que elas entrassem.

Eu olho por sobre o ombro para a porta de Jeb enquanto andamos pelo corredor. Eu não quero as memórias de ninguém; não preciso saber mais segredos; eu só quero ter certeza que meu namorado está bem. Minha garganta dá um nó quando chegamos à última sala à esquerda. Eu me forço a olhar para o nome na placa: *Thomas Gardner*.

Embora uma parte de mim desconfiasse disso, fico sem ar, e coloco a mão sobre meus lábios entorpecidos.

O condutor abre a porta e me conduz para uma sala pequena e sem janelas que cheira a amêndoas. De um lado, há uma

A. G. HOWARD

tapeçaria na cor marfim pendurada acima de uma espreguiçadeira creme. Uma luminária de latão decorado encontra-se ao lado dela, criando uma luz suave. Do outro lado há um pequeno palco completo, com cortinas de veludo vermelho que parecem prontas para abrir-se a qualquer momento para exibir um filme mudo em uma tela prateada.

— Sente-se. O espetáculo começará em breve — o besouro instrui.

— Está bem. O espetáculo. — Eu me acomodo na chaise, arrumando as asas dos dois lados. Há uma mesinha à minha esquerda com um prato cheio de biscoitos de luar sobre uma toalhinha de crochê. Minha boca se enche de água quando eu pego um punhado deles. Engulo três antes de perceber que o inseto está me encarando com seus olhos compostos.

— Desculpe — eu digo, engolindo. Enquanto eu falo, raios prateados irradiam de minha boca, refletindo por toda a sala. — Eu estava com fome.

— Sim, é para isso que eles estão aqui. Eu só esperava que a realeza tivesse um pouco mais de classe, só isso.

Eu cubro a boca para esconder um soluço. A luz passa por entre meus dedos.

O besouro pigarreia. — A senhora pode escolher em qual cabeça pode viajar. — Ele olha para o manifesto de passageiros. — Preferiria sua mãe ou seu pai?

— Minha mãe? Eu achei que essa era a memória do meu pai — eu pergunto, confusa.

— É uma memória que eles compartilham. Então há um resíduo das impressões de sua mãe na memória dele. Dependendo dos olhos que escolher, a perspectiva é afetada.

Eu mordo o lábio. Esta é a minha chance. Uma oportunidade única de compreender o que aconteceu há tantos anos, por que mamãe fez as escolhas que fez. Tudo será verdadeiro, porque as lembranças não mentem.

— Quero ver pelo ponto de vista de minha mãe. — A minha resposta sai num coaxo, sem saber o que está prestes a acontecer nem como é possível entrar no passado de outra pessoa.

— Anotado. — O condutor rabisca algo em seu diário e aperta um botão na parede com sua perna espinhosa. A cortina do palco se abre, revelando uma tela de cinema. — Imagine o rosto dela em sua mente enquanto olha para a tela vazia e vivenciará seu passado como se fosse o dia de hoje.

Ele gira um controle que extingue a luz da lâmpada e fecha a porta, deixando-me sozinha. Eu faço como ele me instruiu, imaginando o rosto jovem de mamãe, pensando nela como era nas fotografias de anos atrás, quando ela e papai namoravam, quando ela tinha dezesseis anos, a idade em que foi ao País das Maravilhas.

Uma imagem ganha vida na tela, em cores vibrantes, mas, em vez de ficar no lugar, ela se estica na minha direção... me puxando para dentro. Sinto minhas juntas se abrindo — minhas células e átomos se quebrando e flutuando, indo reagrupar-se na tela. Estou olhando através dos olhos de minha mãe, compartilhando todos os seus pensamentos e estímulos sensoriais.

Estamos no jardim de almas. Ela está sozinha, seguindo as instruções de Morfeu, a dois quadrados de se tornar rainha.

Eu não sabia que ela tinha chegado tão longe...

— Aproveite o poder de um sorriso — ela sussurra para si mesma. — Onde está você, Chessie?

Reconheço os arredores, embora eles sejam novos para ela. Ela tomou o caminho errado e ainda não percebeu. Uma aragem rançosa paira no ar, e a neve cobre o chão. Tudo está silencioso — nada parecido com os gritos e lamentos que eu me lembro de minha visita. Salgueiros mortos e escorregadios de gelo estão decorados com uma variedade de ursos de pelúcia e animais empalhados, palhaços de plástico e bonecas de porcelana que pendem dos galhos em nós de teia. Cada um deles contém uma alma inquieta, embora todas elas durmam calmamente.

A. G. HOWARD

Mamãe está em uma missão para conquistar a coroa. Ela só pensa nisso nos últimos três anos. A determinação em seu coração supera qualquer medo conforme ela adentra o covil da Irmã Dois, indo além de onde eu fui, bem adiante das árvores e dos brinquedos inertes. Ela está procurando a fonte das raízes brilhantes que ligam cada árvore e galho. A luz pulsa num ritmo estável, como as batidas de um coração.

Ela é conduzida para um abrigo de hera. Lá dentro, há uma bainha de teia viva, com luz e respiração. Ela se aproxima, morbidamente intrigada pela forma humanoide ali embrulhada. As raízes brilhantes estão ligadas a sua cabeça e ao seu peito, extraindo a luz da criatura.

Olhando para trás para ver se está sozinha, mamãe retira a fina camada de fios do rosto da criatura. Sua respiração congela dentro dos pulmões. Não é somente humanoide, é um ser humano de verdade. Um menino que parece ter a mesma idade dela.

Meu pai.

Mas ela não sabe que vai amá-lo. Ainda não. Ela só sabe que ele é lindo.

Ela percorre os traços dele com as pontas dos dedos. As pálpebras dele tremem, e seus cílios se abrem, revelando expressivos olhos castanhos. Ele não parece vê-la. Não parece ver nada.

Mas nos olhos dele ela vê a mesma solidão que ela viveu durante toda a sua vida, pulando de um lar adotivo para outro enquanto procurava esconder que era diferente dos que a cercavam. Aqui, no País das Maravilhas, ela sente que pode encontrar um lar, ser aceita, embora com ele não aconteça o mesmo. Ele está só e com medo, mesmo estando em transe e sem perceber. Não se consegue esconder uma solidão tão grande.

Mamãe ouve um ruído na neve e se volta, dando de cara com a Irmã Um — a gêmea do bem.

A pele translúcida da intraterrena está vermelha, e ela está sem fôlego. Sua longa saia de armação com listras verdes tem a bainha encharcada de neve. — Você não deveria estar aqui — ela ralha

com mamãe com a respiração entrecortada, afastando cachos de cabelo prateado do rosto. — Você deve acordar os mortos no meu jardim. Eu ia pegar o sorriso para você.

Mamãe engole em seco. — Quem é este menino?

A Irmã Um volta o olhar para a vítima encapsulada. — O humano de minha irmã. Os sonhos dele mantêm o descontentamento dos espíritos a distância. Morfeu deve ter contado como funciona o cemitério.

Mamãe aperta a mandíbula. — Saber como as coisas funcionam e vê-las na prática são duas coisas completamente diferentes.

A Irmã Um se ergue mais, expondo as pontas de suas oito pernas por trás da saia. — Mantenha os olhos no prêmio, pequena Alison. Se quer ser rainha, deve aceitar o nosso mundo com ele é. Algumas coisas não podem ser mudadas sem consequências terríveis.

Mamãe olha para o adolescente. — Mas ele tem quase a minha idade. Morfeu disse que, quando eles ficam velhos demais para sonhar, a sua irmã os envenena e dá os seus corpos aos duendes.

— É. Os duendes usam os ossos para fazer nossas escadas, e a carne alimenta as flores. Tudo serve a um propósito. Nada é desperdiçado.

— Nada exceto uma vida humana. — Mamãe está surpresa com a própria reação: desdém e repulsa. Ela pensou que poderia aceitar os rituais obscuros e cruéis deste lugar, mas o seu coração amolece. — Deixe-me pegá-lo. Ela vai jogá-lo fora. Deixe-me levá-lo de volta ao reino humano e dar-lhe uma chance de viver.

— De modo nenhum! Eu já vou enfrentar a ira de minha irmã por causa do sorriso que roubarei para você. E você deseja que eu a irrite ainda mais tomando o seu queridinho? Ela adora este humano mais que todas as centenas de outros que já teve. Não tenho certeza de que ela vá dispor desse aí. Ela poderá usá-lo até o dia em que o seu coração parar e ele virar um cadáver sem sonhos. É triste. Mas é assim que as coisas são.

Mamãe se endireita, determinada. — E isso é diferente do que você já está fazendo? Você está roubando por Morfeu, não é?

A. G. Howard

A Irmã Um franze os lábios. — Não de graça! Em troca de algo muito valioso. A parte mais difícil do meu trabalho é rastrear almas roubadas. Ele sabe disso. Eu nunca quis contrariar ninguém, especialmente minha irmã, mas por essas almas...

Mamãe coloca a mão sobre o coração. — Eu posso pagar. Se me deixar levar esse garoto, eu juro pela magia da minha vida que quando eu voltar para reivindicar a coroa colocarei todos os meus recursos reais a seu favor. Os meus guardas estarão à sua disposição para rastrear almas delinquentes sempre que a senhora souber de uma. A senhora nunca será forçada a fazer acordos com mais ninguém.

Antes que eu consiga ouvir a resposta da Irmã Um à proposta de mamãe, a cena se estica à minha volta, e depois fica borrada, como se eu fosse arrancada da lembrança e tivesse voltado ao meu lugar, envolta pela escuridão. Eu mal tenho tempo de tomar fôlego antes que outra lembrança seja evocada, com as cores vibrantes manchando a sala para me puxar para dentro.

Minha mãe está no castelo de vidro da Rainha de Marfim, ao lado do portal, aguardando para entrar no reino humano. Morfeu está ao seu lado, carregando o meu pai no ombro. Papai ora está consciente, ora inconsciente. Ele usa uma camisa branca de babados com fendas nos ombros e calça preta, uns cinco centímetros mais comprida do que as suas pernas. Os seus pés descalços despontam das bainhas, contraindo-se.

A Marfim olha para eles, régia e cintilante como os cristais de gelo nas paredes de vidro. — Você fez a coisa certa trazendo-o para cá, Morfeu. A sua bondade será recompensada.

Ele revira os olhos. — Isso é o que vamos ver.

A Marfim sorri para ele com afeição. — Garantirei pessoalmente que seja.

Ele retribui o seu olhar por tempo suficiente para que ela core antes de voltar-se para mamãe.

— A fim de proteger a sanidade do menino e do nosso reino — a Marfim explica —, eu tive de apagar a memória dele. Todos os

dezenove anos de sua vida, desde antes de ser capturado pela Irmã Dois, dado que não sabemos exatamente nem quando nem como ele veio parar aqui. Quando as memórias são "desfeitas" usando a magia, o vácuo aí criado é insuportável para os humanos. Então, é melhor que ele nunca saiba que as teve a princípio. Se ele chegar a ver um intraterreno em sua verdadeira forma, ou mesmo vislumbrar a sua magia, isso poderia fazê-lo perceber que algo está faltando, o que causaria um efeito devastador. Faça como Morfeu diz. Abandone-o em um hospital e volte para reivindicar a sua coroa. Esqueça que um dia o viu.

Minha mãe concorda, mas algo está pouco a pouco mudando em seu coração. Algo que ela ainda não sabe ao certo o que é.

Ela e Morfeu passam pelo portal e entram em seu quarto. Ele coloca papai na cama dela e começa a voltar para um espelho alto pendurado atrás de sua porta.

— Morfeu — mamãe diz, sentada na beira da cama —, eu quero pelo menos encontrar a família dele. Podemos olhar suas memórias. Vá até o trem...

Morfeu olha para ela com as asas baixas. — Você lhe deu uma oportunidade de viver. Isso já basta. É mais do que qualquer um de nós teria feito.

Mamãe afasta uma mecha de cabelo de papai com a mão trêmula. — Mas deixá-lo aqui sozinho? Ele ficará tão perdido.

Morfeu vira-se para encará-la, as joias faiscando em vermelho. — Não temos mais tempo. Precisamos coroá-la antes que todo o inferno se liberte do cemitério. Até o fim do dia a Irmã Dois vai perceber que o garoto sumiu e convocará sua segurança. Depois disso, não poderemos mais roubar o sorriso de Chessie nem a Rainha Vermelha. Lave as suas mãos quanto ao garoto. Não faça com que eu me arrependa de ajudá-la, Alison.

— *Mas foi exatamente o que eu fiz.* — A voz de mamãe fala fora de sincronismo com o que acontece na tela, e de repente a luminária ao meu lado é acesa. A cortina cai, cobrindo o palco, e eu sou jogada novamente na realidade, esticada na espreguiçadeira.

A. G. HOWARD

Eu me viro e vejo mamãe parada ao lado da porta fechada. Ela está descalça, usando o meu vestido de bolinhas favorito, e carrega uma sacola de lona no ombro. Eu não tenho ideia de quando ela entrou ou há quanto tempo está revivendo as memórias comigo.

— Eu fiz com que ele se arrependesse — ela diz novamente —, e olhe agora o que foi feito de nós.

Ela desaba no chão, em uma poça de cetim púrpura e malha verde, pernas bonitas encolhidas e olhos cheios de remorso, o suficiente para originar um oceano de lágrimas.

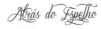

22

Segunda Visão

Não consigo conter os soluços que me obstruem o peito. Dou um pulo da espreguiçadeira e cruzo a sala em quatro passos. Caindo perto de mamãe no chão, as minhas asas arrastam-se dos dois lados. Ela abre os braços e eu me agarro a ela, apertando o tecido sedoso sobre as suas costelas, com o rosto pressionando seus seios, e mergulhada em seu perfume.

— Está tudo bem, meu doce — ela sussurra e beija a minha testa, deixando um rastro de calor. — Vai ficar tudo bem.

Eu a abraço com mais força. Eu é que deveria estar confortando-a, mas neste momento sou uma criança de cinco anos vendo a minha mãe partir para um sanatório. — Eu achei que fosse por minha causa. — Eu engasgo com as palavras. — Mas você se internou por causa do papai também.

O corpo de mamãe treme quando ela inala de modo profundo, mas entrecortado. — Depois que você nasceu, tudo mudou. Eu fazia tudo errado, deixava escapar coisas. Ele começou a sonhar com o País das Maravilhas...

A mente dele estava procurando lembranças que não eram mais suas. — Ela afaga o meu cabelo por trás da orelha. — O seu pai era especial para a Irmã Dois. De alguma maneira, ele entrou sozinho no País das Maravilhas quando era criança. Ela o encontrou e, pela primeira vez, não precisou roubar um humano para o seu cemitério. Ela nunca gostou dessa parte do trabalho. Não que ela se sinta culpada por isso. — A voz de mamãe fica amarga. — É só uma inconveniência.

Com a língua, enxugo as lágrimas que cobrem os meus lábios. — E ele não se lembra de nada?

— É como se ele nunca tivesse passado por nada daquilo. No dia em que eu cortei as suas mãos... — a voz dela falha, sufocada entre o som de nossos soluços —, eu queria curar você. Mas não pude. Não sem acabar com o que restava de paz nele. Eu tinha que me afastar. Por vocês dois. Para mantê-los a salvo.

Eu concordo, balançando a cabeça junto a ela. — Eu sinto tanto ter duvidado de você. Ter dito aquelas coisas horríveis. — Fios molhados queimam minhas bochechas e meu nariz.

— Não — mamãe balbucia, com a respiração reconfortante acima de minha cabeça. — Eu é que tenho que lhe pedir desculpas. Se eu tivesse contado a verdade desde o começo... Mas eu tinha esperança de que o chamado intraterreno não chegasse até você. E quando ele chegou... eu entrei em pânico. Eu não sabia o que fazer. Eu só sabia que não queria que você ficasse presa lá.

A visão da Marfim sobre o meu futuro voa pela minha cabeça. É engraçado, mas eu não me sentia presa naquele futuro. Eu me sentia feliz, poderosa e apreciada. Eu quero compartilhar essa epifania com mamãe, mas jurei não contar a ninguém. Talvez seja melhor assim. É o único segredo que eu nunca me sentirei culpada por não contar, porque não posso perder os meus poderes quebrando o juramento que fiz pela magia da minha vida.

A mão de mamãe desliza nas minhas costas até a base de minha asa direita. Ela passa o dedo sobre a superfície delicada. Sinto uma comichão percorrer a minha omoplata.

A. G. Howard

— O que fez com que elas se manifestassem? — ela pergunta, sem crítica nem ansiedade, como antes. Apenas curiosidade.

Os meus soluços ecoam enquanto tento descobrir como responder. O que posso dizer a ela sobre Morfeu, que mentiu e me manipulou, e ainda conseguiu me incitar a fazê-las brotarem? Como responder, sabendo que Jeb está em outra sala no corredor, atormentado por momentos lembrados pela metade que ele nunca viveu nesta realidade? De alguma maneira, parece traição.

Eu seguro os meus colares contra o peito. — Não importa — eu respondo. — Elas fazem parte de mim. Assim como a faixa vermelha no meu cabelo. E como a magia no meu sangue. Traços do seu lado da família. É hora de aceitá-los todos. É hora de nós duas fazermos isso.

Mamãe me aperta com mais força. — Eu posso ensinar você a reabsorver as asas na pele. As marcas dos olhos também. É uma habilidade que só os meio-intraterrenos possuem. Existe um truque.

É bizarro estar conversando com ela sobre traços intraterrenos do mesmo modo que conversávamos sobre moda ou maquiagem. — Talvez depois. Agora eu até que estou contente por tê-las.

Ela aperta os lábios contra o alto da minha cabeça e eu esfrego o meu medalhão em forma de coração entre os dedos, produzindo um som metálico e rascante. A ironia me surpreende: deve ter sido tão difícil para ela aprender a aceitar o seu lado humano como é para mim aceitar o meu lado intraterreno.

Eu nos separo para olhar para o seu rosto. Ela usou de magia recentemente. Sua pele cintila e seu cabelo se mexe feito uma planta aquática. Eu toco os seus fios platinados. — Eu não compreendo. Você jurou por sua magia para a Irmã Um e quebrou o juramento. Como você ainda possui poderes?

— Eu nunca quebrei o juramento. — Ela sorri com ar traquinas. — Tudo depende das palavras que você usa. Eu disse a ela *quando* eu voltasse para reivindicar a coroa. Tecnicamente, nunca fiz isso.

O seu talento para escolher as palavras me surpreende — ela pensa igual a eles, tomando tudo literalmente, torcendo para lá e para cá até chegar ao sentido que ela quer. Morfeu tinha razão. Ela teria dado uma Rainha Vermelha magnífica.

— Você abdicou da coroa pelo papai. — Agora eu quase não consigo olhar para ela e não ver realeza. — Você abdicou de algo que queria com tanta intensidade por um homem que nem conhecia.

Ela roça o dedo na covinha em meu queixo, que sempre a lembra do papai. — Não é verdade. No instante em que olhei nos olhos dele, eu o conheci. E depois, quando ele acordou na minha cama, confuso e assustado, ele olhou para mim e estendeu a mão. Calmo. Como se estivesse esperando há muito tempo por mim. Como se me conhecesse também.

— Então você fingiu que ele a conhecia de verdade.

Seu sorriso fica mais suave. — Eu inventei uma história sobre o passado para que ele pudesse ter um futuro. Mas foi *ele* quem me deu um futuro. Me aceitou, me amou de forma incondicional. Eu sempre me senti à vontade com ele. Algo que nunca senti em nenhum outro lugar. Tudo ficou menor diante disso. Até a magia e a loucura do País das Maravilhas.

Lágrimas voltam a brotar dos meus olhos. — É como um conto de fadas.

Ela olha para as bolinhas em seu vestido. — Talvez. E você é nosso final feliz. — O olhar dela retorna para o meu, cheio de amor. Ela seca as lágrimas da minha face.

Nós damos as mãos, e o momento nos enreda. Eu nunca deixarei que esta lembrança seja afetada... Nunca esquecerei o que estou sentindo neste momento, olhando para ela agora e realmente conhecendo-a, compreendendo-a — para sempre. Finalmente, depois de tantos anos.

Agora eu também quero compreender o papai.

— Você se arrepende? De não ter olhado para o passado do papai... de não ter encontrado a família dele?

Mamãe fica inquieta. — Ah, mas eu procurei, Allie.

A. G. Howard

— O quê?

— Eu assisti a algumas lembranças dele uma vez, quando estava grávida de você. Consegui compreender a verdadeira importância da família, porque eu tinha uma. E eu queria devolver ao seu pai a família dele. Eu até pensei em dizer que ele teve amnésia quando nos conhecemos, que eu tinha mentido que o conhecia. Só para que ele voltasse a vê-los.

Ela fica quieta.

Eu toco a sua mão. — Mamãe, me conte o que você viu.

Esfregando o nariz, ela funga. — O seu pai tinha nove anos quando se deparou com a Irmã Dois e foi pego. Então eu olhei as lembranças de um ano antes disso, esperando vê-lo em uma vida típica para um menino. Eu esperava ver o seu sobrenome, cidade, alguma coisa. — Ela balança a cabeça. A sua mão aperta a minha.

Eu aguardo, com receio de apressá-la. Incerta de querer continuar ouvindo.

— Eu não devo ter olhado longe o bastante — ela continua. — Mas nunca mais olharei. Ele esteve em cada lugar, Allie. Com oito anos de idade. Lugares a que os humanos não devem ir. Lugares a que os intraterrenos esperam nunca ter de ir.

Minha garganta fica seca. — Como assim?

— O mundo do espelho. — Qualquer Outro Lugar. Morfeu já lhe falou sobre isso?

— Não muito. — *Obviamente.*

— É para onde todos os exilados do País das Maravilhas são enviados, para onde a Rainha Vermelha deveria ter ido antes de escapar. Ele tem uma redoma de vidro em volta, e todos são mantidos lá dentro, com dois cavaleiros guardando cada portal, um Vermelho e um Branco. Esse lugar fica nos asteroides do País das Maravilhas. As criaturas... — o rosto dela fica pálido —, a paisagem, é tudo selvagem e indomado, tudo modificado além dos limites de nossa imaginação. Não é de admirar que os sonhos do seu pai fossem tão cativantes para as almas inquietas. As experiências dele naquele lugar provavelmente alimentavam a fome que

eles tinham pela frivolidade violenta ao limite. Sem falar em como os seus pesadelos deveriam ser formidáveis. A toca do coelho nunca foi tão segura como quando ele alimentava os momirratos.

Minhas entranhas tremem ao pensar nos fantasmas que domei no ginásio. Imaginar os pesadelos de papai como algo mais nefasto que aquilo faz minha pele se arrepiar. — Como ele poderia ter encontrado o caminho para o mundo do espelho se ele era uma criança? Eu achava que a única entrada era pelo País das Maravilhas, pela floresta de madeira tulgey.

— Morfeu uma vez me disse que existe outra entrada a partir do reino humano. Há uma maneira de abrir os espelhos sem usar chaves, um truque antigo que só os cavaleiros ungidos conhecem.

Eu fico de pé, precisando me movimentar para não vomitar. — Então você acha que, quando ele era criança, ele entrou por um espelho e acabou em Qualquer Outro Lugar, e depois foi até o outro portão que leva para a floresta de tulgey... e para o País das Maravilhas?

Mamãe encolhe os ombros. — Isso explicaria como ele caiu nas mãos da Irmã Dois. A resposta está em suas memórias perdidas. Mas eu não conseguirei vê-las novamente. Parecia que eu o estava traindo. Vendo pedaços da sua vida aos quais nem ele tinha acesso. Não é justo. Não. Nós temos de seguir adiante. Somos a família dele agora, e isso basta.

Volto a me sentar e tento digerir tudo o que ela me disse. O silêncio se torna insuportável. Estou totalmente consciente do tempo que passa, e de que Jeb está na sala ao lado enchendo a sua cabeça de lembranças perdidas. Não há nada que eu possa fazer acerca do terrível passado familiar do meu pai, mas ainda tenho um mosaico para encontrar e uma batalha para travar.

— Tem razão — eu digo a fim de nos recuperarmos. — Precisamos andar para a frente. Por que está aqui? O papai contou o que aconteceu na escola?

Ela faz que sim e brinca com as alças de sua sacola. — Eu sabia que ele estava escondendo alguma coisa de mim e acabei conse-

A. G. Howard

guindo que ele me dissesse. Ele queria que eu fosse procurar você junto com ele, porque estava com medo de me deixar sozinha. Mas eu insisti em ficar, caso você voltasse para casa. Quando ele saiu, eu chamei Chessie e ele me trouxe para cá.

— Mas não temos espelhos em casa. E você não dirige.

— Eu tenho um espelho no sótão, Allie. Um intraterreno sempre tem um plano de fuga. Essa deve ter sido uma das primeiras lições que Morfeu ensinou a você.

Eu sorrio, triste. Espero que ele tenha se lembrado de suas próprias lições. Espero que ele tenha um plano de fuga para sair da teia da Irmã Dois.

Eu penso em contar para mamãe que ele mentiu para mim, que é por culpa dele que tudo está um caos no reino humano, mas, depois de ver o que ele fez pelo meu pai, e ver como minha mãe o traiu — por mais que eu esteja feliz por ela ter feito essas escolhas —, não parece certo fazê-la sentir raiva de Morfeu.

Agora eu compreendo por que ele precisava que eu vivenciasse as memórias de papai. Ele sabia que eu não teria acreditado nele se ele simplesmente me contasse. Aceitar o lado bom dele é muito difícil para mim.

Mas isso está começando a mudar.

Eu vejo agora por que ele escondeu tanto de mim sobre os testes no verão passado. Por que ele me manteve no escuro enquanto eu realizava seu plano, pouco a pouco. Ele foi sincero com mamãe no começo, e ela o levou a crer que o ajudaria. Depois, ela recuou no último instante.

Ele não poderia correr o risco de eu fazer o mesmo, não com a sua eternidade espiritual em jogo. Embora isso não o desculpe por tudo o que fez, torna os seus motivos mais compreensíveis. Mais humanos do que ele jamais admitiria.

— O que há na sacola? — eu pergunto quando mamãe puxa a alça de lona para mais perto.

Ela tira três mosaicos da sacola. — Chessie disse que você encontrou os outros, mas ele não me disse onde. — Ela aguarda,

como se pensasse que eu iria preencher as lacunas. Como eu não digo nada, ela continua. — Estes são os que eu tinha escondido.

O meu sangue fervilha, e eu fico de joelhos para ajudá-la a expô-los. — Mamãe, você é o máximo.

Ela fica radiante.

Um pouco da poeira cintilante de Chessie ainda permanece neles. Eu imito a Marfim e espalho um pouco do resíduo no mosaico que ainda falta decifrar.

A animação mostra uma espécie de comemoração. Uma multidão de criaturas marcha entre árvores nuas. Algumas ostentam coroas; outras têm bicos ou asas. Todas usam máscaras. Algumas pairam e flutuam, como se viajassem em tapetes mágicos. O caos se instaura quando brinquedos ferais surgem das sombras, atacando as criaturas.

Um terror desconfortável se encolhe em meu peito quando a imagem borra e desaparece. Eu olho para mamãe, que observa por sobre o meu ombro.

— A Vermelha — eu murmuro.

Ela enfia o mosaico de volta na sacola, com a boca franzida de preocupação.

— Eu estava errada — eu digo, apreensiva. — Achava que o mosaico que eu ainda não tinha visto era o fim da guerra. Mas esse foi o primeiro que eu fiz, mamãe. É o catalisador. Você esteve no País das Maravilhas. Você viu lugares que eu não vi. Pode me dizer onde era essa festa?

— Parecia uma floresta — ela responde com a voz trêmula. — Mas eu não a reconheci. — Ela esfrega a testa. — Eu não compreendo como a Vermelha poderia libertar as almas inquietas. A Irmã Dois não costuma baixar a guarda. Principalmente depois que ela perdeu o seu pai.

Eu engulo em seco. Mamãe não percebeu que a Irmã Dois descobriu quem roubou dela o seu prêmio.

Eu envolvo as suas mãos nas minhas, fazendo cara de corajosa para que ela não note o meu medo. — A Irmã Dois não está no País das Maravilhas guardando o seu lado do cemitério. Ela está aqui. Ela sabe que você roubou o papai dela anos atrás.

Mamãe fica branca. Os seus dedos ficam moles, e, por um instante, penso que ela vai desmaiar. — Ela está vindo atrás do Thomas? — ela sussurra.

— Papai está a salvo. Ninguém sabe quem o menino dos sonhos se tornou, a não ser Morfeu e a Marfim. A Irmã Dois só quer vingança. — Tento não deixar a voz amolecer. — Ela está de olho no Jeb.

— Não. — O rosto de mamãe se fecha ainda mais. — Eu a ajudarei a protegê-lo.

A oferta significa tanto para mim, considerando como ela sempre tentou me manter separada de Jeb. Acho que agora eu entendo. Ele a fazia recordar de papai, de muitas maneiras: um jovem mortal com um coração nobre à mercê de um País das Maravilhas cruel.

— Está tudo bem — eu digo. — Jeb está aqui no trem conosco. Ele vai poder reviver o verão passado. Ele ficará mais seguro com suas memórias intactas.

— Nunca deveríamos ter chegado a este ponto. — Ela está prestes a ter outro acesso de choro.

Não temos tempo para mais arrependimentos. Eu me levanto e lhe ofereço a minha mão. — Acho que Morfeu esperava que eu a perdoasse se visse as memórias de papai. Ele esperava que você se perdoasse e que pudéssemos voltar a nos dar bem. Ele quer que trabalhemos juntas. É a única maneira de obtermos o poder para deter a Vermelha e enviar a Irmã Dois de volta. Está preparada?

Ela agarra a minha mão e aquiesce. No tempo que leva para ela se levantar, o medo e a dúvida se esvanecem de seu rosto. Ela agora está determinada, régia. A sua confiança alimenta a minha, e cruzamos a porta de braços dados.

Eu dou de cara com o peito sólido de Jeb. Ele está de costas para a parede do outro lado da porta. Basta olhar para o rosto dele para saber que se lembrou de tudo.

Ele não se mexe, não cumprimenta minha mãe, só fica olhando para as minhas asas, e depois para as marcas intraterrenas em volta dos meus olhos.

Mamãe aperta o meu braço. — Eu vou distrair o condutor. Mas não demorem muito. Vamos ter de descobrir para onde a Vermelha está mandando o seu exército. — Antes de sair pelo corredor, ela toca o ombro de Jeb.

Ele retribui o seu olhar, e um entendimento tácito se dá entre eles. Depois, ela se dirige até a frente do vagão de passageiros e sussurra alguma coisa para o condutor, chamando-o para fora.

Sem uma palavra, Jeb pega a minha mão e me leva para a sala onde ele estava. Com a expressão imutável, ele me conduz para dentro e fecha a porta atrás de nós. É idêntica à sala em que eu estava, só que a colônia de Jeb está misturada com o cheiro de amêndoas e a sua travessa de biscoitos está vazia, exceto por algumas migalhas. As cortinas do palco ainda estão abertas, como se ele estivesse pronto para começar a exibir as suas memórias novamente.

Eu o observo e começo a tremer, desnorteada por seu silêncio. Por mais que eu tente, também não consigo falar. O que eu diria? Como explicar uma mentira que durou um ano inteiro e alterou a nossa vida?

Ele se aproxima, desliza o dedo sobre as marcas em meus olhos com muita leveza e depois me surpreende ao me girar. Ele toca as minhas asas, arruma-as com uma adoração carinhosa, como se elas fossem a cauda de um vestido de noiva antigo e precioso. Ele me puxa para perto do seu peito e roça o nariz no meu cabelo desgrenhado preso atrás da cabeça.

— Eu nunca consegui tocar nelas — ele diz com a voz abafada. — Nem uma única vez. Mas ele tocou, não é?

Como responder? Estou contente por estar de costas para ele e ele não poder ver o meu rosto, com receio do que a minha expressão diria.

Ele afaga as minhas asas — com a leveza de uma pluma —, afetando cada receptor sensorial no meu corpo. — Me diga que foi só

A. G. HOWARD

isso que ele tocou, Al. — Ele abre as mãos sobre os cortes transversais que parecem veias, permitindo que eles rocem em seu piercing.

O meu coração bate com dor. — Eu o beijei. — É brutal admitir em voz alta, mas não posso mais mentir. — Eu estava tentando conseguir o meu desejo de volta para poder salvar a nós dois.

Jeb faz um som de angústia, meio sufocado, meio grunhido. Preciso ver o rosto dele — mesmo que isso signifique ele ver o meu.

Ele se afasta de mim, deixando as minhas asas e as minhas costas frias. Eu me viro, com os músculos tensos. Com um riso desdenhoso, ele dá um chute na espreguiçadeira, que vai parar na parede do outro lado. Ela derruba a mesa e quebra a travessa vazia. Meu corpo se enrijece com o ruído.

— *Morfeu.* — Jeb pronuncia o nome com raiva, como se tentasse mastigá-lo. — Ele visita os seus sonhos e voa com você. Como é que um humano pode competir com isso?

— Não é uma competição — eu digo. — Eu já fiz a minha escolha.

— Foi por isso que mentiu durante tanto tempo? — Ele não me olha nos olhos, concentrando-se em suas botas. — Porque você já fez sua escolha? — As suas mandíbulas estão tão apertadas que posso ver os músculos se contraindo por baixo da pele. — Não. Você mentiu porque eu sou apenas um skatista. Apenas um artista. Não tenho nada para oferecer. Ele pode dar a você um mundo de magia e de beleza. — Os olhos dele lentamente vão ao encontro dos meus. Estão como uma floresta devastada por uma tempestade. — Um mundo que você nasceu para comandar.

As palavras se amontoam dentro de mim. Estou tão furiosa que quero sacudi-lo. Como é possível que ele tenha assistido a tudo e ignorado a parte mais importante de nossa jornada? O que aprendemos sobre nós mesmos, sobre o outro.

Não. Ele vai ver essas memórias mais uma vez e eu vou me certificar de que ele veja a mesma coisa que eu.

Eu passo por ele e giro o botão na parede para diminuir a luz. A tela se acende. Desta vez, eu sou puxada para dentro do ponto de vista *dele*, vendo as coisas pelos olhos de Jeb. Lutando com as

Atrás do Espelho

flores, derrotando o octobenus, descobrindo como acordar os convidados do chá.

Algumas coisas são novas para mim, como ele me puxando para perto enquanto eu dormia no barco, afagando o meu cabelo e prometendo me manter em segurança. Ou como as fadas o ninaram para dormir enquanto estávamos separados na mansão de Morfeu, como elas tentaram fazer com que ele me esquecesse, mas o meu rosto continuava aparecendo em seus sonhos. E como foi difícil escapar quando Morfeu o encolheu e o colocou em uma gaiola, enquanto eu era obrigada a conquistar a coroa.

Então vem a cena mais temida, que eu só havia imaginado nos meus piores pesadelos.

Gossamer se esgueira para dentro da gaiola de Jeb, e os dois estão do mesmo tamanho. Sentada sobre uma fatia de pera virada para um lado, ela lhe conta o meu destino. Eu sinto o terror e a impotência dele quando ele dá um pulo, tão desesperado para me resgatar que bate a cabeça na gaiola até ferir a própria pele.

— *Você morreria por ela, cavaleiro mortal? — As palavras de Gossamer o detêm.*

Com as mãos apertando as barras, ele olha para ela, o sangue pingando sobre os olhos: queimando. — Se isso a fizer voltar para casa.

Gossamer encara-o sem piscar. — Está disposto a ir além da morte? Perder-se de todo o mundo, até de si mesmo, em um lugar onde as lembranças são lavadas com uma maré escura como tinta? Porque, para libertar Alyssa, você deverá tomar o lugar da Marfim dentro da caixa jabberlock.

Há um momento em que ele hesita. Eu o sinto: o seu coração tropeça na autopreservação, a sua mente acelera para encontrar outro meio. Então, o seu coração desacelera, novamente decidido.

— *Sim, eu o farei.*

— *Assim será. — Gossamer voa com ele para fora da gaiola, levando-o para uma caixa de peltre do tamanho de um armário.*

Jeb acaricia as enormes rosas pintadas de branco do lado de fora da caixa, estudando o rosto da Marfim enquanto ela vem à tona.

Ele tira uma faca do bolso. Enrolando a manga, ele passa o lado cego da lâmina no braço, enquanto analisa as rosas. Suas telas. Seus ombros cedem, derrotados. — Vou beber até o último gole.

— *Não é esse o verdadeiro significado do sacrifício? Dar mais do que jamais pensou para salvar alguém que ama?* — *Gossamer pergunta atrás dele.*

Ele cerra a mandíbula. — Você tem um pincel?

A fada lhe passa um.

Ele se concentra nas mãos. Elas se movem contra a sua vontade. — Eu... Eu não consigo parar de tremer.

Gossamer aperta o pulso dele. — Você pode. Você é um artista. E esta é a pintura mais importante que você vai criar.

Jeb seca as gotas de suor que surgem em sua testa. — O meu pai nunca achou que eu conseguiria alguma coisa com a minha arte.

Gossamer sorri com tristeza e paira no ar para dar-lhe espaço. — Então, a cada pincelada, você provará que ele estava errado.

Jeb aperta os dentes com força por causa da dor, conforme as rosas brancas vão ficando vermelhas a cada movimento de seu pincel.

A imagem fica desfocada, a cortina cai e a luminária se acende.

Jeb e eu ficamos olhando um para o outro.

— Me diga... — eu falo, com as emoções acumulando-se feito pedras na minha garganta. — Como alguém pode competir com *isso?* — Lágrimas se juntam por trás dos meus olhos, mas eu as mantenho afastadas. — *Só um artista.* Você pintou a minha liberdade com o seu sangue. *Só um skatista.* Você voou sobre um abismo em uma prancha de skate feita de uma bandeja de chá para me manter segura. Você não precisa de magia, Jeb. — Eu toco o seu rosto e ele encosta a barba espetada na palma da minha mão, com toda a raiva e mágoa se dissipando. — Você se manteve à altura de tudo o que foi atirado em nós, usando somente a coragem humana e a ingenuidade. Você é o meu cavaleiro. Não há mais nada a ser provado. Nem para o seu pai, nem para a sua mãe, nem para Morfeu, muito menos para mim. Você já provou que é o cara que eu sempre soube que era. O cara que eu amo.

A urgência escurece os seus olhos. Ele me puxa para si com força, beija as marcas em meus olhos e escorrega os seus lábios sobre os meus, os polegares contra as minhas têmporas, acariciando-as suavemente. Ele tem gosto de biscoitos de luar — amêndoas, açúcar e encanto.

Ele me puxa para os seus braços e me aperta com tanta força que os meus pulmões não conseguem se expandir. Meu nariz roça os pelos macios onde o casaco se abre sobre o seu peito. Mesmo com as nossas emoções esfarrapadas vindo à tona, sentir-me envolvida em seu calor ainda é o lugar mais seguro do mundo. Eu jamais quero sair daqui.

— O que aconteceu depois disso? — ele pergunta do alto da minha cabeça, a voz tão rouca que esfria a minha felicidade momentânea. — Preciso saber o que você ofereceu para me tirar daquela caixa. Deve ter sido mais do que um beijo. — Ele nos afasta à distância de um braço. — Você precisa me dizer, Al.

Eu o conduzo para a espreguiçadeira tombada. Ele a vira para cima e nós nos sentamos. Eu lhe conto tudo: como eu usei o meu único desejo, como eu lutei com a Rainha Vermelha e do que Morfeu abdicou por mim para que eu pudesse voltar para casa. Em seguida, conto como Morfeu voltou. Como ele me enganou. Mas não posso dizer o porquê, ou estaria quebrando o juramento pela magia da minha vida.

— Então a Vermelha também está de volta — Jeb murmura.

— Ela planeja destruir o País das Maravilhas. E eu sou a única que pode impedi-la.

O terror no rosto de Jeb faz o meu sangue gelar nas veias. — Por que você? Deixe que Morfeu a enfrente.

— Morfeu não está aqui para enfrentá-la. Ele se interpôs entre a Irmã Dois e nós, para que eu pudesse colocar você em um lugar seguro. — Uma percepção aguda me faz parar. Por que ele ainda não apareceu?

Jeb esfrega uma mão no rosto. — Muito bem. Vamos deixar de lado o fato de ele ter feito uma ou duas coisas nobres. Ele arrastou

A. G. HOWARD

você para dentro disso tudo me usando. Você foi embora daquele mundo. Você escolheu o nosso lado do seu sangue. Escolheu ficar aqui. Mas ele não respeitou essa escolha e manipulou você para entrar nos planos dele novamente. Você não pode voltar lá. Quase morreu da primeira vez, fantasiada como um deles.

Os meus ouvidos se fecham para todo o resto que Jeb diz depois da palavra *fantasiada*, que ecoa em minha cabeça feito um gongo.

Meu mosaico.

As criaturas contornando as árvores secas, algumas usando coroas, outras bicos ou asas. Todas elas usam máscaras. É um baile à fantasia. As asas, os bicos e as coroas são as fantasias. Fantasias de contos de fadas. A floresta é feita de adereços, provavelmente das árvores que eles conseguiram salvar do incêndio que eu provoquei no ginásio. As criaturas deslizando em tapetes mágicos são pessoas andando de skate.

O Submundo.

E a coleta de brinquedos para o orfanato — o disfarce perfeito para um exército de brinquedos mortos-vivos.

Meu rosto queima. — Temos de pegar a minha mãe. Agora. — Eu pego a mão de Jeb e o forço a levantar, rebocando-o para a porta.

— Por quê?

A fita da Rainha Grenadine passa novamente pelos meus pensamentos, junto com suas palavras estranhas: *A Rainha Vermelha vive e procura destruir aquilo que a traiu.*

— *Aquilo* que a traiu — eu digo, pesando cada palavra. — A Vermelha quer vingança da vida que eu escolhi viver em vez da dela. Na cabeça dela, foi *aquilo* que me fez traí-la. A minha vida normal de adolescente. Ela está planejando atacar o baile de formatura!

23

Ferroada

Perdemos a noção do tempo enquanto estávamos no trem. Já é noite em Londres quando saímos voando para o espelho do jardim sob o tênue brilho das estrelas. Mamãe não pode usar as suas asas sem estragar o vestido, então ela e Jeb são levados por mariposas e eu levo a mochila. No caminho, traçamos um plano para o baile de formatura.

Para manter papai seguro em casa, mamãe vai dar-lhe alguns sedativos. Ninguém da escola viu o meu vestido, exceto Jen. Quando eu estiver com a máscara, devo conseguir entrar de fininho, e mamãe já está na lista como minha acompanhante. Jeb ainda tem uma chave do Submundo, do tempo em que trabalhou lá no ano passado. Ele vai nos colocar para dentro antes que os outros alunos e seus acompanhantes cheguem. Fiquei surpresa por ele não ter encrencado com o meu papel no plano. Talvez porque a sua irmã possa estar correndo perigo. Seja qual for a razão, é ótimo tê-lo guardando a minha retaguarda sem atrapalhar.

Se nós não encontrarmos nada suspeito antes de

a festa começar, vamos simplesmente nos misturar à multidão e vigiar os espelhos do salão de baile. Esperamos poder deter a Vermelha antes que ela possa atravessar e deflagrar uma guerra. Se impedirmos que o primeiro mosaico aconteça, talvez os outros eventos não aconteçam também. O maior desafio será a nossa visão prejudicada. O Submundo foi feito, essencialmente, para brilhar no escuro.

No espelho do jardim, mordemos os cogumelos com brilho de néon para voltar ao nosso tamanho normal. Eu reabsorvo minhas asas e nós mergulhamos no portal que dá no espelho do sótão. Passa um pouco das quatro da tarde. Três horas para o baile.

Descemos a escada até a garagem. A porta está aberta e a caminhonete de papai está na entrada, atrás do Mercedes de Morfeu. Não poderemos fingir que estávamos aqui o tempo todo. Pior ainda, o Gizmo está no lugar dele, então papai foi à Fios de Borboleta e sabe que eu estive lá. Não sei como ele trouxe o Gizmo para casa, nem quem o ajudou. A minha pulsação martela no pescoço ao imaginar o que mais ele descobriu e quantas pessoas estão envolvidas.

Um vento trazendo cheiro de umidade penetra pela garagem, farfalhando jornais velhos amontoados num canto. Nuvens de tempestade se aproximam, tornando tudo ainda mais obscuro do que deveria. Eu estremeço.

Jeb pega a minha mão e a beija. — Vai dar tudo certo — ele sussurra, colocando a minha mochila para fora da porta.

Mamãe entra na sala com Jeb, e eu vou atrás.

Papai está de pé na soleira, entre a cozinha e a sala. A luminária ao lado de sua poltrona recostável está acesa, mas ele está fora da área que ela ilumina. Seus traços estão pesados e ele fala ao telefone. Quando nos vê, desliga e vem ao nosso encontro com uma expressão que é um misto de alívio e irritação.

— Faz duas horas que estou procurando vocês duas — ele diz quase gritando. — Eu já ia chamar a polícia. Onde vocês estiveram?

Mamãe apressa-se em explicar. — Está tudo bem. Eu encontrei a Allie no vizinho. — Ela pega o telefone e dá a Jeb um olhar suplicante.

— O quê? — papai pergunta. — Mas como isso...

Jeb interpela. — É verdade. A Al estava comigo.

Meu pai franze a cara, olhando as roupas de Jeb de cima a baixo. — Mas eu passei na sua casa no começo da tarde. A sua mãe disse que você não estava.

Jeb troca olhares comigo. — Nós só chegamos agora há pouco. Antes, estávamos escondidos no estúdio.

— Você *escondeu* a minha filha? — Papai olha para Jeb de um jeito que eu nunca o vi olhar — decepção com uma pitada de desprezo. É ainda pior do que a vez em que fizemos tatuagens. — Deixei um monte de mensagens no seu celular. Você sabia que eu e sua mãe estávamos muito preocupados. Eu achei que você tivesse crescido, Jeb.

Jeb olha para o chão, com o queixo cerrado.

— Então — papai continua —, mentiras, fugas. E ainda tem vandalismo. O que vai ser a seguir? Assaltar um banco?

Embora ele dirija a pergunta a Jeb, eu balanço a cabeça. — Do que está falando? O Jeb não teve nada a ver com o que aconteceu na escola esta manhã.

— Estou falando da Fios de Borboleta. Alguém entrou lá pela porta dos fundos. As mercadorias estavam todas sujas, o chão, o teto. Parecia produto daqueles sprays de serpentina, só que mais violento. Perséfone encontrou o Gizmo no beco de trás. O que tem a dizer sobre isso? — Ele ainda está falando com o Jeb, como se eu estivesse louca demais para responder por mim mesma.

Eu me coloco na linha de visão de meu pai, forçando-o a olhar para mim. — Eu estava muito nervosa para dirigir. Liguei para o Jeb e pedi a ele para ir me pegar. Mas ele não colocou os pés dentro da loja. — Não é exatamente uma mentira. Morfeu o carregou.

Era como se eu tivesse dado um soco no estômago de papai. — Por quê, Allie? Perséfone é tão boa com você. Ela até me ajudou a

trazer o seu carro para casa e achou melhor não chamar a polícia. Será que estamos facilitando demais para você poder aprontar? — O seu cílio esquerdo treme, uma indicação segura de que ele está no limite. — Pode esquecer a formatura com a sua classe amanhã. Vai receber seu diploma pelo correio. Não vou deixar você sair de vista até conversar com um psiquiatra.

Mamãe engasga e eu cerro os dentes.

— Espere, Sr. Gardner... — Jeb tenta intervir, mas eu pego o seu cotovelo e o contenho.

— Acho que você deve ir para casa, Jebediah — papai diz com o olhar frio. — Isso só diz respeito à minha família.

Sinto uma pontada no peito. Eu sei que papai está só extravasando, mas essas palavras parecem facas. Jeb é da família. Ele sempre foi tratado como tal.

— Sim, senhor — Jeb diz com a voz rouca. Ele se dirige para a saída. Mamãe o segue para abrir a porta e eles conversam brevemente na varanda enquanto papai e eu ficamos olhando um para o outro.

O barulho de um trovão estremece a sala.

Papai apoia-se na parede e as rugas em sua boca ficam mais fundas, como se o artista a desenhar seu rosto tivesse pesado um pouco nas sombras. Eu aprendi tanto sobre ele hoje — a conhecê-lo mais, melhor do que ele conhece a si mesmo —, embora ele esteja me olhando como se eu fosse uma completa estranha.

Quando não consigo mais sustentar o seu olhar acusador, vou para o meu quarto.

— Alyssa — ele diz em voz baixa —, a sua maquiagem ainda está borrada. E o que aconteceu com a sua camiseta?

Eu paro perto de meus mosaicos no corredor, de costas para ele. O ar frio entra pelas fendas das minhas asas nos ombros. Eu os encolho.

— Ótimo. Boa resposta. — A voz dele está cansada, e toca as cordas de meu coração como o arco de um violoncelista amador. — Eu nem reconheço mais você.

A. G. Howard

Eu agarro os colares em meu pescoço. — Não tem problema — eu sussurro de modo que ele talvez não ouça. — Porque eu, finalmente, me reconheço.

Fecho a porta do quarto. Nem me dou ao trabalho de acender as luzes enquanto troco de roupa, vestindo uma calcinha e uma camisola de renda, desejando poder trocar tudo o que está errado junto com as minhas roupas.

A luz que entra no quarto através das cortinas é suficiente para que eu substitua os alfinetes lisos de Jen em meu vestido de baile por alfinetes de segurança e alise as pregas por cima para cobrir os fechos de metal.

Depois de bater na porta, mamãe espia o quarto.

Eu aceno para que ela entre. — Cadê o papai?

— Ele foi comer alguma coisa. Sugeri que fosse esfriar um pouco a cabeça. Quando ele voltar, coloco os sedativos na bebida dele.

Eu concordo, sem sentir nem um pouco de fome, considerando o que estamos prestes a fazer. Vamos nocautear o meu pai sem motivo aparente. É a mesma coisa que mamãe viveu em todos os seus anos de sanatório.

Posso dizer, pela tensão em seus lábios, que ela se sente tão desconfortável quanto eu com a ideia.

Sentamos juntas na cama, com as luzes apagadas e o aquário cintilando em azul. Minhas enguias nadam com graça, como anjos debaixo d'água — um contraponto sereno ao turbilhão emocional dentro de mim. A distância, um ruído surdo de trovão faz eco à minha inquietação.

— Desculpe. — Mamãe afofa a combinação de tule de meu vestido até ela virar uma nuvem de renda. — Seu pai... ele só está louco de preocupação. Quando isso tudo tiver passado, ele vai se entender com Jeb. Eu não vou deixar que você passe pelo que eu passei. Ele não vai mandar você para o sanatório. Está bem?

Eu quero acreditar nela, mas um mau presságio começa a se instalar em mim. — Por que não podemos devolver ao papai as

suas lembranças? Ele pararia de pensar o tempo todo que eu estou louca. E poderíamos aproveitar a ajuda dele, já que Morfeu não está aqui. — A minha voz falha ao pronunciar o nome.

Papai não mencionou nenhum corpo encontrado em meio à serpentina de plástico... um grande inseto ou algo parecido.

— Meu doce, não podemos envolver o seu pai. Essas memórias o magoariam.

— Mais do que ele está magoado agora?

Mamãe fica pensativa. — Não posso nem descrever os horrores que vi quando assisti ao passado dele. Não posso nem imaginar o que mais ele suportou.

Eu fico muda, sem saber se concordo. Se ele foi capaz de sobreviver ao mundo do espelho quando era criança, certamente é mais forte do que nós achamos que é.

Eu começo a explicar isso, mas mamãe me interrompe. — O Jeb quer ver você. Ele está esperando lá atrás, debaixo do salgueiro.

Fico de queixo caído. Ela sempre soube do nosso santuário?

Mamãe pressiona a ponta do dedo contra a covinha em meu queixo para fechar a minha boca. — Allie, não sou totalmente alienada. Eu me lembro de como é ser uma adolescente apaixonada. — Ela pisca, e eu respondo com um sorriso. — Vou tomar banho e me aprontar. Não fique na chuva e entre em casa antes de seu pai chegar.

Eu enfio um par de botas e um casaco com capuz e saio correndo para o jardim. As plantas e os insetos estão estranhamente quietos. As nuvens fazem formas espirais lá em cima — de um cinza espumoso que faz parecer que são seis horas, e não quatro e meia. Um vento frio faz o meu cabelo esvoaçar, jogando-o contra o meu rosto. As rajadas fazem tanto barulho que nem consigo ouvir a fonte grugulhando.

Jeb já está me esperando, com uma camiseta colada e jeans, como se não pudesse esperar para tirar o casaco de Morfeu.

Ele abre uma cortina formada pelas folhas do salgueiro e eu me enfio debaixo da copa verdejante.

Agachada, eu o abraço. — Eu sinto muito. Meu pai não queria dizer aquilo.

— Eu sei. — Ele beija a minha têmpora e afasta algumas folhas para que eu possa me sentar. — Não estou aqui para você me dar um tapinha na cabeça e me fazer sentir melhor.

Eu tento sorrir. — Ah, vamos lá. Você bem que gostaria.

Ele ri. — Eu gostaria de mais um beijo. — Uma luz tênue filtrada pelas folhas atinge as suas covinhas e o piercing, fazendo com que ele pareça jovial e brincalhão, mesmo que sua voz esteja cheia de tensão.

Nós dois fingimos que tudo está certo no mundo, quando não poderia estar mais errado. Estamos nos iludindo. Jeb não deveria estar envolvido nisso. Se a Irmã Dois conseguiu derrotar Morfeu, que chance um humano pode ter nessa batalha?

— Acho que você não deve ir hoje à noite — eu deixo escapar. — Ligue para Jenara e diga para ela não ir também.

— Está brincando? Eu estaria correndo mais perigo se impedisse a Jen de ir ao baile do que enfrentando esses brinquedos ressuscitados.

— Pare de brincar. Isso não é um jogo.

Jeb franze a testa. — E também não era um jogo quando você escondeu a verdade de mim por tantos meses por medo de me magoar.

Ai. — Ou magoar nós dois — eu digo.

Pegando-me pelos cotovelos, ele me puxa para mais perto. Ele junta os nossos narizes e testas. — Somos mais fortes do que isso tudo. E somos muito melhores trabalhando em equipe, quando nossas cabeças estão juntas. É quando um de nós está tentando proteger o outro e fazendo tudo sozinho que nós estragamos as coisas. Não acha?

Eu suspiro. — É — respondo, relutante.

— Eu não vou atrapalhar você esta noite. Faça o que tem de fazer. Mas não me peça para fazer menos. Combinado?

— Mas as coisas que vamos enfrentar...

— São coisas que eu já enfrentei. E, como você disse, me saí muito bem para um humano. E não se preocupe com a Jen. Eu a tirarei de lá se não conseguirmos impedir a Vermelha de entrar.

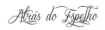

Eu toco os seus lábios. — Está tudo tão atrapalhado. O baile de formatura não deveria ser assim.

Ele beija as pontas dos meus dedos. — A festa pode ser um fracasso. Mas, depois que botarmos todos os esquisitos para correr, ainda podemos ter o nosso baile.

O otimismo dele é contagiante, mesmo sendo claramente uma artimanha para levantar o meu astral. Eu sei que ele está tão preocupado quanto eu.

Não importa que tudo, de alguma maneira, dê certo e nós derrotemos a Vermelha. Mesmo assim, não poderei ficar com Jeb esta noite. Não com o juramento que fiz a Morfeu. Talvez seja mais fácil para mim se ele realmente tiver sumido, capturado pela Irmã Dois e preso em sua teia. Mas nem me permito imaginar que isso seja verdade. Eu *quero* que ele sobreviva.

As folhas esvoaçam à nossa volta e um relâmpago faz o chão tremer.

— Precisamos nos apressar. — Jeb pega uma caixa de plástico de trás dele. Dentro dela há um corsage feito de botões de rosa brancos em miniatura, com as pontas aerografadas na mesma cor das luvas de tule que eu usarei, amarrados com uma fita azul-marinho e um laço.

Fico com falta de ar quando eu olho mais de perto. Eu sabia que Jenara estava preparando um buquê desse tipo. O que eu não esperava era um anel de prata preso em uma das rosas. Uma dúzia de pequeninos diamantes cintila no meio da armação: um coração com asas.

O meu corpo inteiro fica pesado, e depois leve. — Isso é...?

Jeb baixa o olhar, com os cílios escuros lhe cobrindo os olhos. — Eu tive a ideia das asas por causa das pinturas que eu faço de você. Eu nem poderia imaginar que fosse um palpite tão certo até hoje. — Ele engole em seco. — Eu planejava dar isso para você no estúdio, depois do baile de hoje. Mas, para garantir... — Ele se detém, como se falar o pior pudesse fazer com que se materializasse.

Ele abre a tampa plástica e liberta o círculo de prata. Em seguida, coloca-me de joelhos para que fiquemos olhos nos olhos.

A. G. HOWARD

Sinto as batidas do coração até nas orelhas. A grama me pinica os joelhos, mas não ouso me coçar porque Jeb está me olhando dentro dos olhos, e a expressão em seu rosto é a mais séria que eu já vi.

— Alyssa Victoria Gardner. — Ouvi-lo falar o meu nome completo faz os meus dedões se curvarem de expectativa. — Você me disse, certa vez, a bordo de um bote no País das Maravilhas, que um dia queria ter dois filhos e viver no campo para poder escutar a sua inspiração quando ela a chamasse. Estou afirmando agora, aqui no nosso santuário, que, quando estiver pronta para esse tipo de vida... eu quero ser o homem que vai dá-la a você.

Ele aguarda, com a boca aberta de expectativa, o incisivo torto fazendo sombra sobre os seus perfeitos dentes brancos. Tudo o que me é familiar nele gira à minha volta: os olhos verdes que me conhecem como ninguém; os quadros que desnudam minha alma; os braços que prometem poder e força cada vez que estou neles.

Somente Jeb, com suas falhas e vulnerabilidades humanas, pode preencher o lado humano do meu coração. Ele já planejava isso antes de saber de tudo, e ainda quer isso agora.

Quanto a mim, conheço, desde nosso primeiro verão, anos atrás, a profundidade de meus sentimentos por ele. Sim, eu quero passar a vida com ele. Mas tenho dois futuros possíveis. Duas vidas a viver. Duas partes do meu coração. Como posso me comprometer com alguma delas até tudo isso terminar?

Então, mais uma dúvida surge inesperadamente, algo em que eu não havia pensado até agora. — Espere. Foi assim que você e o papai se acertaram? Você cedeu e disse que se casaria comigo antes de irmos para Londres. Foi assim que aconteceu?

A expressão esperançosa de Jeb desmorona. — Não. Não foi... bom, sim, isso decidiu o momento. Mas você tem de saber que é isso que eu quero, Al. É o que eu sempre quis. Um futuro com você. Uma vida com você, minha noiva de contos de fadas. Para sempre.

Eu sempre disse... que o garoto... era bom com as palavras...

Meu coração dá um pulo ao ouvir o sotaque britânico que me invade a cabeça.

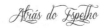

Uma mariposa mergulha dentro da copa, cercada de estática azul. Ela luta contra o vento, e a estática se espalha, alcançando os galhos, como se servisse para mantê-la estável. Jeb e eu saltamos para trás quando o inseto se transforma em um homem deitado de lado na terra. Ele respira com dificuldade e suas asas pendem sobre ele, escondendo seu corpo.

— Filho de uma...

— Morfeu. — Eu interrompo a explosão de Jeb, levantando uma das asas acetinadas para poder ver o seu rosto. Estou emocionada por ele estar vivo, mas ele não parece que ficará assim por muito tempo.

— Olá, amor — ele diz por entre uma cortina espessa de cabelo azul. — Espero estar... interrompendo. — Ele leva os joelhos ao peito, tossindo.

As folhas farfalham acima de nós, com a chuva que começa a cair.

Eu toco a sua testa, chocada ao ver o seu estado. — Ele está ardendo em febre. Precisamos levá-lo para dentro.

Jeb hesita, com a desconfiança obscurecendo seu rosto.

Eu coloco minha mão no braço dele. — Precisamos de toda a ajuda que conseguirmos esta noite. — Não posso dizer a Jeb que me importo mais do que isso. Ainda não. Não tivemos tempo de repassar toda a bagunça.

Cerrando os dentes, Jeb pega o pingente de coração do meu pescoço e coloca a aliança na corrente. Ele a mostra para mim. — Pode ficar com ela até conversarmos mais tarde?

Eu concordo e enfio a corrente no pescoço.

Jeb tira Morfeu de debaixo das folhas e o coloca no ombro. — Pegue--as, Al. — Ele aponta para as asas que se arrastam no chão atrás dele.

Eu manobro as asas de Morfeu, tentando enrolá-las em seu corpo para que ele não se molhe. Mamãe nos espera na porta dos fundos, de roupão. Ela parece tão confusa e amedrontada quanto eu, mas nos apressa a entrar.

— Levem-no para o seu quarto. Depressa. Seu pai acaba de encostar o carro. Vou dar os sedativos a ele e vamos esperar que façam efeito logo. Só temos uma hora antes de ir.

A. G. HOWARD

Nós avançamos aos tropeços pelo corredor, deixando marcas molhadas no carpete. As asas de Morfeu roçam as paredes, entortando alguns de meus mosaicos. Mamãe nos segue e fecha a porta para o meu quarto do outro lado. Eu a ouço endireitar os meus mosaicos enquanto se dirige para a sala.

Acendo a luz e tiro o meu vestido de cima da cama, colocando-o sobre a cadeira da escrivaninha. Jeb descarrega Morfeu na cama. As suas lindas asas pendem dos dois lados, inertes. É completamente perturbador ver alguém tão cheio de vida como ele assim, imóvel e vulnerável.

Eu me ajoelho ao lado da cama e afasto seu cabelo do rosto. Ele está tremendo. Os seus olhos estão fechados e suas joias piscam num fraco verde-acinzentado — embotado, sem brilho — feito água estagnada e turva. Fios pretos parecidos com veias incham e se movem sob a sua pele clara, como se houvesse serpentes dentro dele. A sua magia azul pulsa em torno dos fios, tentando conter o veneno, mas os pretos continuam se multiplicando.

Sinto náuseas. — Foi a Irmã Dois que fez isso com você?

Morfeu abre um pouco um dos olhos e tosse, confirmando. Ele geme conforme as veias pretas se enredam, formando um nó em seu pescoço. O meu corpo arde, como se eu tivesse pegado o veneno. Dói tanto vê-lo sofrendo assim.

— Shhh. — Eu aperto a mão dele. Ela está melada. — Temos de falar baixo, está bem? Não queremos que papai entre aqui.

Ele cerra os dentes, resistindo a mais tremores. — Eu sempre soube que acabaria na sua cama... ouvindo você dizer essas palavras um dia. — Ele consegue dar um sorriso maroto.

Jeb grunhe. — Inacreditável. Mesmo às portas da morte, ele é um mala. — Ele coloca um travesseiro sob o pescoço de Morfeu. — Por que não fica de boca fechada enquanto ajudamos você?

Morfeu ri com fraqueza, sua pele faiscando uma luz azul. — O que me diz, Alyssa — ele diz, chiando ao respirar —, de dar à minha boca outra coisa para fazer?

Jeb estreita os olhos. — *O que me diz* de levar um soco na cara?

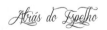

Morfeu desdenha, o que lhe provoca mais tosse.

Eu olho sério para os dois. — Vocês vão ficar de brincadeira comigo bem agora? — Balançando a cabeça, eu enrolo a manga de Morfeu para expor sua marca de nascença. Eu me encolho quando as serpenteantes veias pretas seguem o meu toque. É como se elas fossem atraídas pelo meu movimento.

Sentada na cama, começo a tirar a minha bota.

Jeb me detém, colocando a mão sobre a fivela. — O que pensa que está fazendo? — ele pergunta.

— Eu preciso curá-lo.

— E se esse veneno for contagioso? — A chuva bate na janela e no teto, como se pontuasse a preocupação de Jeb.

Eu me detenho.

Jeb olha seriamente para Morfeu, que desmaiou novamente.

— Ei. — Jeb dá um tapinha no rosto dele, estranhamente parecido com o que Morfeu fez com ele no estúdio.

O olhar de Morfeu flutua no ar.

— Ela quer curar você — Jeb diz. — É seguro?

Morfeu grunhe. — O ferrão... meu estômago... tirem ele primeiro. — Ele tosse mais uma vez. — Afoguem-no.

Eu começo a abrir os botões da camisa preta de Morfeu, mas Jeb me afasta e assume a tarefa.

Morfeu coloca a mão sobre os dedos rápidos de Jeb, com os olhos abertos, meras ranhuras. — Ah, meu formoso pseudoelfo. — Ele respira com dificuldade. — Finalmente chegou a hora de expressar nossos sentimentos não correspondidos?

As orelhas de Jeb ficam vermelhas. Ele está prestes a retrucar quando Morfeu grunhe, dobrando-se novamente. Com os bíceps inchados, Jeb o segura na cama para que eu possa terminar de abrir a camisa.

Há uma perfuração do tamanho de uma moedinha no abdômen de Morfeu. O veneno parecido com tinta parece se propagar dali. Sua magia azul pisca uma vez e desfalece, como que derrotada.

Eu estremeço.

A. G. Howard

— Cuidado com essa coisa — Jeb murmura.

Eu aquiesço, usando um lenço de papel que estava na cabeceira da cama para me proteger enquanto tiro o ferrão da ferida. Ele se contorce na minha mão, como se tentasse escapar. Estremecendo mais uma vez, eu o jogo em um copo de água que está ao lado da caixa de lenços. O ferrão faz um som efervescente e afunda, desintegrando-se em questão de segundos. As veias pretas sob a pele de Morfeu se contorcem com mais violência, como se estivessem lutando para sobreviver sem sua fonte. Os olhos de Morfeu se fecham e ele range os dentes em agonia.

Incapaz de suportar sua dor por mais tempo, pressiono o meu tornozelo contra o seu antebraço. O calor surge entre nós. As veias pretas diminuem seus movimentos e vão desaparecendo até ficar somente a perfuração. A sua estática azul reaparece e pulsa na ferida, deixando atrás de si uma cicatriz prateada.

Sinto uma onda de euforia quando a cor natural de Morfeu começa a voltar. Ele abre os olhos — alerta e mais forte a cada segundo. Ele me olha nos olhos quando eu sinto a sua testa. A febre se foi. O olhar vigilante de Jeb queima nas minhas costas, e eu tiro a mão.

Morfeu agarra o meu tornozelo antes que eu possa sair da cama, correndo o polegar sobre a minha tatuagem de asa. O toque envia uma sensação incômoda às minhas asas em botão.

— Mariposa — ele sussurra baixinho. O Morfeu que eu conheço voltou, provocador e debochado, lembrando-me de meu juramento.

Jeb chega por trás de mim e ergue o dedo de Morfeu. — Tire a mão, isca de coruja.

Os dois trocam olhares feios enquanto eu pulo do colchão com os braços de Jeb segurando a minha cintura. É bom ver que algumas coisas nunca mudam.

Morfeu se senta na cama, com as asas enfunando à sua volta. Ele se estica — lânguido e gracioso — e depois coloca os pés no chão. Com as joias reluzindo verde, ele me observa enquanto eu abaixo sua manga e abotoo sua camisa. — Obrigado, Alyssa. E, Jebediah, suponho que agora estejamos quites.

— Não chegou nem perto disso — Jeb diz. — Você trouxe a Vermelha para cá. E vai nos ajudar a mandá-la de volta.

Coloco a mão no peito de Jeb. — Espere. Primeiro, conte o que aconteceu com a Irmã Dois.

Morfeu suspira. — Estava indo tão bem. Ela caiu na minha artimanha e capturou o rapaz do cartaz do filme no meu lugar.

Alguma coisa clica na minha cabeça. — A silhueta do Brandon Lee do santuário de *O Corvo*... é claro. — Eu rio com ironia. — Incrível.

Morfeu dá de ombros, mas obviamente ficou contente consigo mesmo. — Enquanto ela estava ocupada "me" fisgando, eu me transformei em mariposa e me materializei atrás dela para assumir o controle. Eu a embrulhei em sua própria teia e a arrastei através do espelho até a toca do coelho. Ela se soltou lá dentro e me atacou. — Ele olha para a cicatriz no abdômen e depois fecha os últimos botões sobre ela. — Achou que eu tivesse morrido.

— Mas você conseguiu voltar para cá — eu digo.

— Eu tive um bom incentivo. — Morfeu se levanta e alisa a camisa. — Estava sentindo falta do meu carro.

Eu dou risada e Morfeu sorri. Jeb observa nós dois.

O meu lapso momentâneo de distração é curto, pois eu percebo as implicações desse novo desenvolvimento. — Quer dizer que a Irmã Dois voltou para o País das Maravilhas? Ela está em seu posto?

Isso poderia resolver tudo. Talvez a Vermelha não tenha alcançado as almas inquietas a tempo.

— Eu gostaria de achar que sim — Morfeu responde. — Mas não devemos baixar a guarda. Especialmente você, Jebediah.

A maçaneta da porta se mexe e todos nós ficamos imóveis. Mamãe aparece e nós damos um suspiro coletivo de alívio.

Apertando o cinto de seu roupão, ela olha Morfeu de cima a baixo e ele responde com o mesmo gesto. É óbvio que não resta nenhum amor entre eles.

— Allie decifrou o seu primeiro mosaico — mamãe diz a ele. — A Vermelha está a caminho do reino humano para atacar o baile de formatura. Temos um plano para impedi-la. Eu explicarei a você depois de me vestir.

Morfeu olha para mim e para Jeb. — Que deliciosamente perigoso.

— Isso não é um jogo, Morfeu. — Mamãe lhe lança um olhar irritado e volta a sua atenção para Jeb. — Pode me ajudar a levar o Thomas para o quarto? Ele não está totalmente caído, mas está bem grogue.

— Ele vai ficar bem? — eu pergunto.

A expressão de mamãe fica mais suave. — As pílulas são inofensivas. Ele vai ficar mais seguro desse jeito.

Eu aquiesço, mas é difícil tratá-lo feito um peão.

Jeb vai atrás dela na direção do corredor. Ele para na porta e lança um olhar significativo para Morfeu. — É melhor se comportar, Sr. Inseto.

— Sempre. — Morfeu dá um toque num chapéu inexistente.

Rangendo os dentes, Jeb sai do quarto.

No instante em que ele sai, eu recuo para perto da parede, mancando, com um pé sem bota.

Morfeu me observa como um predador, sorrindo. — Tentando colocar alguma distância entre você e seus sentimentos, florzinha?

— Não sei do que está falando.

— Humm. Você mente com tanta fineza. Está se tornando mais intraterrena a cada dia que passa. — Ele avança na minha direção, sinuoso e ameaçador como uma pantera-negra. Ele apoia o antebraço na parede acima da minha cabeça e, com as asas enroladas em volta de mim, corta meus movimentos. — Eu olhei dentro do seu coração depois de nossa união. Vi como você estava preocupada.

Eu cerro minha boca, esperando que tenha sido só isso o que ele viu.

O seu olhar recai sobre os meus colares. As suas feições endurecem quando ele coloca o mindinho dentro do anel. — Isso nunca dará certo. Você, obviamente, não contou ao nosso pseudoelfo o que jurou para mim.

Agora, mais do que nunca, não posso dar a Morfeu o que ele pede. A minha mente busca uma maneira de tocar o seu lado com-

preensivo. Eu sei que ele tem um. Eu já o vi. — Eu soube uma coisa de você hoje.

Isso ganha a sua total atenção. Ele me atrai para a imperscrutável profundeza de seus olhos. — E o que seria?

— Toda vez que você tenta fazer a coisa certa, se dá mal.

A minha observação é recebida em silêncio. Ele fisga o meu outro colar, fechando a chave, o coração e o anel dentro do punho.

Eu quase não respiro, com o coração alvoroçado enquanto tento lê-lo. — Então é uma batalha para fazer essa escolha, é? — eu pergunto.

Morfeu oferece um sorriso convencido. — Uma batalha significaria que eu tenho de me importar. Eu deixei de me importar.

— Suas atitudes mostram o contrário. Eu sei o que você fez na Fios de Borboleta. A Irmã Dois entrou no depósito enquanto eu me vestia no banheiro. Você a atraiu para o salão principal na forma de mariposa para manter o Jeb em segurança.

Morfeu se impacienta. — Eu só estava me divertindo um pouco com a bruxa.

— E quanto ao que você fez pela minha mãe? Embora ela tenha traído você, você nunca contou à Irmã Dois que o menino dos sonhos era o meu pai.

— Eu jurei pela magia da minha vida.

— Não. Eu perguntei a mamãe sobre esse juramento. As palavras nunca especificaram proteger a identidade de papai.

Ele abaixa os olhos, como se buscasse um modo de refutar.

Eu levanto o seu queixo com a ponta de um dedo. — Estou tentando dizer que, se você continuar seguindo os seus impulsos positivos, por mais insignificantes que eles pareçam ser, não vou decepcioná-lo como fizeram as outras. Eu voltarei por você. — Mordo a língua, com cuidado para não mostrar a minha jogada. Ele não pode saber que eu testemunhei o nosso futuro, só que estou mantendo um registro do passado.

Morfeu ri. — Voltará por mim?

— Algum dia.

— Talvez eu não queira mais você. Talvez me canse de esperar.

A. G. Howard

Eu engulo o meu orgulho. — Então será a minha vez de conquistar *você*. Estou pronta para o desafio.

Seu sorriso é sarcástico, se não impressionado. — É claro que está. — Ele me puxa para perto enrolando os meus colares no pulso. — Mas eu não vou desistir de nosso dia juntos depois que derrotarmos a Vermelha só por causa de algumas palavras bonitas e promessas vazias.

Eu mordo a língua, amenizando o meu impulso de atacá-lo. Isso só alimentaria seu ego.

— Então você não está fazendo a coisa certa — eu digo, indiferente.

Ele fica amuado. — Não? Porque meus bons impulsos estão me dizendo que a coisa certa é fazer você honrar o seu juramento. Você só vai ter de ser firme e contar ao seu brinquedo mortal sobre o nosso acordo.

Eu bato em suas asas, tentando sair. Elas nem se mexem. — Você me enlouquece!

Os olhos dele se acendem, brilhando em ônix contra um fundo de joias violeta. — E você inflama a minha alma. — Ele aperta meus colares, com a luz azul pulsando que emana de seus dedos. — Pergunte a si mesma, Majestade. Está realmente brava comigo ou com o fato de sua pequena artimanha para me adoçar ter saído pela culatra?

Eu pisco, tentando afastar a sensação de calor sob meus cílios. — Não era uma artimanha. Tudo o que eu disse é verdade.

Ele bufa e tenta me olhar com seriedade. Mas, por baixo, eu vejo a mesma dúvida e vulnerabilidade que ouvi em sua voz quando ele me mandou ir para o trem sem ele. Eu também vejo algo mais: um ser encantado que colocou de lado o seu egoísmo e encarou o *bandersnatch* por mim, que arriscou ser morto por um trem, que se colocou entre Jeb e a Irmã Dois e que salvou o meu pai de passar a vida sendo sugado.

Sou tomada pela compaixão, pela gratidão e por outra emoção que não ouso nomear. Tenho de convencê-lo que existe um lugar para ele no meu coração também.

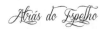

Mas ainda não.

Olho para as asas que me cobrem, para o seu corpo imóvel diante de mim. Fico na ponta dos pés e pego o seu rosto macio nas mãos. Ele fica tenso por um instante — desconfiado —, mas relaxa lentamente, cada músculo rendendo-se aos poucos enquanto eu afago o seu queixo.

— Estou só pedindo para você esperar um pouco — eu sussurro. — A eternidade não vale isso? — Sem dar chance para que ele responda, eu encosto a boca em sua face, uma promessa de algum dia. Uma pulsação de meus lábios para o meu amigo de infância e outra para o homem que estou começando a conhecer.

Morfeu amolece debaixo de mim, pela primeira vez me deixando tomar a dianteira. A sua mão livre descansa no cabelo da minha nuca, a outra fica quente onde ele segura os meus pingentes.

É um beijinho no rosto, inocente e sincero, até ele virar o rosto sem avisar, encaixando a minha boca na sua. Os seus lábios são quentes e macios, com gosto de tabaco. Ele geme e mergulha em mim, arrebatando-me com a sua torrente de paixão.

Antes que eu comece a me afogar, eu o afasto, os meus lábios ficam mudos e vibrantes. Suas joias são como fogos de artifício, uma gama prismática de emoções. Ele me estuda com espanto, parecido com o menino dos meus sonhos naquelas raras vezes em que eu o derrotei em um jogo ou num desafio. Suas asas estão frouxas, não mais uma muralha em torno de nós.

Um palavrão abafado vem da porta. Eu inclino a cabeça e lá está Jeb, com o sangue fervendo no rosto. Seu olhar é feroz, mas desalentado, uma ferida profunda e esmagadora que eu não via nele desde que seu pai estava vivo e o atormentava.

Sinto um nó no estômago. — Jeb.

Ele não grita. Ele não ataca Morfeu. O que ele faz é muito pior.

Ele vai embora.

— Jeb, espere! — Sinto-me como se as minhas entranhas tivessem sido perfuradas. Uma dor tão forte que as minhas pernas cedem.

A. G. Howard

O punho de Morfeu sobre o meu esterno me mantém pregada na parede, impedindo-me de correr atrás dele.

— Mas que pena. — Morfeu desliza os dedos da mão livre pelo meu rosto. — Lamento que ele precise ser magoado, amor. Mas é melhor assim. Ele teria enlouquecido se tivesse de ceder você a mim por um dia. As coisas nunca seriam as mesmas entre vocês depois disso. E ele poderia morrer esta noite. É possível que você tenha salvado a vida dele.

Meu rosto pega fogo. — Não. Não deveria terminar assim. Este momento deveria ser nosso!

Morfeu me solta e recua. — Momento. Você não terá essas restrições no País das Maravilhas. Permita-se ver o lado bom. Agora, recomponha-se. Temos que nos preparar para a Vermelha.

Ao sair, ele para e afaga as pérolas do meu vestido de formatura estendido sobre a cadeira. Ele sorri com ternura, e eu sei que está pensando na visão da Marfim — um casamento e uma criança com o cabelo igual ao seu e os olhos como os meus, que levará sonhos ao País das Maravilhas e tornará o hábito de roubar crianças humanas obsoleto.

Com um último olhar para mim, Morfeu sai.

Eu desabo no chão. O calor irradia de minha clavícula, onde os colares brilham, um brilho azul e quente do aperto mágico de Morfeu. A chave, o coração e o anel estão derretidos juntos — um pedaço de metal tão inútil quanto qualquer explicação que eu possa oferecer a Jeb.

Eu não previa isso. Seria eu o tempo todo. *Seria eu* quem trairia a mim mesma da pior maneira possível.

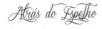

24

O Baile do Apocalipse

Não é tão fácil me recompor.

Eu atraso nossa saída da casa, e, quando paramos na loja de esportes de papai para pegar algumas coisas que Jeb pediu — dois conjuntos de *walkie-talkies*, dez redes para carregar bolas de futebol, quatro pares de óculos de caçador com visão noturna e duas armas de *paintball*, junto com duas caixas de bolas de *paintball* amarelas e brancas —, mamãe e eu chegamos ao estacionamento do Submundo só trinta minutos antes do horário programado para o baile começar. O conselho de alunos e alguns acompanhantes já chegaram. Há pelo menos uma dúzia de carros, e um deles pertence a Taelor. A noite promete.

O centro de atividades é uma enorme caverna subterrânea com teto de pedra que chega a 15 metros em alguns pontos. Há uma entrada no nível térreo: uma pequena estrutura que parece uma abóbada, com as letras s-u-b-m-u-n-d-o piscando em néon laranja, vermelho e púrpura, acima das portas duplas iguais às das entradas dos ginásios. Depois de atravessar as portas, uma rampa curva-se até o piso principal, onde as atividades fluorescentes acontecem: uma pista de skate no estilo *bowl*, uma área para minigolfe, um espaço para jogos eletrônicos e um café no mezanino. Há também uma pista de dança mais ou menos do mesmo tamanho do ginásio da escola, com espelhos cobrindo as paredes. É uma vantagem sobre o ginásio, pois, em lugar das luzes tradicionais, ele usa *backlights* para iluminar os murais fluorescentes. O cenário perfeito para contos de fadas e bailes à fantasia.

As portas dos fundos do Submundo abrem-se para um pequeno vestiário, onde os funcionários guardam suas mochilas e objetos pessoais enquanto trabalham. Ele também tem um elevador de carga usado para o fornecimento semanal de comida e de outros artigos.

É lá que Jeb nos espera. Vamos pegar o elevador para podermos entrar por trás do café e nos misturarmos com mais facilidade.

Jeb ainda está ajudando, apesar de eu ter partido seu coração. Não somente porque sua irmã pode estar em perigo, mas porque é isso que Jeb faz. Ele protege os vulneráveis.

Assim como eu deveria protegê-lo, mas fracassei.

Eu levo o Mercedes de Morfeu até o estacionamento dos fundos com mamãe ao meu lado e Morfeu pairando em forma de mariposa do lado de fora da janela. Hoje ele comparecerá ao baile como o estudante britânico de intercâmbio. Taelor ficará eufórica. Não somente M voltou, mas Jeb e eu estamos afastados.

O melhor baile de formatura *de todos os tempos.*

Sob as luzes negras, a verdadeira aparência de Morfeu parecerá parte da fantasia. Seguindo esse raciocínio, eu solto as minhas asas novamente. Mamãe me ajudou a enrolar um pouco de tule azul em torno da base e prendeu-o na frente com um broche brilhante, feito um cisne, para camuflar o modo como elas brotam de minha pele. Se eu não estivesse tão arrasada por causa de Jeb, até que poderia me divertir exibindo minhas asas e marcas nos olhos.

Estacionamos ao lado da moto de Jeb. Ao vê-la, o meu coração se despedaça mais um pouco.

Ele chegou cedo, como tínhamos planejado, e verificou o local. Mandou uma mensagem assim: *Nada suspeito.* Curto, conciso e frio. Eu a deletei. Não combinava com as mensagens românticas, galanteadoras e sinceras que eu guardo no meu telefone.

O corsage no meu pulso olha para mim do alto de minha luva de tule, um lembrete zombeteiro do anel que ele me ofereceu junto com o resto da sua vida. O anel agora está fundido junto com o medalhão de coração e a chave. Eu aperto o amontoado de metal em meu pescoço e depois o enfio por baixo de meu xale de renda.

Eu choraria, mas isso está tão além das lágrimas. Os meus globos oculares estão quentes e ásperos, como se eu tivesse despejado areia neles e depois os tivesse colocado de volta.

Engula, Alyssa. A voz em minha cabeça poderia muito bem ser de Morfeu, mas é minha. Eu prendo minha meia máscara aerografada com franjas prateadas, colocando o elástico em volta da cabeça.

Mamãe e eu saímos do carro. O estacionamento dos fundos está deserto, exceto por nós. Aperto um botão no controle e as portas descem. Uma brisa fria areja as minhas asas e a bainha de meu vestido. Eu me inclino para arrumar as botas de plataforma azul-acinzentadas, tirando uma ponta da bainha que ficou presa em uma fivela.

A tempestade que caiu há pouco já passou, deixando um pôr do sol cor de pêssego. O cascalho brilha feito lantejoulas de néon, mas só na superfície. Há algo nefasto, velho e ameaçador oculto sob esta atmosfera tranquila, e os humanos não conseguem ver.

Os insetos estão de volta — não mais gritando avisos, mas oferecendo ajuda. Os seus ruídos se unem num só sussurro:

Estamos aqui, Alyssa. Mantenha nosso mundo a salvo. Se precisar de nós... chame.

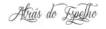

Mamãe vem para o meu lado do carro para aprumar a minha tiara e o véu. Ela alisa a peruca prateada que Jenara me emprestou e que cai até os meus quadris, em cachos brilhantes. O meu verdadeiro cabelo está enfiado debaixo de uma touca.

Jeb disse a Jenara que estávamos planejando comparecer ao baile incógnitos, porque não queríamos perdê-lo, fingindo que tudo estava bem entre nós. Jen ficou animada para participar de nosso plano e também trouxe um vestido frente única para mamãe, a meu pedido.

A saia na altura da canela lhe cai bem, assim como as camadas femininas de chiffon avermelhado que combinam com a leveza das mangas raglã. Jen ajudou-a a trançar o cabelo nas têmporas e prendeu-o com fivelas de strass lilás, de modo que o seu cabelo brilha como a sua pele. Ela está magnífica. Queria que papai pudesse vê-la.

Antes de sairmos do apartamento, coloquei a caminhonete dele na garagem ao lado do Gizmo para parecer que não tem ninguém em casa. A ideia de deixá-lo lá sozinho me deixa muito triste.

— Eu sei, Allie. — Os olhos intensamente azuis de mamãe me leem através da máscara cor-de-rosa. — Eu também odeio enganá-lo desse jeito. Mas não vejo outra maneira.

Morfeu dá um voo rasante em forma de mariposa e paira sobre mim, com uma das asas me roçando de leve a bochecha. Eu o enxoto, reprimindo a raiva que venho sentindo desde que nos beijamos. Ele transformou aquele momento em algo que ainda não deveria acontecer.

E eu desconfio que ele planejou tudo, deixando suas asas caírem para que Jeb pudesse ver.

Morfeu se transforma a um metro de mim. — Alyssa, não existem palavras para descrever a sua beleza. — Ele faz uma mesura graciosa.

— Engula-as, Morfeu.

Ele ri e se endireita, as asas altivas e pomposas. Eu olho para a sua fantasia. Ela é exatamente *ele*. Uma mistura de homem medieval

A. G. Howard

com astro de rock: protetores de couro marrom no antebraço com tachas sobre uma camisa com punhos de babado, e um gibão de cavaleiro bordô com capa de tela dourada. O gibão deixa à mostra as suas coxas musculosas, e a calça bordô absurdamente justa e enfiada no cano alto de suas botas marrons não deixa nada para ser imaginado. Ainda por cima, ele está usando uma coroa.

Ele se vestiu feito um rei de contos de fadas. A ironia não me passa despercebida.

Dou uma risada desdenhosa.

— Algum problema, amor? — Ele me olha com superioridade por trás de sua meia máscara dourada, enquanto ajusta a coroa de rubis sobre o cabelo azul com as mãos cobertas por luvas de veludo. Pequeninos corpos de mariposas estão pendurados nos rubis, como fósseis vitrificados.

Eu balanço a cabeça. — Tenho certeza que você vai ser o único usando uma calça tão apertada que precisa de um protetor lá... Sempre gostou de chamar a atenção, não é?

— Ah, eu garanto que o que eu escolhi mostrar é só o começo.

Mamãe e eu fazemos cara de enfado simultaneamente e o sorriso dele se alarga. Juntos, nós três tiramos as sacolas com o equipamento do porta-malas e caminhamos para a porta dos fundos.

Jeb já está a postos antes de chegarmos, mantendo a porta aberta. Ele está morbidamente lindo em sua fantasia, com teias, manchas de sujeira e rasgos estratégicos que Jenara incorporou ao seu smoking. O casaco de veludo azul-marinho com abotoaduras chinesas faz com que ele pareça ainda mais largo e alto, e sua calça cai fluidamente sobre suas pernas musculosas. Uma camisa de tule e meia máscara no mesmo tecido complementam sua pele cor de oliva e seu cabelo castanho ondulado, culminando com seus olhos verdes com pontinhos cinza. A gravata de cetim no pescoço combina todas as cores numa estampa *paisley*.

Ele fez a barba e está usando o piercing que eu lhe dei, mas não por minha causa. É porque ele planeja cair matando em cima dos zumbis.

— Jeb...

Ele olha como se eu não estivesse lá. — Temos que nos apressar. Precisamos discutir os planos.

Vê-lo dirigir-se a nós como a um grupo de trabalho dói mais que uma bofetada. Ele é tão íntimo e está tão dolorosamente próximo de mim que eu nem tenho vontade de me mexer. Morfeu me envolve com um braço para me fazer prosseguir, e o olhar de Jeb se volta rapidamente para esse contato, em seguida tornando a desviar-se, apertando os dentes com força suficiente para quebrá-los.

Nós descarregamos as sacolas sobre um banco de madeira ao lado de alguns armários. Jeb abre o zíper para verificar os equipamentos enquanto delineia nossa estratégia.

— As redes das bolas de futebol são para os brinquedos, já que eles não podem ser mortos. Vamos ter que imobilizá-los para arrastá-los para dentro delas. — Ele tira os *walkie-talkies*. Depois de testá-los, ele joga um para nós. — Vamos nos dividir em equipes. O cara de inseto vem comigo, e depois as mulheres. Fiquem em contato com o seu parceiro pelo rádio.

O rádio não é maior do que um celular, então eu o enfio no decote.

— As árvores nos vasos que eles estão usando são enormes — Jeb continua. — Parece uma floresta de verdade em volta da pista de dança. Vai ser difícil vigiar todas. — Ele tira da sacola os óculos de visão noturna e as armas de *paintball* e olha para cima, franzindo a testa. — Eu disse quatro óculos.

— O Thomas só tinha um no estoque — mamãe responde.

Jeb resmunga. — Muito bem, vai ter que dar. Eu ainda não verifiquei duas caixas de novas doações. Nossa maior prioridade é procurar brinquedos velhos dentro delas. Se não encontrarmos nada, vamos vigiar os espelhos da pista.

— E se encontrarmos algo, ó, meu capitão? — Morfeu pergunta em tom irônico.

Jeb carrega uma das armas de *paintball* e mira no peito de Morfeu. — Então atiramos no miserável para podermos rastreá-lo na

A. G. HOWARD

luz negra, o pegamos e o mandamos de volta pelo buraco de onde ele saiu *para sempre.*

Morfeu e Jeb ficam se encarando. A tensão é palpável. Não tenho ideia de como eles vão conseguir trabalhar juntos para realizar essa tarefa. Mas também não sei como eu vou conseguir, sabendo o quanto pisei na bola até agora.

Mamãe se posiciona entre eles e aponta o cano da arma para o chão. Ela olha para nós três e eu percebo que ela vai manifestar alguma preocupação. — Antes de começarmos a atirar, teremos que tirar todo mundo de lá.

O olhar intenso de Jeb recai sobre mamãe. Nunca tive tanta inveja dela. — Certo. Precisamos acionar todos os sprinklers para que o espaço fique molhado. Eles são acionados quando os globos de vidro se quebram. Acha que você e a Al podem explodi-los com sua magia? Quebrar *todos* para todo mundo fugir? Este será o sinal para desocupar e depois lacrar o lugar. O mariposão aqui pode tomar conta da entrada enquanto eu causo um curto-circuito no elevador.

Mamãe concorda. — Nós conseguiremos, não é, Allie? — Ela me olha com a cabeça inclinada, mostrando preocupação, e eu sei que ela está me vendo por dentro.

— É claro — eu respondo. O plano de Jeb está muito bem costurado, mas eu ainda não consegui ter um pensamento coerente desde que ele saiu de nossa casa. É óbvio que nossa briga não afetou a produtividade dele como afetou a minha.

Descemos no elevador grande. Jeb fica no canto oposto com as sacolas, cuidando do painel de controle, e Morfeu fica entre mim e mamãe. Quando paramos, Jeb fica apertando o botão para manter a porta aberta. Ele foca o olhar em mim pela primeira vez esta noite. O meu coração dispara.

— Tenha cuidado — ele diz, com a voz grave e acentuada pela emoção.

— Você também — eu murmuro.

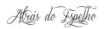

As asas de Morfeu passam por cima de nós, lembrando-nos do que aconteceu mais cedo.

Eu faço cara feia e Jeb desvia o olhar e abre as portas que levam ao andar principal, voltando a ignorar-me. A comida está sendo arrumada em um canto ao lado de meia dúzia de mesas de bilhar com superfície de feltro, tão escuras que os petiscos ficam quase invisíveis. Bolas brilhantes, caçapas e tacos convidam os jogadores a participar.

No bufê, uma poção azul brilhante borbulha em uma tigela de ponche, e cupcakes com rosetas cintilantes na cobertura perfazem o resto da mesa. Nós enfiamos o equipamento atrás da toalha que pende da mesa para mantê-lo escondido, mas facilmente acessível.

É hora de nos misturarmos e procurarmos.

Nós nos mesclamos perfeitamente com o cenário ultravioleta. As pessoas ao redor têm a aparência tão selvagem quanto Morfeu e eu. Alguns colegas de classe têm até antenas e dois pares de asas, como libélulas — feitas com arame, gaze e tinta fluorescente.

As árvores de que Jeb nos falou são reais, e têm pelo menos três vezes o tamanho das que fizemos nas aulas de artes — troncos grossos e ramos longos que se estendem para cima, como serpentinas. Elas foram pintadas de branco e, sob as luzes negras, acrescentam um elemento fantasmagórico.

Eu estremeço.

Mamãe me puxa de lado e fala ao meu ouvido: — Eu sei que tem algo errado entre você e Jeb, mas não se distraia. Nós só conseguiremos fazer isso se você se distanciar de suas emoções. Seja implacável e astuta. Pense como uma rainha intraterrena. Está bem?

Eu balanço a cabeça, concordando. Ela beija a minha testa, deixando um pouco do seu perfume pairando sobre mim enquanto ela se separa de nosso grupo e vai se registrar na mesa de acompanhantes. O seu vestido e máscara parecem flutuar pela escuridão, como uma rosa radiante rodopiando em torno de uma silhueta

A. G. HOWARD

azul espectral. O estudante encarregado lhe dá um crachá fluorescente com o seu nome e uma tiara de brinde feita de papelão, tinta e lantejoulas. Ela os coloca e em seguida caminha para uma caixa de doações a alguns metros dali. Ela se vira de costas e o rádio no meu corpete ganha vida com a sua voz.

— Vou verificar esta aqui. Procurem na outra. *Câmbio.* — Vem a estática, quase inaudível sob a música estridente dos anos 80 que soa nos alto-falantes.

— Nós cuidamos disso — Jeb diz atrás de mim. — Vá para a pista. Você precisa achar um lugar agora, antes que todo mundo chegue.

— Está bem — eu murmuro.

Morfeu, ao passar, desliza um dedo aveludado, do meu ombro ao meu cotovelo. — Mantenha a cabeça no lugar, Alyssa. Não poderei ajudar se perdê-la. — A alusão ao País das Maravilhas por trás das suas palavras é como uma faca em minhas entranhas. Em seguida, ele parte na direção do campo de minigolfe.

Jeb muda de postura atrás de mim, como se estivesse saindo, mas para quando um ruído soa nos alto-falantes acima de nós, silenciando a música.

— Cinco minutos para a abertura das portas! — uma adolescente empolgadíssima fala ao microfone. — Acompanhantes, fiquem em seus postos, e membros do conselho estudantil, sigam até a entrada para dar as boas-vindas aos seus convidados encantados e receber as doações!

Jeb e eu esperamos a multidão diminuir. Estou preocupada por ainda não termos encontrado os brinquedos habitados por espíritos. Eu tinha esperança de que pudéssemos fazer isso sem Jenara, Corbin e os outros alunos presentes. Fico inquieta, e a minha asa roça o abdômen de Jeb, fazendo-me corar.

Ele se inclina, aproximando a respiração quente do meu pescoço. — Você vai dar conta, menina do skate — ele sussurra com suavidade, tocando a ponta da minha asa e fazendo o meu corpo todo estremecer.

A fé que ele tem em mim, diante do que eu já o fiz passar, é tão inesperada que eu me viro para agradecer. Mas ele já foi embora, e quase não consigo ver as suas costas na escuridão. As membranas das minhas asas anseiam por seu toque.

Com os dentes cerrados, rumo para o meu posto, esquivando--me de colegas apressados em fantasias cintilantes. Eu fico de olho nas árvores fantasmagóricas. Quando eu entrar na floresta, meu próprio vestido, cabelo e asas se mesclarão com seus troncos e galhos brancos e brilhantes. A alguns metros de distância, alguns troncos parecem estar fazendo careta — uma anomalia estranha formada pelos veios da madeira. A visão deflagra um ligeiro desconforto que me é familiar.

A voz de mamãe estala no rádio. Ela informa que não conseguiu encontrar nada de errado na caixa de brinquedos e que Morfeu também não encontrou nada na outra caixa. As pessoas olham para meu peito falante por trás de máscaras reluzentes, as suas silhuetas cor de púrpura tão irreconhecíveis para mim como a minha é para elas. Eu as ignoro e continuo indo para a pista de dança e as paredes de espelhos.

Olhando para trás, avisto Jeb a distância, a sua silhueta preta contra a pista de skate alaranjada que se eleva atrás dele. Uma divisória temporária de metal foi colocada na parte mais rasa — pintada do mesmo tom do *bowl*, e com metade da altura — para impedir que casais mais românticos a usem para os seus encontros.

Uma princesa sombria está parada ao lado de Jeb usando um vestido vermelho com paetês e asas de monarca que lhe saem dos ombros, incandescentes feito chamas. Ela coloca uma mão na lapela dele, acariciando o tecido. Eu reconheceria aquela linguagem corporal em qualquer lugar. Taelor descobriu Jeb, e ficou entusiasmada por ele ter vindo sem mim.

Lembrando as palavras de mamãe e do alerta de Morfeu, afasto o ciúme e continuo rumando para a tarefa a mim designada. Quando passo pela galeria de jogos eletrônicos — a alguns metros

A. G. Howard

da floresta branca, ouço um farfalhar, como plástico esvoaçando ao vento.

Eu volto para trás e enfio a cabeça na galeria. A sala escura está movimentada, com música dançante, efeitos sonoros sinistros e luzes animadas. O ruído de plástico continua e me atrai para dentro. Eu cruzo uma fila de máquinas de fliperama. Cores vibrantes e cartazes gráficos passam por minha visão periférica quando eu me concentro no ruído. Ele está vindo da seção de *Skee-Ball*, onde cerca de cinquenta prendas embrulhadas em sacolas de celofane encontram-se penduradas em um painel de madeira compensada na parede dos fundos.

Movimentos diminutos inflam e murcham as sacolas, como se alguma coisa respirasse dentro delas. Meu coração começa a acelerar quando eu me aproximo mais e os prêmios se tornam visíveis através de seus invólucros plásticos: ursinhos e outros bichos de pelúcia, palhaços de vinil e bonecas de porcelana — todos comidos de traças ou sem olhos, com o estofamento saindo dos pescoços, debaixo dos braços e dos globos oculares vazios.

As almas inquietas...

— Que furtivo — eu sussurro, tirando meu *walkie-talkie* com mãos trêmulas. Ao recuar, tropeço na minha cauda e derrubo o rádio. Ele se despedaça no piso de pedra.

— Droga. — Eu me agacho para catar os pedaços espalhados ao lado de uma flor plantada em vaso que eu não tinha notado antes. É um botão-de-ouro, estranhamente deslocado aqui, com as pétalas amarelas refletindo o cenário ultravioleta como uma placa de trânsito sob os faróis de um carro. Dentro do vaso, alguma coisa também brilha logo acima da terra. Eu me inclino e encontro um cogumelo levemente comido no lado das pintas.

— Minha criança. — Um ronronar rouco emerge do centro da flor. Uma das folhas agarra uma mecha de minha peruca prateada antes que eu consiga recuar, me segurando, arqueada, no lugar. Fileiras de olhos se abrem e piscam em cada pétala.

— Vermelha — eu sussurro.

Ela começa a crescer junto com o vaso, uma transformação lenta e tortuosa. Os dentes espinhosos em sua boca se arreganham. — Vamos dar uma olhada em você — ela diz, agora da altura da minha coxa e ainda crescendo. Seus braços e dedos folhosos se esticam e emaranham-se na minha peruca, mantendo-me próxima do seu rosto horrendo. — O que houve com o seu cabelo? — ela resmunga, obviamente descontente. Sua respiração cheira a flores murchas. — Como você ousa despojar o meu recipiente?

— Eu não sou seu recipiente. — Eu me liberto, deixando minha máscara, peruca e touca caírem no chão. O meu verdadeiro cabelo cai sobre os meus ombros — uma massa emaranhada. Já estou dando um passo para trás quando o meu cacho escarlate me puxa, arrastando-me na direção da Vermelha, como se lembrasse que foi ela quem o criou, como se quisesse deixá-la entrar novamente. Eu fico dura, com aquela marca em meu coração me dominando.

— Ah, melhor. — Os dentes espinhosos e viscosos da Vermelha se curvam num sorriso alto o bastante para me olhar nos olhos. — É assim que eu esperava ser recebida. — Ela pega o inquieto cacho de cabelo com sua mão folhosa. — Serei sempre uma parte sua. — Meu corpo sente a intrusão, como se ela estivesse drenando todo o meu sangue e enchendo minhas veias com o seu.

Recobrando minhas ideias, eu empurro o seu caule e ela vem abaixo, soltando meu cabelo ao atingir o chão, com o vaso virado e as folhas chacoalhando. Seu controle mental foi quebrado.

— Você nunca será uma parte de mim novamente. — Eu me livro da tentativa de possessão.

Rosnando, ela rola pelo chão e usa seus braços de trepadeira para arrastar-se na minha direção. A terra cai do vaso virado e ela para, olhando para ele. Suas centenas de olhos olham para mim. — Ajude-me ou sofra a minha ira.

— *Pode deixar* — eu murmuro sarcasticamente, com a intraterrena dentro de mim assumindo o controle. Lembro-me de meu confronto com as flores no ano passado no País das Maravilhas.

A. G. HOWARD

— Você pode se enraizar, mas não pode se mover, a menos que esteja ligada ao solo. Não é a escolha mais inteligente aparecer em uma caverna de cimento. — Por um triz, consigo esquivar-me de sua tentativa de me agarrar. Deve ser por isso que ela não trouxe o seu exército de flores... e escolheu os brinquedos. — Por mim você pode ficar aí apodrecendo.

Fervilhando, ela estende os braços. As folhas que se projetam de suas vinhas atingem o chão perto de meus pés, a alguns centímetros de me pegar. Eu recuo ainda mais, observando, quase sentindo pena de sua impotência. Mas eu não caio nessa. Não há nada de impotente nela, e a piedade não tem lugar num campo de batalha.

Preciso livrar-me dela permanentemente — enviá-la para o cemitério de uma vez por todas, embora não saiba ao certo como chegar lá. Quem sabe Morfeu tenha um plano. Eu vou incapacitá-la de alguma maneira... segurá-la aqui até que ele possa me ajudar.

Puxando um fio elétrico da parede, mantenho-me afastada o suficiente para ficar fora de seu alcance e guiar o fio com a minha mente como se estivesse atirando uma linha de pescar. Eu a pego, depois a enrolo para que não se mexa. É gratificante estar fazendo isso com alguém, para variar.

Ela rosna, lutando com as amarras. — Palerma teimosa. Não sou eu a sua inimiga. Você não percebe que sou a única maneira de você manter o reino Vermelho? Sua mãe deseja usurpá-lo de você. Ela mentiu todos esses anos. Ela quer a coroa. Até tentou conquistá-la uma vez. Você não sabia disso, sabia?

— Eu sei tudo sobre a minha família. — *Graças a Morfeu.*

Eu continuo a amarrá-la no fio elétrico. Se eu não tivesse visto as memórias de meu pai e de minha mãe, até poderia cair na mentira da Vermelha. Mas, agora, suas falsas acusações só me deixam ainda mais possessa. Eu a eletrocutaria se isso surtisse algum efeito.

Ela resmunga quando eu termino de amarrar o fio e me afasto mais um passo.

— A aranha se esconde nas sombras — a Vermelha diz, grunhindo. — Ela deseja dar ao seu príncipe encantado um destino diferente desta vez. Me liberte e eu lhe direi onde ela se esconde.

A Irmã Dois?

Eu levanto a bainha do meu vestido e saio correndo, deixando a Vermelha incapacitada.

— Peguem a garota e acordem as árvores! — grita a Vermelha. Os brinquedos na parede sacodem-se dentro dos sacos para se libertarem.

Acordem as árvores. Essas palavras são uma triste validação para a minha premonição anterior. Aquelas caretas que eu vi eram mais do que veios da madeira.

Jeb me vê saindo do fliperama e tenta se aproximar, desviando da multidão. Não há tempo para chamar mamãe. Tenho de esvaziar o lugar antes que os brinquedos escapem e os humanos sejam comidos pela madeira tulgey.

Eu olho para as luzes negras fluorescentes no teto infinito, imaginando que os bulbos de vidro dos sprinklers são botões de rosa em um jardim, esperando florescer. Imagino uma chuva que os nutre, suas pétalas se abrindo, largas, num impulso para a vida.

Pequenos estouros pipocam em toda a caverna, seguidos por uma enxurrada de água fria que vai aumentando até meu cabelo e roupas grudarem na pele. A reação das pessoas é instantânea. Garotas gritando e rapazes xingando empurram-se a caminho das rampas, enquanto outros correm para lá e para cá, tentando salvar as fantasias e a comida.

Os acompanhantes tentam controlar o caos e conduzir todos para a saída. Eu me agacho atrás da placa da galeria de jogos e, quando o último acompanhante sai correndo pelas portas, Morfeu chega voando e passa uma corrente nas barras, bloqueando a entrada.

Os sprinklers param ao comando de mamãe.

— O exército está no fliperama! — eu grito ao vê-la, e nós quatro voltamos a nos reunir... pele, cabelo e roupas encharcadas. — E cuidado com as árvores... elas são tulgey.

A. G. HOWARD

Jeb parece completamente perdido, mas mamãe e Morfeu trocam olhares ansiosos através de suas máscaras refletivas.

Um estouro de brinquedos decompostos sai aos tropeços da sala de jogos e ruma para as árvores da pista de dança. Não consigo ver o quanto são hediondos em meio às sombras. Não importa. Ainda consigo lembrar de sua aparência dentro das sacolas — bonecas miseráveis com olhos faltando, caras de palhaços arreganhando os dentes de dor e ódio, ursinhos e carneiros perdendo seu estofamento através de cortes em seus corpos — todos carregando almas delirando por uma chance de serem livres.

Suas formas pequenas e sombrias escorregam e trombam umas nas outras sobre o cimento molhado. Eles resmungam, numa confusão em massa. Seria cômico, se não fosse trágico.

— Peguem o equipamento! — Jeb grita.

Morfeu lança-se ao ar, e sua coroa cai no chão com um baque metálico. Eu o sigo. Ele é uma figura que flutua — máscara, gibão e camisa desmanchada voando em direção ao bufê; tudo o mais, sua mangueira e asas, está muito escuro para ver. Jeb e mamãe nos seguem pelo chão, um vestido esvoaçante e uma máscara de tule brilhante. Todos esses anos em que venho me equilibrando em uma prancha de skate estão dando resultado. Jeb está incrível, deslizando pelo piso encharcado e ao mesmo tempo impedindo que mamãe caia.

Não há nada além de estática no intercomunicador e nos alto-falantes. Batendo as asas, perscruto a escuridão lá embaixo. Ela só é quebrada pelas plataformas fluorescentes no meio, pelos murais e pelas árvores fantasmagóricas ao norte, que logo ganharão vida, e, a poucos metros no sentido perpendicular, a galeria de jogos eletrônicos. Eu me encolho. É como olhar para uma máquina de fliperama aterrorizante. Enquanto olho para as mesas de bilhar e suas bolas reluzentes que parecem contas, uma ideia começa a tomar forma.

Morfeu interrompe os meus pensamentos, gritando para trás: — A Vermelha?

Meu cabelo esvoaça com o vento produzido por suas asas. — Ela está derrubada no chão, amarrada e cuspindo terra.

— Não vai ficar assim por muito tempo. — Pela primeira vez ele não solta uma piada.

E ele tem motivos para ficar sério. Eu só consegui manter os humanos fora do alcance dela e ganhar um pouco de tempo. Ela quer meu corpo de volta, e a cabeça de Morfeu em uma travessa. Ela vai bolar uma maneira de fazer essas duas coisas acontecerem. Pelo menos por enquanto ela está incapacitada, o que faz da Irmã Dois nossa prioridade. Eu estremeço, lembrando da reação de Morfeu à sua ferroada. Um humano, sem magia para resistir ao veneno, não tem nenhuma chance de sobreviver.

Morfeu e eu chegamos ao bufê primeiro. Ele aterrissa com destreza no chão e freia deslizando. Eu pouso desajeitadamente sobre a mesa, enfiando a bota esquerda em um cupcake fluorescente e encharcado.

— Prática, amor. O truque está nos tornozelos — ele diz, tirando as sacolas de suprimentos.

Eu sacudo o cupcake ensopado e desço da mesa, usando as asas para me equilibrar e não me estatelar no chão escorregadio.

Jeb e mamãe chegam em seguida; ele desviou do caminho para causar um curto-circuito no elevador. Agora ele está em modo de batalha completo. — Al, me passe seu xale — ele diz ao me ver, tirando o seu casaco.

Eu tiro o broche. — Jeb — eu murmuro enquanto ele gira em torno de mim para desenrolar o tule da base das minhas asas; mamãe e Morfeu descarregam as coisas alguns metros adiante, de costas para nós.

— Isso — Jeb diz, concentrando-se.

— Aquelas árvores engolem coisas. Depois, ou elas as cospem como mutantes, ou as coisas ficam perdidas em...

— Em *Qualquer Outro Lugar*. Sua mãe me disse quando vínhamos para cá. — Os dedos dele continuam trabalhando na tela.

— E a Irmã Dois está aqui.

A. G. HOWARD

Ele para.

Eu olho para trás com um nó se formando em minha garganta. — Seu plano é brilhante, mas esta guerra não é sua. Você não está equipado para lutar com essas coisas.

Seu olhar magoado é penetrante, mesmo através da máscara. — Mas *ele* está, não é?

Eu olho para Morfeu. Suas asas protegem ele e mamãe enquanto desemaranham as redes.

Eu me viro, concentrando-me em Jeb. — Não importa o que você pense que aconteceu entre nós dois. Eu te amo. Compartilhamos cicatrizes de batalhas e corações. Não quero perder isso.

Ele estuda os meus colares e o pedaço de metal soldado em meu pescoço. — É, estou vendo como você cuidou do meu coração.

Eu recuo diante da sinceridade do comentário.

— Mas você já deveria saber que eu nunca desisto sem lutar. — Ele pega meu colar, me puxa para perto e aperta os lábios contra os meus, dando o troco para o beijo de Morfeu, marcado com o sabor e a paixão de Jeb. Quando ele me solta, seu queixo está em posição de obstinação. — Você e eu? Estamos longe de terminar.

Fico chocada demais para responder.

Nosso momento íntimo é interrompido quando os brinquedos mortos-vivos acordam as árvores. Bocas enormes bocejam nos troncos, e seus membros de serpentina palpitam. Como a Vermelha, elas estão limitadas aos vasos e terra em que se encontram. Mas eu me lembro dos dentes e gengivas retráteis que vi nas prateleiras de tulgey da minha lembrança. Se os brinquedos conseguirem nos cercar dentro da floresta, viraremos refeição na certa.

Depois de acordar as árvores, os brinquedos voltam a desaparecer nas sombras. Os sons intermitentes de água escorrendo lamúrias e gemidos horrendos são os únicos indícios de seu paradeiro. Exceto por uma silhueta aqui e ali, eles são impossíveis de ver, por serem muito pequenos e andarem perto do chão.

Sem mais uma palavra, Jeb enrola a tela em uma tira para deixá-la mais forte e confecciona um arreio improvisado em torno do

seu peito e ombros. Ele pega os óculos de visão noturna e arranca a sua máscara para vesti-los. Depois, arrebata uma arma de *paintball* e enfia todas as caixas de bolas na sacola que leva ao ombro.

Ele vai até Morfeu, pega seu braço e o vira. — Acha que é homem-inseto o bastante para me dar uma carona?

Morfeu ri com afetação. — Coisa de criança. Embora eu não possa prometer uma aterrissagem segura.

A ameaça não assusta Jeb. Ele dá as costas para Morfeu poder passar os braços por trás dos arreios.

— Morfeu. — Eu lhe lanço um olhar significativo, tentando fazê-lo garantir que vai jogar limpo. Mas nenhum dos dois olha para mim. Espero que eles consigam trabalhar juntos sem se matar.

— Vamos marcá-los. — Jeb olha para nós quando Morfeu o iça, as asas poderosas batendo com força suficiente para levantar poeira. — E vocês vão ensacá-los.

Mamãe me passa uma rede enquanto os rapazes voam para o teto. A camisa de Jeb é só um fio púrpura que cintila nas sombras. A ideia de ter a Irmã Dois à espreita me consome o coração, mas eu tenho de me manter firme. Não posso deixar que meu receio por Jeb consuma o melhor de mim, ou isso provará que Morfeu está certo: que Jeb é a minha ruína.

Não deixarei que isso se torne a verdade. Ele é meu parceiro, como foi no País das Maravilhas. Mesmo que eu tenha perdido a sua confiança.

Um som de esguicho irrompe quando Jeb atira as bolas de tinta na escuridão. Brinquedos assustadores saem de seus esconderijos, rosnando e gemendo. Esguichos de tinta os marcam — manchas de luz fosforescente correndo para lá e para cá.

Mamãe e eu nos agachamos e desviamos, balançamos e escorregamos enquanto odiosos dentes rangendo nos atacam de todas as direções. Com o piso molhado, mal conseguimos nos manter em pé para enfrentá-los, muito menos capturá-los nas redes.

— Para ganharmos vantagem — eu grito mais alto que a comoção, abatendo alguns brinquedos mortos-vivos com um taco de

A. G. HOWARD

bilhar —, temos de ir pelo ar. — Minhas asas coçam para alçar voo e eu pulo sobre a mesa.

Mamãe olha para mim, com um quê de reserva por trás da máscara. — Não sou muito boa nessa coisa de voar. — Ela parece assustada, como eu fiquei quando Jeb e eu cruzamos o abismo em skates no País das Maravilhas, sobre um mar de moluscos. Mas Jeb persistiu e nós conseguimos. Serei igualmente forte para mamãe.

Meia dúzia de brinquedos manchados de tinta vem tropeçando para cima de nós, bufando de raiva.

Eu a arrasto para ficar ao meu lado na mesa. — Agora, mamãe.

Apreensiva, ela concorda. Ouço um som sibilante quando ela liberta suas asas — quase réplicas exatas das minhas. Depois desta noite — de ver sua essência intraterrena liberta —, acho que ela não terá mais problemas com as minhas minissaias.

Uma música *tecnotrance* explode nos alto-falantes, e um riso perverso ecoa pelo intercomunicador. Alguns brinquedos encontraram o caminho para a cabine de som.

Mamãe e eu nos lançamos ao ar — com as redes em mãos — no momento em que várias almas inquietas chegam à mesa. Um ursinho mofado e um gatinho cor-de-rosa com um olho só se agarram nos meus braços e cabelo, tentando me puxar para as árvores de bocas escancaradas. Eu acerto os brinquedos com meu taco de bilhar e voo mais alto.

Mamãe não está ganhando altitude com ritmo suficiente. Uma boneca de vinil comida por vermes pega o seu tornozelo, mordendo-o. Ela berra e cai um pouco. O sangue que escorre pelo seu sapato pinga na mesa abaixo dela.

Mergulhando em sua direção, eu abato a boneca com o taco de bilhar, enviando-a para as trevas. O brinquedo geme e eu sigo seu reflexo branco, que cai pelo ar e atinge o ponto mais alto da pista de skate, deslizando pela curva e indo parar no fundo. Ela tenta escalar e sair, mas só escorrega. O buraco cônico, combinado com a umidade dos sprinklers, torna a fuga impossível.

A ideia anterior, parcialmente formada, agora me vem por inteiro.

— *Pinball* de zumbis — eu grito para mamãe, nós duas voando tão alto que nossas asas quase tocam as lâmpadas do teto.

Ela olha para baixo sem entender direito.

Para demonstrar, eu foco em uma mesa de bilhar, imaginando que as bolas são tufos de palha levados pelo vento do Texas. Elas começam a girar, depois a rolar, despencando pela beira da mesa como cachoeiras fluorescentes nas cores do arco-íris.

Elas capturam alguns brinquedos ao rolar, e eu guio a massa móvel com minha mente e minha imaginação, arrebanhando-a na direção da pista de skate, atingindo as árvores de tulgey e outros obstáculos fluorescentes no caminho, mas seguindo em frente. Da altura em que estamos, a cena brilhante parece uma centena de bolas de fliperama sendo jogada ao mesmo tempo.

Mamãe pega o jeito e usa sua magia em outra mesa de bilhar, até que o chão fica coberto de bolas cintilantes e de brinquedos desequilibrados. Nós unimos nossos poderes e mandamos todas as bolas e brinquedos para dentro da pista em *bowl*. Os dentes brancos de mamãe resplandecem para mim por entre as sombras, e eu retribuo o sorriso. Estamos vencendo.

A distância, vejo Jeb e Morfeu com o canto do olho. Eles estão próximos da galeria de jogos eletrônicos. O som de bolas de tinta explodindo é ininterrupto. Eles estão atrás da Vermelha. Eu afasto a preocupação de minha mente, tentando não sentir nenhuma emoção, e continuo trabalhando com mamãe até termos encurralado a maioria dos brinquedos dentro da pista côncava. Os poucos restantes fogem para dentro da floresta de tulgey.

Eu confecciono uma concha gigante usando minha rede e o taco. Descendo para perto da pista de skate, eu a abaixo. Os brinquedos correm para dentro dela às cegas. Consigo colher pelo menos quinze na primeira tentativa. Seu peso oscilante torna mais fácil apertar o laço. Eu largo a rede a caminho da mesa do bufê e vou pegar mais uma. Pego dois tacos de bilhar, dando um para mamãe

A. G. Howard

quando ela se aproxima. Ela se precipita e o pega, e eu procuro a última sacola de equipamentos debaixo da mesa.

Alguma coisa corta meu pulso através da luva. Eu gemo de dor e recolho o braço, com sangue esguichando pelo chão. Tesouras de poda rasgam a toalha de mesa do outro lado, e a Irmã Dois aparece, esticando o corpo inteiro e investindo contra mim com os ferrões à mostra.

25

A Noite Mais Sombria e a Luz Mais Estranha

Arfando, bloqueio a mão venenosa da Irmã Dois com um taco de bilhar.

Ela uiva quando uma de suas unhas com pontas envenenadas fica presa na madeira. Eu largo o taco e corro, com o coração pulando a cada passo escorregadio.

Ninguém pode me ver através da floresta de tulgey — nem a Vermelha, nem os rapazes, nem a mamãe —, mas eu os vejo. Jeb e Morfeu pousaram e estão cercando os brinquedos que marcaram — os que mamãe e eu deixamos passar. Morfeu usa magia azul para fazer os zumbis andarem feito marionetes na direção de Jeb, que então usa um taco de golfe para enviá-los para dentro de uma rede que eles montaram. Deixe que os homens façam um jogo desta situação de vida e morte. Eles estão bem próximos da galeria — e da Vermelha.

Mamãe está distante, colhendo brinquedos da pista de skate, tão alheia quanto os rapazes. Eu começo a alçar voo para ir ter com ela, mas as tesouras da Irmã Dois fazem um talho em minha asa direita.

Uma agonia feroz dispara de meu ombro até minha espinha. Meus joelhos se dobram e eu despenco sobre o cimento molhado. Tento gritar... avisar aos outros... mas a dor é lancinante e suga o ar dos meus pulmões, trancando a minha laringe.

A Irmã Dois se arrasta para perto, os oito pés batendo em sincronia mórbida ao meu redor. A minha asa está em farrapos. Pedaços de joias caem à minha volta como neve à meia-noite, refletindo um branco brilhante sob as luzes negras.

— Eu vos disse, aquele dia que trespassastes meu solo sagrado, que eu faria confete de vós. Dai-vos por feliz de eu parar por aqui. — Ela bate na minha asa com o taco e o larga ao meu lado enquanto eu me contorço de agonia. — Como reunistes minhas almas fugitivas e trouxestes a Vermelha de volta para mim, decidi deixar-vos viver. Vosso sonhador mortal e vossa mãe... são só do que eu preciso como restituição. Podeis considerar vossa dúvida paga.

Eu me esforço para me mexer. *Não. Por favor, não os leve.* O meu peito infla com o pedido, a voz presa lá dentro, debatendo-se feito um pássaro engaiolado.

Ela lança uma teia e ganha o ar, obscurecida e letal em meio à escuridão. Ela entra e sai de vista, tão alta que é virtualmente impossível detectá-la.

O cacarejar malvado da Vermelha ecoa por toda a caverna, e eu viro o pescoço para olhar para a porta da galeria de jogos. A sua forma floral está mais alta do que Morfeu. Os brinquedos devem tê-la ajudado a escapar das minhas amarras. Ela usa os seus braços serpenteantes para impulsioná-la para a frente, levantando o vaso e balançando-o, o que me lembra um orangotango. Um dos seus membros extras se esgueira para arrebatar Jeb. Morfeu encerra a Vermelha em sua magia azul, esperando controlá-la como fez com os brinquedos mortos-vivos, mas ela é poderosa demais e o captura também.

Eu solto um grito, com o som finalmente se libertando de minha garganta.

Decidida a ajudar, eu luto contra os espasmos agonizantes nas minhas costas e asa, e quase consigo me levantar, mas caio de barriga novamente quando sinto uma descarga de calor picante me cortando as vértebras. Será que foi isso que todos aqueles insetos sentiram quando eu os prendi com alfinetes?

Eu choramingo — um pedido de desculpas para uma rainha, uma filha, uma namorada e uma amiga. Espasmos de um calor lancinante vão de minha asa rasgada para todos os centros nervosos, me faz tremer em uma onda de choque. Eu tremo, os músculos pulam. A água esguicha à minha volta, deixando-me ainda mais fria.

Minha mente fica atordoada. Estou sendo sugada para a inconsciência, como quando a lama me engoliu, dias atrás, em meu sonho. Lembro-me da voz de Morfeu enquanto eu era puxada para baixo. Ele me disse para encontrar uma saída, que eu não estava sozinha. E, quando eu invoquei os insetos, fui resgatada.

Quando chegamos ao Submundo, os insetos prometeram sua lealdade e ajuda. *Chame-nos*, eles disseram. Então é isso que faço agora... eu os chamo em minha mente, imploro que despertem os momirratos, porque é a única maneira de salvar o reino humano.

Ouço um sussurro de afirmação, quase inaudível sob a música alta, como se escutas dos insetos estivessem esperando na porta do Submundo pelo meu sinal para prosseguirem. O alívio me invade. As formigas cuidarão de tudo. Os momirratos virão e levarão tudo o que pertence ao País das Maravilhas.

Subitamente, uma percepção amarga. Eles vão capturar Morfeu também. Ele será levado para o País das Maravilhas junto com a Vermelha. Ele ainda correrá perigo.

— Ah, não — eu murmuro, arrastando-me para ficar de frente, tentando desligar a dor.

Bem lá no alto, a Irmã Dois volteia-se sorrateiramente na direção da forma alada de mamãe.

— Mamãe! — eu grito, mas a jardineira em forma de aranha a desequilibra antes que mamãe possa vê-la.

Mamãe mergulha na pilha de brinquedos assombrados dentro da pista de skate, o seu vestido formando uma linda cascata de rosa luminoso contra a sua silhueta preta. Os brinquedos enlouquecidos vão para cima dela.

— Saiam de cima dela! — eu grito.

Uma cacofonia de gemidos e gritos de lamento emerge da pista de dança, mais alta do que a minha voz, mais alta do que a estática que agora sai do intercomunicador. Através das árvores brancas, um portal se abriu em um dos espelhos na parede e brilha contra a escuridão. Uma borra preta e oleosa goteja da toca do coelho e adentra nosso reino. Em um piscar de olhos, ela se transforma em fantasmas que serpenteiam pelo ar feito fumaça.

Eles correm até mim e me cheiram, os seus gemidos penetrando os meus ossos, fazendo tremer minhas asas. Eles deixam marcas oleosas ao sair, e eu grito e avanço na direção de mamãe, que foi soterrada pelos brinquedos mortos-vivos. Não posso deixar que os momirratos pensem que ela é igual a eles. Mas Jeb e Morfeu também precisam da minha ajuda.

Eu cometo o erro de olhar para a galeria de jogos. A Vermelha ainda os mantém presos em seus braços folhosos enquanto enfrenta a Irmã Dois. A Vermelha usa trepadeiras extras para se arrastar para a floresta de tulgey, e a Irmã Dois arrasta-se atrás dela — uma aranha caçando uma flor, como no meu mosaico. Me falta o ar quando eu percebo, antes de acontecer, o que a Vermelha planeja fazer. No momento em que a Irmã Dois lança uma teia para capturar Jeb, sua alma de recompensa, a Vermelha mergulha dentro da boca escancarada de uma árvore de tulgey, levando Jeb e Morfeu com ela.

Eles somem.

Eu fico de barriga para baixo, apoiada nos cotovelos, inerte de incredulidade. Reprimindo as lágrimas, fico parada aguardando.

— Por favor, não saiam de novo... por favor, não — eu murmuro, incapaz de conceber um mundo onde Morfeu e Jeb vivam distorcidos e mutados como os rejeitados do espelho.

Os segundos passam, longos como horas. Eu fecho os olhos, procurando não olhar. Do lado de dentro dos meus cílios, vejo os seus rostos aparecendo, deformados como num pesadelo.

Eu respiro com esforço.

Provocada pelos lamentos dos momirratos, abro os olhos e solto o ar. A boca da árvore permanece fechada. Jeb, Morfeu e a Vermelha não estão em lugar algum. Mas o temor se infiltra em meu breve alívio. Os dois foram aceitos no portão, o que significa que eles estão presos em Qualquer Outro Lugar junto com milhares de criminosos do País das Maravilhas.

Os momirratos mergulham e voam lá em cima, deixando o ar pesado como um enxame de gafanhotos gigantes. Não consigo desfazer o horror do destino de Jeb e Morfeu. Resolvo ajudá-los mais tarde, prometendo a mim mesma que existe uma maneira — alguma maneira.

Por enquanto, minha mãe ainda está em perigo.

Triste, arrasto-me até a beira da pista, sem conseguir vê-la devido a todos os brinquedos que se movem lá dentro. Pegando o taco que ela largou ao cair, cutuco as almas inquietas. Elas rosnam e se separam, revelando mamãe. O seu vestido está rasgado e sua máscara, torta, mas ela está consciente. Ela empurra os brinquedos que se agarram a ela e estica o braço para pegar o taco. O seu peso puxa o meu ombro, e eu reteso a mandíbula para resistir à sensação dilacerante em minhas costas.

Um instante antes de as mãos dela agarrarem a borda da pista, ela é pega em um funil produzido pelos momirratos que uivam, girando à nossa volta, produzindo gemidos horripilantes e um vento frio e cortante sobre mim.

— Parem! — eu grito, com os braços protegendo a cabeça. — Ela pertence a este mundo! — Eles me ignoram e pousam, produzindo um funil dentro da pista. Eu me obrigo a levantar, apesar da dor agonizante.

— Me levem também! — eu imploro.

A nuvem lamuriante que rodopia suga tudo, exceto a mim: as árvores de tulgey, os brinquedos mortos-vivos que se agarravam à

minha mãe, a Irmã Dois e suas fiandeiras. Mancando, dirijo-me à parede de espelhos enquanto o ciclone é filtrado pelo portal, deixando para trás somente manchas de óleo.

Na esperança de mergulhar para dentro do vidro antes que o portal se feche, eu me atiro no espelho, mas é tarde demais. Bato no vidro no momento em que ele está se fechando e o espelho se quebra, me cortando, fria e inexoravelmente. Eu sangro e observo o pesadelo que invoquei se desenrolando através dos reflexos quebrados.

Os momirratos mergulham no País das Maravilhas com a sua pilhagem, e a toca do coelho implode sobre si mesma, como se o impacto da entrada fosse violento demais. Não sobra nada a não ser terra revirada e uma fonte com um relógio de sol quebrado.

Não há mais como entrar. Nunca mais.

**

Exceto pela enfermeira e por mim, o lugar está deserto. Estou sentada em uma das cadeiras pretas de ferro fundido em um pátio cujo cimento foi decorado de modo a imitar seixos.

As pernas da cadeira estão presas ao chão, caso um paciente descontrolado tente atirá-la em um ataque de fúria. Um guarda-sol preto com bolas vermelhas brota do centro da mesa, como um cogumelo gigante, e sombreia metade de meu rosto. Xícaras e pires de prata brilham sobre toalhinhas. Dois jogos: um para mim e outro para o papai.

Estou aqui porque perdi a cabeça. Minha mente está perturbada. É o que dizem os médicos.

Papai acredita neles. Por que não acreditaria? A polícia tem provas. O estado vandalizado do Submundo é igual ao que eles viram no meu quarto de casa, na Fios de Borboleta e no ginásio da escola. Há sangue que combina com o DNA de mamãe na toalha de mesa do bufê, e também encontraram o meu sangue na camisa de Jeb que estava na mochila que deixei na garagem.

Jeb e mamãe estão desaparecidos há um mês. Sou mais vítima do que suspeita. De um culto, talvez. Ou de uma gangue. Poderia ter sido um sacrifício, ou um episódio de violência desenfreada. Mas eu devo ter tido ajuda. Afinal, como é que uma garota poderia causar tanta destruição sozinha?

Eles não conseguem falar comigo sobre o assunto. Quando me perguntam, fico raivosa feito um animal selvagem — ou uma intraterrena.

Quando os bombeiros me encontraram entre os destroços do Submundo, eu estava destruída — além da asa aleijada que eu já havia absorvido em minha pele, além dos cortes em minha pele causados pelo espelho. Eu não conseguia falar. Eu só gritava e chorava.

Papai não permitiu que os funcionários do sanatório me sedassem, e eu o amo por ter feito isso. Como eu não podia ser drogada para ficar submissa, eles me puseram em uma sala acolchoada para impedir que eu me ferisse. Permaneci acocorada em um canto durante uma semana, manca e exausta, cercada por nada além de um branco infinito. Um branco igual ao das árvores de tulgey que assombram os meus pesadelos. Eu me atormentei com os mosaicos e com a forma como cada um deles explicava aquela noite fatídica.

Nunca houve três rainhas brigando. Havia somente duas: a Vermelha e eu — as duas metades de mim mesma que eu me esforçava tanto para separar. A Vermelha foi comida viva por alguma criatura cruel — a madeira tulgey —, deixando o meu lado intraterreno sozinho em meio a uma tempestade de magia e caos, e o meu lado humano embrulhado em algo branco, como teia — minha nêmesis, a camisa de força.

Mas essas noites obscuras já se foram. Os dois lados meus estão unidos. Estou soltando a magia novamente, a sós, sutilmente, deliberadamente, para aplacar o vazio que dói no meu coração. A minha asa direita ainda está machucada, mas, esticando-a todos os dias, ela se recompõe pouco a pouco.

A claustrofobia não tem mais poder sobre mim. Aprendi a manipular os fechos de velcro da camisa de força. Eu os abro com um

só pensamento. Quando os meus braços se libertam, cubro com a camisa a câmera de vigilância localizada sobre a porta, liberto as minhas asas e danço pelo piso acolchoado, seminua, imaginando que estou de volta ao País das Maravilhas, no chalé acolchoado da Irmã Um, comendo biscoitos de açúcar e jogando xadrez com um homem em formato de ovo chamado Humphrey. Quando os funcionários do sanatório percebem que a minha câmera não está funcionando, eu já reabsorvi as minhas asas e estou novamente amarrada pelo velcro e pelo algodão, jogada no canto, muda e vegetativa.

Eu saio de fininho do quarto à noite, quando tudo está calmo e silencioso. E observo os humanos dormindo, estudo as suas vulnerabilidades, e saboreio o fato de que eu nunca mais serei frágil como eles.

Eu *sou* louca, e aceito isso. A loucura faz parte do meu legado. A parte que me levou ao País das Maravilhas e me valeu a coroa. A parte que me levará a enfrentar a Vermelha uma última vez, até que reste só uma de nós.

Até então, sou uma rainha que não pode voltar ao seu reino, o qual sangra por mim. Os meus dois fiéis e amados cavaleiros, Jeb e Morfeu, estão presos em Qualquer Outro Lugar — o mundo do espelho, a terra dos exilados e horrendos. E a minha mãe está sozinha no País das Maravilhas, à mercê da Irmã Dois. Isso é inaceitável. Eu não a conquistei de volta para perdê-la novamente.

A toca do coelho desmoronou, e a minha chave derreteu e virou uma pepita inútil de metal. Mas eu tenho outra chave — uma chave *viva* — que pode abrir o caminho para Qualquer Outro Lugar através dos espelhos deste mundo. E agora eu tenho os bilhetes para trocar por ela.

Ontem à noite eu entrei no antigo quarto de mamãe, ansiosa para vê-lo enquanto estava vazio, esperando outro paciente.

Nas sombras, um brilho suave e estranho vinha de trás do quadro de gerânios na parede, perceptível somente para alguém que aprendeu a encontrar a luz na escuridão.

O mesmo quadro está em todos os quartos, mas as flores deste aqui brilham — em pétalas de néon verde, laranja e rosa. Seguindo

A. G. Howard

um palpite, movi a moldura para o lado e descobri que a pintura havia sido esfregada para ficar bem fina por trás das pétalas. E mais misterioso ainda era o buraco da largura de um punho que havia na parede de gesso, cheio de terra e fungos ultravioleta em pleno crescimento.

Mamãe plantou cogumelos do País das Maravilhas enquanto era prisioneira aqui. Quando ela me disse que os intraterrenos sempre têm um plano de fuga, falava sério.

Fico sentada na cama por algum tempo depois disso, com os cogumelos na mão, imaginando quantas vezes ela os usou para sair quando precisava. A minha mente se acalma sabendo que ela teve essa oportunidade e, mais ainda, que ela a passou para mim.

— Oi, Allie. — A chegada de papai me traz de volta ao dia de hoje. Eu inalo o ar exterior, sentindo ressurgir a minha energia. A metade de meu rosto que se encontra no sol está quente, então eu me recolho à sombra do guarda-sol.

— Oi. — Eu lhe ofereço só isso, e depois volto para a minha conversa com as duas borboletas-monarca que pairam em torno das flores sobre a mesa. Elas dizem que devo apressar-me, porque Londres é longe demais para elas irem voando e que é preferível a luz do dia.

Papai me observa interagir com os insetos, cansado e derrota-do. — Allie, querida, tente se concentrar, está bem? É importante. Precisamos encontrar a sua mãe e o Jeb. Eles estão em perigo.

Sim, estão, papai. Mais do que você imagina.

— Se você mandar a enfermeira embora — eu ofereço em uma voz cantada e demente —, eu conto tudo de que me lembro. — Eu fisgo um pedaço de filé de minha xícara de chá e enfio a carne sal-gada na boca, deixando o molho escorrer pelo queixo. Eu só como assim agora, em xícaras e pires. E me visto como Alice todo dia. Eu sei parecer louca. Aprendi com uma mestra.

Machuca o meu coração ver a expressão de papai quando ele pede para a enfermeira sair. Ele tem medo de ficar sozinho comigo. Não o culpo. Mas deixo a minha empatia humana de lado. Ele terá

de ser forte para a jornada que temos pela frente. Se ele quer resgatar mamãe, a sua própria sanidade será posta à prova.

Tudo bem, porque eu confio em sua força.

Ele é a chave para tudo, e, para fazê-lo encaixar-se na fechadura, serei implacável e astuta por nós dois.

Com o olho esquerdo tremendo, papai olha para mim. — Tudo bem, Allie. Estamos sozinhos.

Eu viro os lábios, num sorriso docemente selvagem. — Antes de falarmos sobre a noite do baile, experimente a minha comida. Está gostosa.

Estreitando os olhos, ele tira um garfo de sua xícara, com carne e cogumelos pingando de molho, e o enfia na boca.

Eu apoio um cotovelo na mesa e o queixo em uma mão. — Enquanto você está ocupado comendo, posso fazer uma pergunta? — A minha voz soa artificial e demente até para os meus próprios ouvidos. É melhor, para desequilibrá-lo.

Ele balança a cabeça, engolindo. — Allie, pare de brincadeira. Estamos perdendo tempo.

Eu fico amuada. — Se você não brincar comigo, tenho certeza de que os meus outros convidados vão brincar. — Eu me inclino para a frente e sussurro para as flores na mesa, observando-o com o canto do olho.

Ele faz um som de engasgo, ficando quase verde. — Muito bem. O que você quer saber?

— Eu só estava curiosa. — Do bolso de meu avental, eu apanho um cogumelo brilhante embrulhado num lenço de papel. Ele não percebe que eu amarrei a nossos pedaços de filé um pedaço da metade mais lisa de um cogumelo, e que em instantes ele ficará do tamanho de um besouro e voará nas costas de borboletas. — Você gosta de trens?

A. G. HOWARD

Agradecimentos

Humildemente, agradeço àqueles que contribuíram para este segundo livro.

Em primeiro lugar, agradeço imensamente a todos os fãs de *O Lado Mais Sombrio*! Por causa do seu entusiasmo e sua paixão pela história e seus personagens, deram-me o sinal verde para transformá-lo em uma trilogia. Vocês são o máximo!

Em seguida, minha mais sincera gratidão ao meu marido, à minha filha e ao meu filho, e aos outros membros da família, sejam de sangue ou pelo casamento — vocês todos são uma parte integral do meu sonho de escrever. Vocês me deram estímulo nas horas difíceis e me aplaudiram nos melhores momentos. E eu sei que não importa aonde este sonho possa me levar no futuro, vocês continuarão a me apoiar. Vocês são uma bênção e um tesouro. Estejam certos de que eu nunca deixarei de valorizar vocês e os seus sacrifícios.

Abraços de gratidão aos suspeitos de sempre: ao meu grupo do #goatposse, às minhas irmãs do WrAHM e, é claro, às minhas parceiras críticas: Jennifer Archer,

Linda Castillo, April Redmon, Marcy McKay, Jessica Nelson e Bethany Crandell. Sem o conhecimento sobre a arte de escrever de vocês, seu apoio e sua confiança no meu trabalho, nada disso seria possível.

Agradeço aos meus leitores beta de *Atrás do Espelho*: Ashlee Supinger, Kerri Maniscalco e Kalen O'Donnel. As suas impressões e o seu entusiasmo com o manuscrito foram preciosos. Vocês são escritores incríveis, e será uma honra dividirmos as prateleiras um dia, quem sabe em breve!

O mais sincero respeito e gratidão à minha destemida e incansável agente, Jenny Bent, à minha intuitiva editora, Maggie Lehrman, e às minhas espertas assessoras de imprensa, Laura Mihalick e Tina Mories. Agradeço também a Jason Wells, por conhecer todos os melhores lugares para comer quando viajamos, e a Maria Middleton e Nathália Suellen, por formarem a equipe de artistas gráficas mais criativa e habilidosa.

Obrigada aos moderadores da minha Fan Page de *O Lado Mais Sombrio* no Good Reads: Nikki Wang, Soumi Roy, Hannah Taylor e Nobonita Chowdhury. Vocês fizeram do meu ano de estreia uma delícia! Não houve uma semana em que vocês não me fizessem sorrir. E abraços a todos os seguidores da Fan Page. Sair com vocês é um de meus passatempos favoritos!

Meus agradecimentos especiais a Gabrielle Carolina, por seu excepcional trabalho nas turnês virtuais do livro; a Stephanie Foster, por inspirar a tatuagem no tornozelo de Alyssa em *Atrás do Espelho;* e a Lewis Carroll, por escrever as obras incríveis que mantêm acesa a minha inspiração.

Um grande obrigada aos meus seguidores no Twitter e no Facebook, aos blogueiros, aos meus companheiros autores/escritores e aos meus amigos — virtuais e outros. O ofício do escritor pode ser muito solitário. Ter vocês me lembra de que nunca estou sozinha.

CPSIA information can be obtained
at www.ICGtesting.com
Printed in the USA
LVHW110856191020
669147LV00012B/250

9 788581 635613